새 교육과정 중등 영역별 STEAM 과학

안쌤의

최상위 줄기과학

중등 화학

최상위권 브랜드 마테시스

구성과 특징

개념

교과서 핵심 내용을 간결하면서도 이해하기 쉽게 설명했습니다. 또한, 풍부한 시각 자료가 있어 개념이 확실히 잡히도록 구성하였습니다.

플러스 노트

교과서 개념을 이해하는 데 도움이 되는 설명들로 구성하였습니다.

더 알아보기

학교 시험에 나올 수 있는 문제를 대비하여 교과서 개념을 응용하거나 적용된 실생활 내용으로 구성하였습니다.

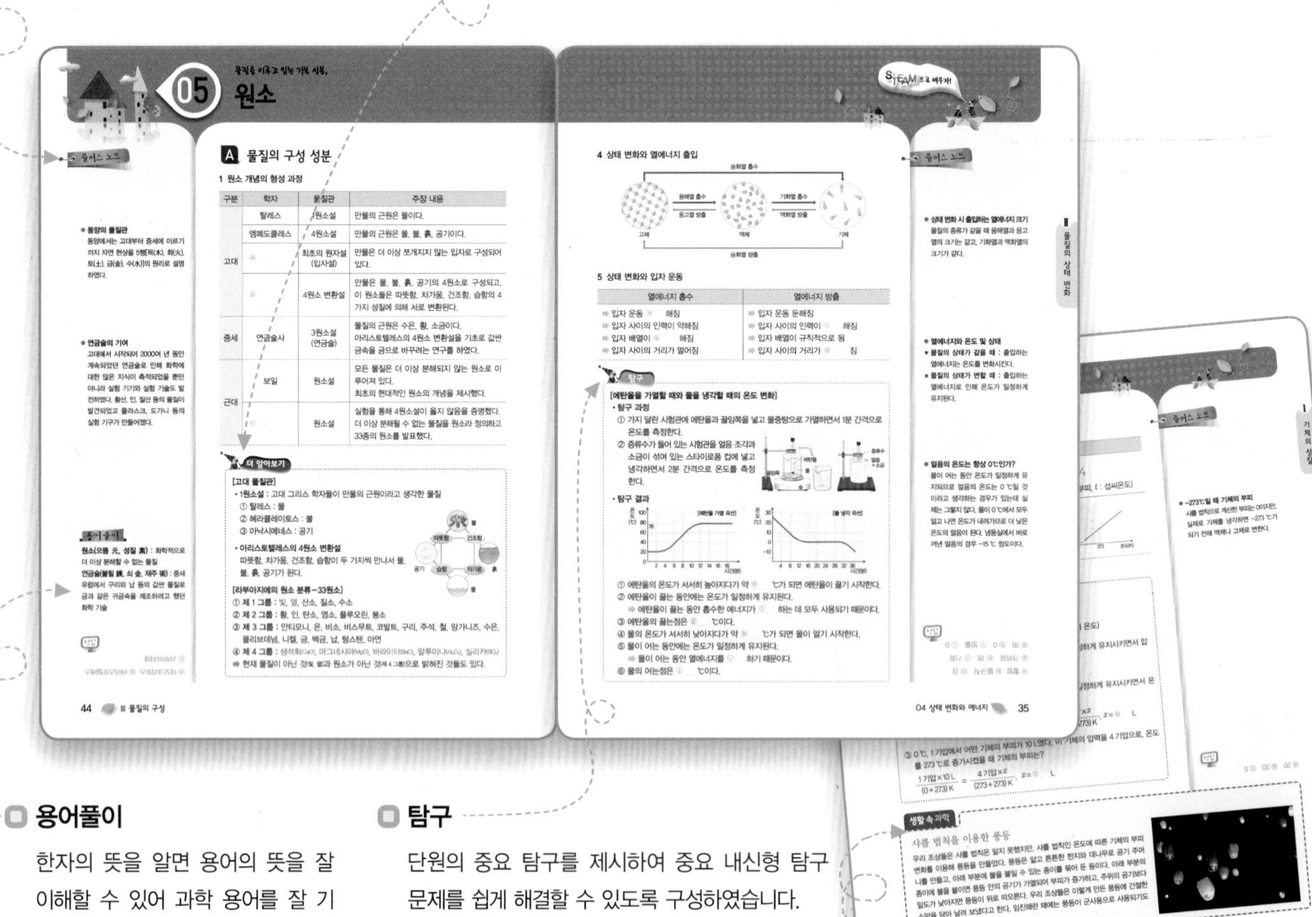

용어풀이

한자의 뜻을 알면 용어의 뜻을 잘 이해할 수 있어 과학 용어를 잘 기억할 수 있습니다.

탐구

단원의 중요 탐구를 제시하여 중요 내신형 탐구 문제를 쉽게 해결할 수 있도록 구성하였습니다.

생활 속 과학

새 교육과정의 융합과학(STEAM)에서 강조하고 있는 생활 속 과학을 교과서 개념이 적용된 내용으로 구성하였습니다.

문제 구성

교과서 핵심 내용을 확실히 파악했는지 확인하기 위한 객관식 문제 유형과 서술형 문제 유형을 구성하였습니다. 또한 새 교육과정에서 강조하는 융합인재교육(STEAM)을 위한 창의사고력 문제 유형과 STEAM 실험실로 탐구력 향상 문제 유형을 구성하였습니다.

개념 기르기

개념을 확실히 파악했는지 확인하고, 학교 시험에 잘 나올만한 문제를 통해 기초를 튼튼히 다질 수 있도록 구성하였습니다.

서술형으로 다지기

학교 시험에서 마지막에 등장하는 서술형 문제를 집중적으로 연습할 수 있도록 구성하였습니다.

융합사고력 키우기

창의 서술형 평가로 새롭게 등장한 융합형(STEAM) 문제를 대비할 수 있도록, NIE(신문기사), 실생활 속 제품, 과학사 등의 지문을 이용하여 서술형 문제와 논술형 문제로 구성하였습니다.

탐구력 키우기

새 교육과정으로 등장한 단원별 마무리 STEAM 활동처럼 단원을 STEAM 탐구로 마무리할 수 있도록 구성하였습니다.

문제 구성 속 아이콘

개념 속 빈칸 ⓑ

눈으로만 보는 개념보다 빈칸을 채워가며 완성하는 개념이 학습에 도움이 됩니다. 이를 위해 핵심 개념에 빈칸을 넣어 구성했습니다.

개념 속 빈칸 정답 정답

빈칸을 채워가며 개념을 완성하는데 정답 확인이 번거롭지 않도록 개념 페이지 하단에 정답을 넣었습니다. 바로바로 확인하면서 개념 페이지를 완성할 수 있습니다.

중요

출제 빈도가 높은 문제에는 중요 아이콘으로 표시했습니다. 이 문제는 확실히 이해하고 넘어가면 좋습니다.

논술형

최근 창의 서술형 평가로 새롭게 등장한 논술형 문제를 대비할 수 있도록 구성하였습니다.

차례

융합인재교육 STEAM 이란?

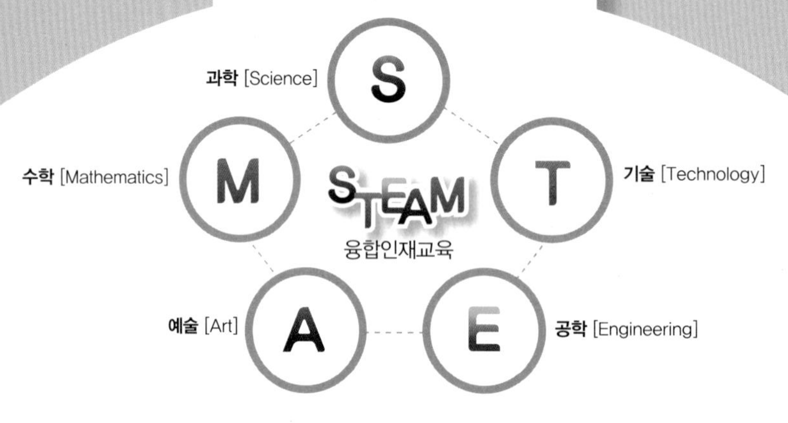

⊙ 수학, 과학, 기술, 공학 간 상호 연계성 고려, 학문 간 공통 핵심 요소 중심으로 교육

⊙ 예술적 소양을 함양하고 타 학문에 대한 이해가 깊은 미래형 인재 양성으로 교육

[자료 출처 : 한국과학창의재단]

융합인재교육은 과학기술공학과 관련된 다양한 분야의 융합적 지식, 과정, 본성에 대한 흥미와 이해를 높여 창의적이고 종합적으로 문제를 해결할 수 있는 융합적 소양(STEAM Literacy)을 갖춘 인재를 양성하는 교육이라고 정의하고 있다. 학습자가 실제 문제 상황을 다양하게 설계하고 해결하는 과정을 통해 새로운 개념을 생성하고, 창의적으로 설계하며, 더불어 사는 인성, 즉 사회적 감성을 발달하도록 하는 것이다.

이러한 **융합인재교육(STEAM)**의 목적은 다음과 같이 정리할 수 있다.

⊙ 빠르게 변화하는 사회 변화의 적응력을 높이는 것이다.

⊙ 개인의 창의인성, 지성과 감성의 균형 있는 발달을 돕는 것이다.

⊙ 타인을 배려하고 협력하며, 소통하는 능력을 함양하는 것이다.

⊙ 과학 효능감과 자신감, 과학에 대한 흥미 등을 증진시킴으로써 과학 학습에 대한 동기 유발을 높이는 것이다.

⊙ 융합적 지식 및 과정의 중요성을 인식시키는 것이다.

⊙ 학습자 중심의 수평적 융합적 교육으로 전환하는 것이다.

⊙ 합리적이고 다양성을 인정하는 문화 형성에 기여하는 것이다.

⊙ 대중의 과학화를 기반으로 한 합리적인 사회를 구성하는 데 기여하는 것이다.

⊙ 창조적 협력 인재를 양성하는 것이다.

I 기체의 성질

2015 개정 교육과정 교과서

중학교 1~3학년 군 : 중1 4단원 기체의 성질

다른 학년과의 연계

5~6학년 군 : 온도와 열, 여러 가지 기체
중학교 1~3학년 군 : 물질의 상태 변화
화학 Ⅱ : 물질의 세 가지 상태와 용액

스스로 끊임없이 움직이는

01 기체 입자의 운동

플러스 노트

● **물질을 이루는 입자**
* 물질의 종류가 달라지면 물질을 이루는 입자의 종류가 달라진다.
* 물질의 상태가 달라져도 입자의 종류는 변하지 않는다.

● **브라운 운동**
액체나 기체 속에서 액체나 기체 입자의 크기보다 큰 입자들이 액체나 기체 입자들과 끊임없이 충돌하여 불규칙하게 움직이는 현상으로, 입자 운동의 증거이다.

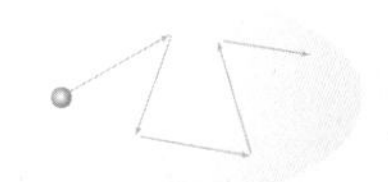

* 꽃가루가 물에 떠서 움직인다.
* 공장의 먼지가 흩어진다.
* 우유 속에서 지방이 떠서 운동한다.

용어풀이
상태(형상 狀, 모습 態) : 물질아 존재하는 모양, 물질은 고체, 액체, 기체의 세 가지 상태로 존재함

ⓐ 기체 ⓑ 높을 ⓒ 작을
ⓓ 기체 ⓔ 스스로

A 입자 운동

1 물질을 이루는 입자

① 물질을 이루는 입자 : 우리 주위의 물질은 매우 작은 입자로 이루어져 있다.
② 입자 모형 : 너무 작아 눈으로 관찰할 수 없어 입자를 표현하거나 설명하기 위해 사용한 모형

2 입자 운동

① 입자 운동 : 물질을 이루는 입자들이 정지해 있지 않고 끊임없이 스스로 움직이는 현상
② 입자 운동 방향 : 모든 방향으로 불규칙하게 움직인다.
③ 입자 운동의 빠르기
- 물질의 상태 : ⓐ ______ > 액체 > 고체의 순서로 활발하다.
- 온도 : 온도가 ⓑ ______ 수록 활발하다.
- 질량 : 입자의 질량이 ⓒ ______ 수록 활발하다.

④ 입자 운동의 증거 : 증발, 확산, 브라운 운동

3 물질의 상태와 입자 운동

물질의 상태	고체	액체	기체
입자 운동			
입자 사이의 인력	매우 강함	고체보다 약함	거의 작용하지 않음

B 증발

1 증발

① 증발 : 액체 표면에 있는 액체 입자의 일부가 ⓓ ______ 로 되어 날아가는 현상
② 증발의 원인 : 입자들이 ⓔ ______ 운동하기 때문에 일어나는 현상이다.
③ 증발과 입자 모형 : 아세톤이 증발하면 거름종이에 있는 아세톤 입자의 수는 점점 감소하고, 공기 중 아세톤 입자의 수는 점점 증가한다.

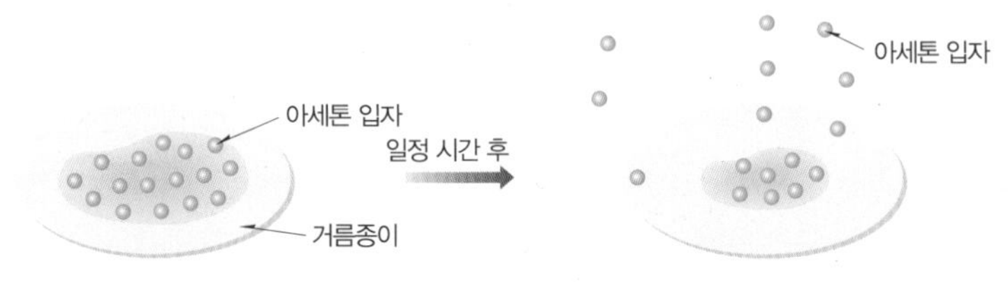

2 증발이 잘 일어나는 조건

① 온도 : ⓐ ______ 수록 증발이 잘 일어난다.

예 헤어드라이어의 바람이 따뜻할수록 젖은 머리카락이 빨리 마른다.

② 습도 : ⓑ ______ 수록 증발이 잘 일어난다.

예 비가 오는 날보다 맑은 날 젖은 빨래가 빨리 마른다.

③ 바람 : ⓒ ______ 하게 불수록 증발이 잘 일어난다.

예 바람이 강할수록 젖은 빨래가 빨리 마른다.

④ 표면적 : ⓓ ______ 수록 증발이 잘 일어난다.

예 비에 젖은 우산을 접어둘 때보다 펼쳐둘 때 우산이 더 빨리 마른다.

⑤ 입자 사이의 인력 : ⓔ ______ 수록 증발이 잘 일어난다.

- 입자 사이의 인력 : 식용유 > 물 > 알코올
- 증발 속도 : 식용유 < 물 < 알코올

3 증발의 예

① 땀에 젖은 옷이 마른다.

② 이른 새벽 풀잎에 맺힌 이슬이 한낮이 되면 사라진다.

③ 호수나 웅덩이에 고인 물이 말라서 바닥이 드러난다.

④ 촉촉한 빵이 시간이 지나면 마른다.

⑤ 손등에 바른 알코올이 날아간다.

⑥ 염전의 바닷물이 마르고 소금이 남는다.

4 증발과 끓음의 비교

구분	증발	끓음
상태 변화	액체 → 기체(기화)	
모형		
차이점	• 액체 ⓕ ______ 에서만 일어난다. • ⓖ ______ 온도에서 일어난다. • 입자 운동에 의해 일어난다.	• 액체 표면과 내부에서 일어난다. • 끓는점 이상의 온도에서 일어난다. • 외부에서 가한 열에 의해 일어난다.
공통점	• 액체에서 기체로 상태가 변한다. • 입자 사이의 거리가 멀어진다. • 입자 사이의 인력이 약해진다. • 입자 배열이 매우 불규칙해진다. • 입자 운동이 빨라진다.	

플러스 노트

● **증발과 열에너지**

고체와 액체 입자 사이에는 서로 잡아당기는 힘인 인력이 작용하고 있으므로, 입자들이 서로 떨어져 기체가 되기 위해서는 이 힘을 이겨낼 수 있는 열이 필요하다. 이때 공급되어야 할 열이 승화열, 기화열이다. 기화될 때 열이 충분하게 공급되지 않으면 주위의 열을 빼앗아 상태 변화가 일어나기 때문에, 증발이 일어나면 주위의 온도가 내려간다.

용어풀이

염전(소금 鹽, 밭 田) : 소금을 만들기 위해 바닷물을 끌어들여 논처럼 만든 곳

ⓐ 높을 ⓑ 낮을 ⓒ 강
ⓓ 넓을 ⓔ 약할 ⓕ 표면
ⓖ 모든

플러스 노트

C 확산

1 확산

① 확산 : 물질을 이루는 입자들이 입자 운동에 의해 스스로 퍼져 나가는 현상

② 확산의 원인 : 입자들이 ⓐ ______ 운동하기 때문에 일어나는 현상이다.

③ 확산 방향 : ⓑ ______ 방향으로 불규칙하게 운동한다.

④ 확산이 일어나도 입자의 개수와 크기는 변하지 않는다.

● 암모니아 기체의 확산

만능 지시약 종이를 넣은 빨대의 한쪽 끝을 마개로 막고, 반대쪽은 암모니아수를 적신 솜을 넣은 마개로 막는다.

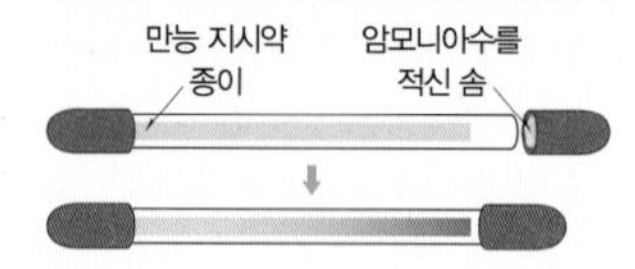

시간이 지남에 따라 암모니아수를 적신 솜과 가까운 쪽부터 만능 지시약 종이의 색이 점차 푸르게 변한다.
→ 솜에서 증발한 암모니아 입자가 점점 멀리 확산하기 때문이다.

[암모니아 기체의 확산]

• **탐구 과정**

① 작은 원 모양으로 오려낸 거름종이를 페트리 접시에 다음 그림과 같이 같은 간격으로 늘어놓은 후 각 거름종이에 페놀프탈레인 용액을 떨어뜨린다.

② 접시 중앙에 암모니아수를 떨어뜨린 후 뚜껑을 닫는다.

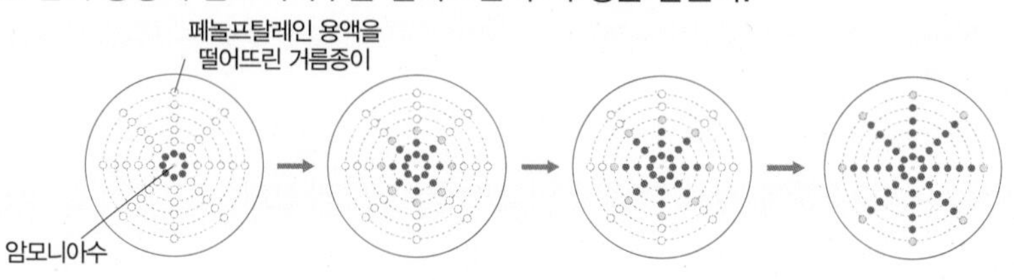

• **탐구 결과**

① 암모니아수를 떨어뜨린 접시의 중심에서 ⓒ ______ 쪽부터 거름종이의 색깔이 차례대로 변한다.

② 암모니아 입자가 스스로 운동하여 사방으로 ⓓ ______ 속도로 확산된다.

● 설탕의 확산

설탕을 물에 넣으면 설탕이 물 전체에 퍼지는데, 이것은 물 입자와 설탕 입자가 끊임없이 운동하면서 서로 부딪쳐 고르게 섞이기 때문이다.

2 확산의 예

기체에서의 확산	액체에서의 확산
• 향수병 뚜껑을 열어 두면 방 전체가 향수 냄새로 가득 찬다. • 부엌에서 만드는 음식 냄새가 집안 전체에 퍼진다. • 굴뚝에서 나온 연기가 사방으로 퍼진다. • 동물들이 암컷이나 수컷을 유인하기 위해 페로몬을 내뿜는다. (향수 입자)	• 물에 잉크를 떨어뜨리면 물 전체가 잉크색으로 변한다. • 설탕 덩어리를 물속에 가만히 놓아두면 물 전체에서 단맛이 난다. • 따뜻한 물에 녹차 티백을 넣으면 찻물이 우러나 녹색이 된다. • 냉면에 식초를 넣으면 냉면 전체에서 신맛이 난다. (물 입자, 설탕 입자)

용어풀이

확산(넓힐 擴, 흩을 散) : 흩어져 널리 퍼짐

ⓐ 스스로 ⓑ 모든 ⓒ 가까운 ⓓ 느린

3 확산이 잘 일어나는 조건

① 온도 : ⓐ______ 수록 확산 속도가 빠르다.

➡ 온도가 높을수록 입자 운동이 활발하므로 확산 속도가 빠르다.

예 겨울철보다 여름철에 화장실 냄새가 심하다.

② 질량 : 입자의 질량이 ⓑ______ 수록 확산 속도가 빠르다.

➡ 입자의 질량이 작을수록 입자 운동 속도가 빠르므로 확산 속도가 빠르다.

예 암모니아 입자의 질량이 염화 수소 입자의 질량보다 작으므로 입자 운동 속도가 빨라 확산 속도가 빠르다.

③ 물질의 상태 : ⓒ______ > 액체 > 고체의 순으로 확산 속도가 빠르다.

➡ 기체 상태에서는 입자 사이의 인력이 작아 입자들이 활발하게 움직이므로 확산 속도가 빠르다.

예 설탕보다 잉크가 물속으로 더 빠르게 확산된다.

④ 매질의 상태 : ⓓ______ 속 > 기체 속 > 액체 속 순으로 확산 속도가 빠르다.

➡ 물질의 확산을 방해하는 입자가 적을수록 확산이 빠르다.

예 공기 중보다 진공 상태일 때 향수 냄새가 더 빠르게 퍼진다.

탐구

[암모니아 입자와 염화 수소 입자의 확산]

• **탐구 과정**

진한 염산과 진한 암모니아수를 각각 묻힌 솜을 유리관의 양쪽에 동시에 넣고 고무마개로 막은 후 유리관 속의 변화를 관찰한다.

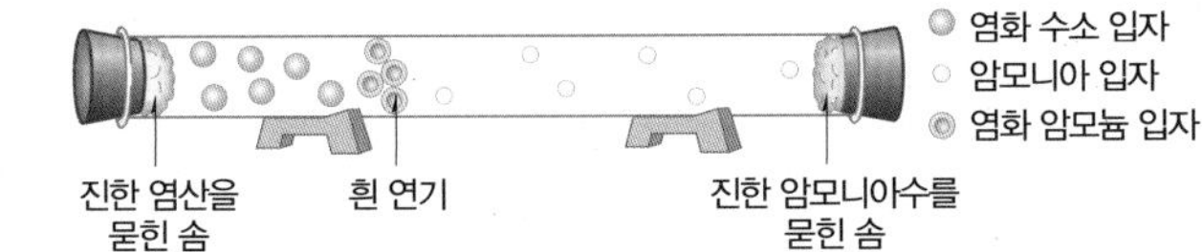

• **탐구 결과**

① 진한 염산을 적신 솜에서는 염화 수소 입자가, 진한 암모니아수를 적신 솜에서는 암모니아 입자가 나온다.

② 유리관 속에 흰 연기가 생긴다.

➡ 흰 연기는 암모니아 입자와 염화 수소 입자가 만나 생성된 ⓔ______ 이다.

③ 흰 연기는 진한 ⓕ______ 을 적신 솜 가까이에 생긴다.

암모니아 입자의 질량은 염화 수소 입자보다 ⓖ______ 다.

➡ 암모니아 입자의 확산 속도는 염화 수소 입자보다 ⓗ______ 다.

➡ 암모니아 입자가 같은 시간 동안 더 먼 거리를 이동한다.

➡ 흰색의 염화 암모늄은 진한 염산을 묻힌 솜에 가까이 생성된다.

• **더 생각해 보기**

흰 연기가 더 빨리 생기게 하는 방법 : 온도를 높인다. 유리관 속을 진공 상태로 만든다.

플러스 노트

● **증발과 확산**

증발은 액체 표면의 입자가 스스로 운동하여 공기 중으로 튀어나와 기체가 되는 현상이고, 확산은 기체 입자가 스스로 운동하여 퍼져 나가는 현상이다.

예 암모니아수 표면에서 증발한 암모니아 입자가 공기 중으로 확산하여 우리 코를 자극하면 암모니아 냄새를 맡게 된다.

용어풀이

매질(중매 媒, 바탕 質) : 한 곳에서 다른 곳으로 전해 주는 물질, 퍼져 나가는 주변 물질

진공(참 眞, 빌 空) : 어떤 물질도 전혀 존재하지 않는 공간

정답

ⓐ 높을 ⓑ 작을 ⓒ 기체
ⓓ 진공 ⓔ 염화 암모늄
ⓕ 염산 ⓖ 작 ⓗ 빠르

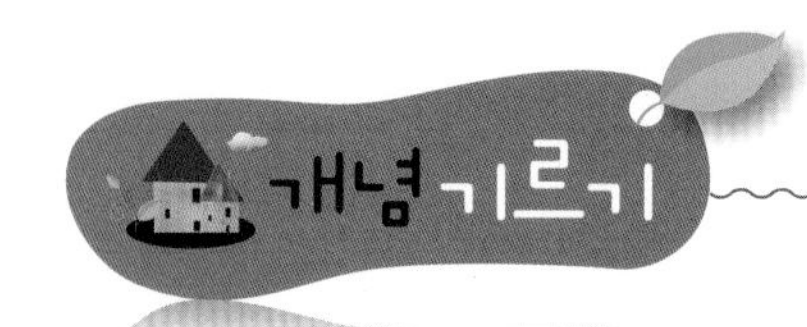

01 **다음 그림처럼 삼각 플라스크에 물을 조금 넣고 입구에 고무풍선을 씌운 후 뜨거운 물에 담갔더니 고무풍선이 부풀어 올랐다. 플라스크 내부에서 일어나는 변화로 옳지 않은 것은?**

① 온도가 상승한다.
② 물의 증발이 빨라진다.
③ 입자의 개수가 감소한다.
④ 입자의 운동 속도가 빨라진다.
⑤ 입자 사이의 인력이 강해진다.

02 **다음 그림과 같이 전자저울에 거름종이를 올려놓고 영점 조절을 한 후 거름종이 위에 에탄올을 몇 방울 떨어뜨렸더니 0.4 g이 되었다. 시간이 지난 후 변화에 대한 설명으로 옳지 않은 것은?**

① 에탄올이 증발한다.
② 시간이 지나면 저울의 눈금이 0이 된다.
③ 에탄올 입자는 끊임없이 스스로 움직인다.
④ 온도가 높을수록 저울의 눈금이 0이 되는 시간이 짧아진다.
⑤ 바람이 불면 저울의 눈금이 0이 되는데 걸리는 시간이 길어진다.

03 **입자 운동의 빠르기와 관련 있는 것 2개는?**

① 온도
② 압력
③ 입자의 개수
④ 입자의 질량
⑤ 용기의 부피

04 **컵에 담아 둔 물이 점차 줄어드는 현상과 관계가 깊은 것 2개는?**

① 바닷가의 염전에서 소금이 만들어진다.
② 알코올을 손등에 발랐더니 금방 말랐다.
③ 향수를 뿌리면 그 향기가 멀리까지 퍼져 나간다.
④ 물에 설탕 덩어리를 놓아두면 물 전체에서 단맛이 난다.
⑤ 물에 파란색 잉크를 떨어뜨리면 물 전체가 파랗게 된다.

05 **입자 운동에 대한 설명으로 옳지 않은 것은?**

① 온도가 낮으면 증발이 일어나지 않는다.
② 온도가 높을수록 입자의 운동이 활발해진다.
③ 액체의 내부에서 액체가 기체로 변하는 현상을 끓음이라고 한다.
④ 액체의 표면에서 액체가 기체로 변하는 현상을 증발이라고 한다.
⑤ 액체 상태의 입자들 사이에 작용하는 힘은 기체 상태의 입자들 사이에 작용하는 힘보다 세다.

06 다음 그림은 25 ℃, 50 ℃, 75 ℃의 물이 든 병에 잉크를 동시에 떨어뜨리고 일정한 시간이 지났을 때의 결과를 순서없이 나타낸 것이다. 이 실험에 대한 설명으로 옳은 것은?

① 25 ℃의 물이 담긴 비커는 (다)이다.
② 잉크의 확산 속도는 물의 온도와는 관계없다.
③ 75 ℃의 물이 담긴 (가)의 잉크가 가장 느리게 퍼진다.
④ 잉크가 퍼지는 속도는 물의 온도가 높을수록 빠르다.
⑤ 액체 속에서의 확산 속도가 기체 속에서의 확산 속도보다 빠르다.

07 진한 염산을 묻힌 솜과 암모니아수를 묻힌 솜을 동시에 유리관의 양 끝에 넣고 유리관 안의 변화를 관찰하였다. 유리관 안에서 일어나는 변화를 설명한 것으로 옳지 않은 것은?

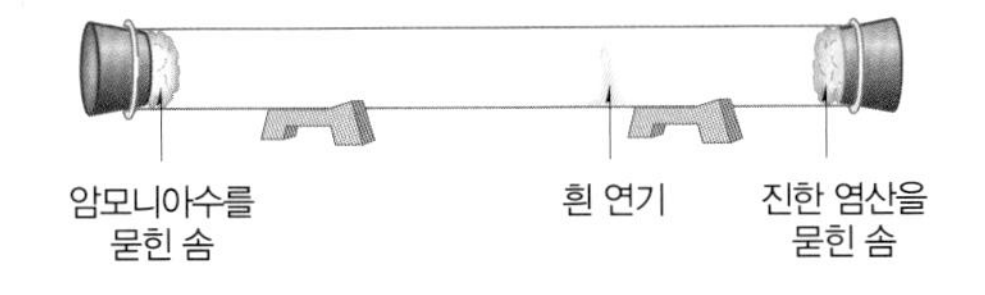

① 진한 염산에서 흰색의 염화 수소가 발생한다.
② 흰 연기는 암모니아수보다 진한 염산에 가까이 생긴다.
③ 입자들이 스스로 운동하여 퍼져 나가는 것을 알 수 있다.
④ 유리관 안의 온도를 높이면 흰 연기가 더 빠르게 생긴다.
⑤ 암모니아 입자는 염화 수소 입자보다 운동 속도가 빠르다.

08 확산 현상의 증거로 볼 수 없는 것은?

① 설탕이 물에 퍼져 나가 녹는다.
② 굴뚝에서 나온 연기가 사방으로 퍼진다.
③ 이른 새벽에 풀잎에 이슬이 맺힌다.
④ 나프탈렌을 걸어 두면 냄새가 퍼져 나간다.
⑤ 향수병을 열어 두면 방 전체에서 향이 난다.

09 확산 속도에 대한 설명으로 옳지 않은 것은?

① 온도가 높을수록 확산 속도가 빨라진다.
② 액체보다는 기체 물질의 확산 속도가 빠르다.
③ 입자의 질량이 작을수록 확산 속도가 빠르다.
④ 주위의 압력이 낮을수록 확산 속도가 느리다.
⑤ 물질의 확산 속도는 액체 속에서보다 기체 속에서 더 빠르다.

10 다음 중 입자 운동과 관계 없는 것은?

① 머리를 감고 나서 가만히 두면 마른다.
② 모래성에 물을 뿌려주지 않으면 모래성이 무너진다.
③ 암모니아 입자와 염화 수소 입자가 만나면 염화 암모늄이 생성된다.
④ 커피를 파는 가게 앞을 지나면 커피 냄새를 맡을 수 있다.
⑤ 물에 녹차 티백을 넣고 가만히 두면 물 전체가 녹색으로 변한다.

정답 ◆ 2p ◆

01 온도와 압력을 일정하게 유지시키고, 물과 알코올을 유리판에 한 방울씩 떨어뜨려 각각의 액체가 증발하는 시간을 측정했더니, 알코올이 물보다 더 빨리 증발했다. 이 결과를 바탕으로 물과 알코올의 끓는점을 비교하여 서술하시오.

물　　　　알코올

02 추운 겨울에 세차를 할 때 미지근한 물과 뜨거운 물 중 어떤 것을 사용하여 세차를 하는 것이 더 좋을지 고르고, 그 이유를 서술하시오.

03 공원의 나무나 화분에 심은 나무를 보면 흙 위에 돌을 올려놓은 것을 볼 수 있다. 돌을 올려놓은 이유를 물의 증발 현상과 관련지어 서술하시오.

논술형

04 다음 그림과 같이 긴 유리관에 암모니아수와 염산을 묻힌 솜을 양 끝에 동시에 넣었더니, 염산을 묻힌 솜 가까이에 흰 연기의 띠가 생겼다. 만약 유리관 속의 온도를 높게 하면, 두 기체 입자의 평균 운동 에너지와 흰 연기의 띠가 생기는 위치 및 시간이 각각 어떻게 달라질지 서술하시오.

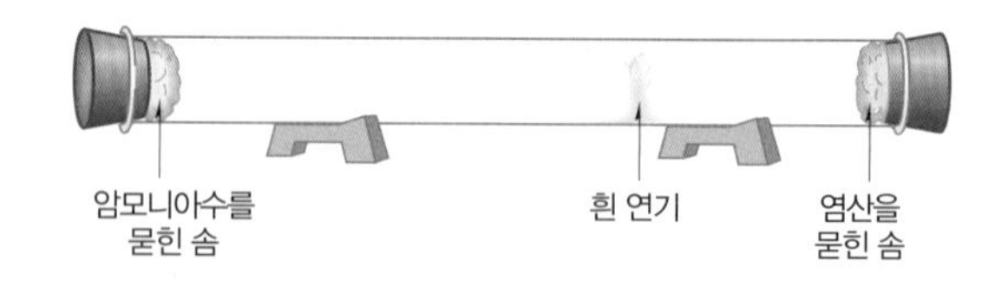

융합사고력 키우기

정답 ◆ 2p ◆

STEAM 냄새를 제거하는 탈취제의 원리

오늘은 고기 파티~ 삼겹살에 목살, 돼지갈비까지… 여러 가지 고기를 배불리 먹는 것까지는 좋은데, 고깃집을 나오자마자 풍겨오는 고기 냄새들. 이걸 어쩌지…. 지하철에 올라타 빈 자리에 재빨리 앉기는 했는데, 주변 사람들은 이미 코를 틀어막고 힐끗힐끗 쳐다본다. '바람을 쐬면서 냄새를 좀 빼고 탈걸'하는 생각이 잠시 스쳤으나 이미 뒤늦은 후회다. 옷에 밴 고기 냄새, 쉽고 빠르게 제거할 수 있는 방법은 없을까?

옷에 밴 고기 냄새나 담배 냄새는 본인뿐만 아니라 주변 사람까지 불쾌하게 만든다. 통풍이 잘 되는 곳에 옷을 걸어 두면 냄새가 서서히 빠지지만 시간이 너무 오래 걸린다. 이런 문제를 해결하기 위해 다양한 냄새 제거제들이 개발됐다. 그 중 옷에 직접 뿌려 냄새를 제거하는 섬유 탈취제는 수산화 프로필 베타 사이클로덱스트린, 염화 아연 등의 물질과 알코올로 이루어진 물질이다. 탈취제를 옷에 뿌리면 탈취제 성분이 섬유에 배인 냄새 입자를 감싸고 증발하면서 냄새의 원인 물질을 제거한다.

섬유 탈취제를 뿌리면 어느 정도 떨어져 있어도 향기를 맡을 수 있다. 이는 향기 입자가 공기 중으로 이동하기 때문이다. 이처럼 기체 입자가 공기 중으로 퍼져가는 현상을 '확산'이라고 한다.

섬유 탈취제처럼 화학적인 방법을 사용하는 것 외에 다른 원리를 이용한 탈취제도 있다. '터치 후레쉬'나 '팅커벨'처럼 좋지 않은 냄새보다 더 강한 향료를 사용해 사람이 나쁜 냄새를 맡지 못하도록 하기도 하고, 숯처럼 나쁜 냄새를 표면에 흡착시켜 냄새를 제거하기도 한다.

01

고기를 구워 먹거나 담배를 피면 그 냄새가 옷에 그대로 남는다. 물질을 구성하는 입자들이 끊임없이 스스로 운동하며 널리 퍼지는데도 불구하고 옷에 냄새가 계속 남아 있는 이유를 서술하시오.

02 옷에 배인 냄새를 효과적으로 제거하기 위해서는 섬유 탈취제를 충분히 뿌린 후 바람이 부는 곳에 한 두시간 걸어 두면 된다. 섬유 탈취제를 뿌린 후 바로 옷장에 넣거나 접어 보관하면 냄새 제거 효과가 떨어진다. 그 이유를 서술하시오.

보일 법칙과 샤를 법칙,

02 압력 및 온도에 따른 기체의 부피 변화

플러스 노트

● **기체의 압력을 이용하는 예**

* **구조용 안전 매트 :** 안전 매트에 공기를 채우면 압력이 커져 사람을 안전하게 구조할 수 있다.
* **혈압계 :** 팔에 두른 공기주머니에 공기가 채워지면서 팔에 힘을 가하여 혈압을 측정한다.
* **에어잭 :** 공기주머니에 기체가 채워지면 자동차를 들어올릴 수 있다.

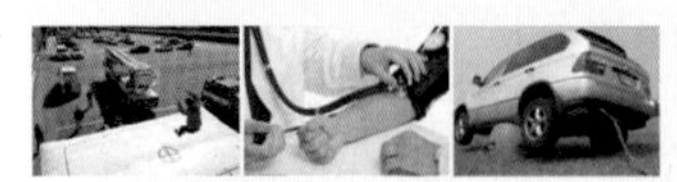

● **기체 압력의 크기**

* **기체의 부피가 같을 때 :** 기체 입자의 수가 증가하거나 온도가 높아지면 압력이 커진다. 기체 입자의 수가 증가하면 충돌 횟수가 증가하므로 압력이 커지고, 온도가 높아지면 입자 운동이 활발하여 충돌 횟수와 세기가 증가하므로 압력이 커진다.
* **기체의 입자 수가 같을 때 :** 부피가 작으면 충돌 횟수가 증가하므로 압력이 커진다.

용어풀이

압력(누를 壓, 힘 力) : 단위 면적당 누르는 힘의 크기

설피(눈 雪, 가죽 皮) : 눈 속에 발이 빠지지 않도록 하기 위해 신발 바닥에 덧대어 신는 신

ⓐ 클 ⓑ 좁을 ⓒ 충돌
ⓓ 모든 ⓔ 높을 ⓕ 빨라
ⓖ 많을 ⓗ 작을

A 기체의 압력

1 압력

① 압력 : 단위 면적에 수직으로 작용하는 힘의 크기

$$\text{압력} = \frac{\text{수직으로 작용하는 힘(N)}}{\text{힘을 받는 면의 넓이}(m^2)}$$ (단위 : N/m^2, N/cm^2, Pa 등)

② 압력의 크기

작용하는 힘이 ⓐ ____ 수록, 접촉하는 면이 ⓑ ____ 수록 압력이 커진다.

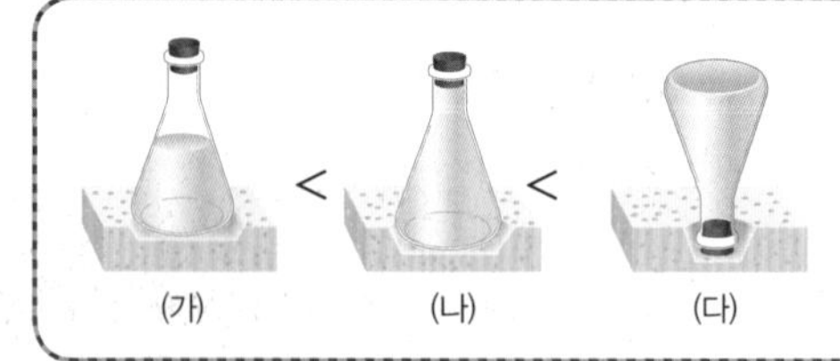

물의 양이 많으면 스펀지를 누르는 힘이 증가하므로 압력이 커지고, 플라스크를 거꾸로 세우면 힘을 받는 면의 넓이가 작아지므로 압력이 증가한다.

③ 압력의 이용

면적을 줄여서 압력을 크게 하는 경우	면적을 넓혀서 압력을 작게 하는 경우
• 주사기 바늘 끝을 뾰족하게 한다. • 빨대의 한쪽 끝을 뾰족하게 만든다. • 등산화의 아이젠 : 얼음으로 덮인 산을 오를 때 미끄럼을 방지한다.	• 트랙터의 바퀴 : 땅이 깊게 파이지 않는다. • 스키 : 눈 속에 발이 빠지지 않는다. • 설피 : 신발에 설피를 끼우면 눈에 빠지지 않아 걷기 쉽다.
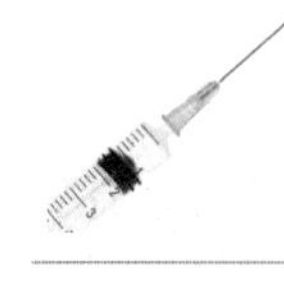  	  

2 기체의 압력

① 기체의 압력이 생기는 이유 : 기체가 끊임없이 운동하면서 용기 벽에 ⓒ ____ 하는 힘에 의해 생긴다.

② 기체의 압력과 방향 : ⓓ ____ 방향에 같은 크기로 작용한다.

③ 기체의 압력이 커지는 조건 : 기체 입자의 충돌 횟수가 많을수록 기체의 압력이 커진다.

풍선 안쪽
기체 입자 충돌

• 기체의 온도 : 온도가 ⓔ ____ 수록 기체 입자의 운동 속도가 ⓕ ____ 지므로 시간 당 용기 벽면에 충돌하는 횟수와 세기가 증가하여 기체의 압력이 커진다.

• 기체의 입자 수 : 기체 입자의 개수가 ⓖ ____ 수록 용기 벽면에 충돌하는 횟수가 증가하므로 기체의 압력이 커진다.

• 기체의 부피 : 부피가 ⓗ ____ 수록 시간 당 용기 벽면에 충돌하는 횟수와 세기가 증가하여 기체의 압력이 커진다.

B 기체의 압력과 부피

1 기체의 압력과 부피

온도가 일정할 때 압력이 커지면 기체의 부피는 ⓐ ____ 하고, 압력이 작아지면 기체의 부피는 ⓑ ____ 한다.

2 압력과 기체의 입자 운동

① 온도가 일정할 때 기체 입자의 충돌 속도는 변하지 않는다.
② 밀폐된 공간일 때 기체 입자 수와 질량은 변하지 않는다.
③ 기체 입자의 크기는 변하지 않는다.

외부 압력 감소	외부 압력 증가
➡ 기체의 부피 증가	➡ 기체의 부피 ⓒ ____
➡ 입자 사이의 거리가 멀어짐	➡ 입자 사이의 거리 ⓓ ____ 짐
➡ 기체 입자의 충돌 횟수 감소	➡ 기체 입자의 충돌 횟수 ⓔ ____
➡ 기체의 내부 압력 감소	➡ 기체의 내부 압력 ⓕ ____

3 보일 법칙

온도가 일정할 때 기체의 부피는 압력에 반비례한다.

압력 × 부피 = ⓖ ____ $(PV = k)$

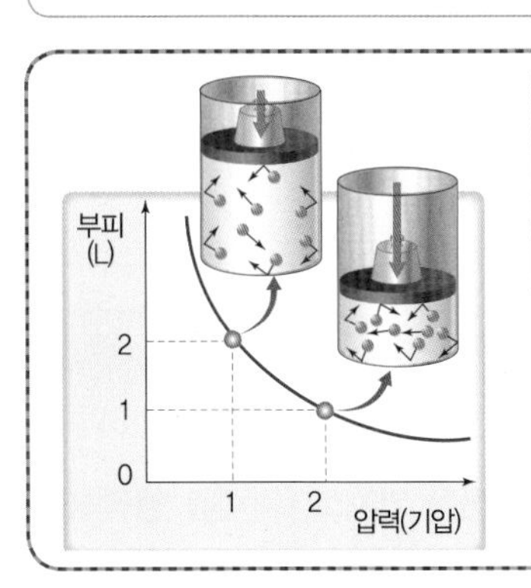

압력(기압)	P	$2P$	$4P$
부피(L)	$4V$	$2V$	V
압력×부피	$4PV$	$4PV$	$4PV$

기체의 압력이 2배로 커지면 기체의 부피는 $\frac{1}{2}$로 줄어들고, 기체의 압력이 4배로 커지면 기체의 부피는 $\frac{1}{4}$로 줄어든다.

4 보일 법칙과 관련된 현상

① 높은 곳에 오르면 귀가 먹먹해진다.
② 하늘을 나는 비행기 속에서는 과자 봉지가 빵빵해진다.
③ 풍선이 하늘 높이 올라가면 점점 부풀어 오르다가 터진다.
④ 펌프식 보온병 꼭지를 누르면 물이 나온다.
⑤ 바닷속에서 잠수부가 내뿜은 공기 방울은 위로 올라올수록 커진다.
⑥ 공기 주머니가 들어 있는 운동화는 발에 전달되는 충격을 완화시켜 준다.

플러스 노트

● 압력에 따른 풍선의 부피 변화

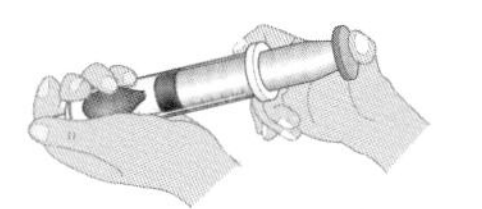

* 주사기를 밀 때 : 주사기 내부의 압력이 증가하여 풍선이 작아진다.
* 주사기를 당길 때 : 주사기 내부의 압력이 낮아져서 풍선이 커진다.

용어풀이

보일(1627~1691) : 보일 법칙을 발견하고, 현대적인 원소의 개념을 제안한 영국의 화학자겸 물리학자

ⓐ 감소 ⓑ 증가 ⓒ 감소
ⓓ 가까워 ⓔ 증가 ⓕ 증가
ⓖ 일정

플러스 노트

● 온도에 따른 기체의 부피 변화

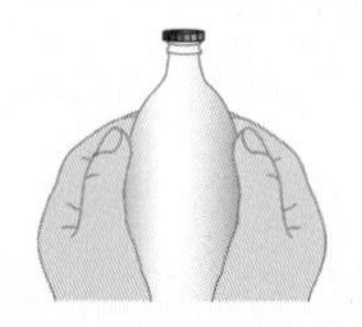

빈 병의 입구에 물을 묻힌 동전을 올려놓고 병을 양손으로 감싸면, 병 속 기체의 온도가 올라가 부피가 늘어나므로 동전이 딸깍거린다.

● 온도에 따른 기체의 부피 변화

* **풍선을 액체 질소에 넣으면 :** 온도가 낮아져 부피가 작아지므로 풍선이 쭈그러진다.
* **풍선을 액체 질소에서 꺼내면 :** 온도가 높아져 부피가 커지므로 풍선이 다시 부풀어 오른다.

용어풀이

샤를(1746~1823) : 처음으로 수소 기구를 만들어 비행에 성공하였으며, 기체의 성질을 탐구하여 '샤를 법칙'을 발견한 프랑스의 물리학자

정답

ⓐ 증가 ⓑ 감소 ⓒ 증가
ⓓ 세게 ⓔ 증가 ⓕ 증가
ⓖ 온도

C 기체의 온도와 부피

1 기체의 온도와 부피

압력이 일정할 때 온도가 높아지면 기체의 부피는 ⓐ____ 하고, 온도가 낮아지면 기체의 부피는 ⓑ____ 한다.

2 온도와 기체의 입자 운동

① 밀폐된 공간일 때 기체 입자 수와 질량은 변하지 않는다.

② 기체 입자의 크기는 변하지 않는다.

온도 감소	온도 증가
➡ 기체의 입자 운동 감소	➡ 기체의 입자 운동 ⓒ____
➡ 용기 벽면에 약하게 충돌	➡ 용기 벽면에 자주 ⓓ____ 충돌
➡ 용기 안의 압력 감소	➡ 용기 안의 압력 ⓔ____
➡ 기체의 부피 감소	➡ 기체의 부피 ⓕ____
입자 사이의 거리가 가까워짐	입자 사이의 거리가 멀어짐

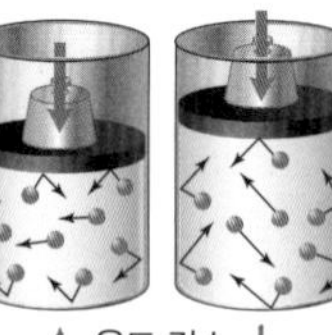

3 샤를 법칙

① 압력이 일정할 때, 일정량의 기체의 부피는 절대 온도에 비례한다.

② 압력이 일정할 때 기체의 부피는 온도가 1 ℃ 높아질 때마다 0 ℃일 때 부피의 $\frac{1}{273}$씩 증가한다.

③ 기체의 부피는 기체의 종류에 관계없이 ⓖ____ 에 의해서만 달라진다.

$$V_t = V_0 + \frac{t}{273} \times V_0$$ (V_t: t℃ 때의 부피, V_0 : 0 ℃ 때의 부피, t : 섭씨온도)

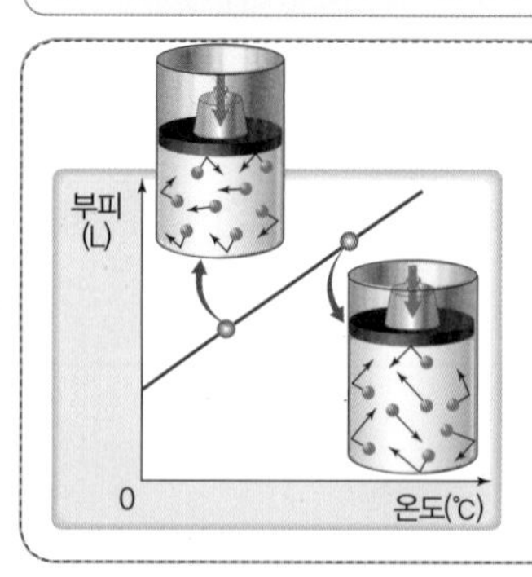

온도(℃)	−273	0	273	546
부피(L)	0	V_0	$2V_0$	$3V_0$

기체를 가열하면 부피가 커지고, 기체를 냉각하면 부피가 작아진다.
기체의 부피가 0이 될 때의 온도, −273 ℃를 절대 온도 0 K라고 한다.

4 샤를 법칙과 관련된 현상

① 쭈그러진 탁구공을 뜨거운 물속에 넣으면 펴진다.

② 열기구 속의 공기를 가열하면 공기가 팽창하여 열기구가 높게 떠오른다.

③ 빈 플라스틱 병을 냉장고에 넣어 두면 쭈그러진다.

④ 여름철에는 겨울철보다 자동차 타이어에 공기를 적게 넣는다.

D 보일 · 샤를 법칙

보일 법칙	샤를 법칙
압력 × 부피 = 일정 $PV = k$	$V_t = V_0 + \frac{t}{273} \times V_0$ (V_t: t℃ 때의 부피, V_0: 0℃ 때의 부피, t : 섭씨온도)
부피 V, $\frac{1}{2}V$, $\frac{1}{4}V$ / 0 P $2P$ $3P$ $4P$ 압력	부피 V_0 / −273 0 온도(℃) · 부피 V_0 / 0 273 온도(K)

플러스 노트

● **−273℃일 때 기체의 부피**
샤를 법칙으로 계산한 부피는 0이지만, 실제로 기체를 냉각하면 −273 ℃가 되기 전에 액체나 고체로 변한다.

더 알아보기

[보일 • 샤를 법칙 계산]
기체의 부피는 압력에 반비례하고, 절대 온도에 비례한다.

$$\frac{P_1V_1}{T_1} = \frac{P_2V_2}{T_2} \quad (P: \text{압력},\ V: \text{부피},\ T: \text{절대 온도})$$

① 0 ℃, 1 기압에서 어떤 기체의 부피가 10 L였다. 온도를 일정하게 유지시키면서 압력을 0.5 기압으로 감소시켰을 때 기체의 부피는?
1 기압×10 L=0.5 기압×x, x=ⓐ ___ L

② 0 ℃, 1 기압에서 어떤 기체의 부피가 10 L였다. 압력을 일정하게 유지시키면서 온도를 273 ℃ 증가시켰을 때 기체의 부피는?
V=10 L+10×($\frac{273}{273}$)=20 L, $\frac{1\text{ 기압}\times 10\text{ L}}{(0+273)\text{ K}} = \frac{1\text{ 기압}\times x}{(273+273)\text{ K}}$, x=ⓑ ___ L

③ 0 ℃, 1 기압에서 어떤 기체의 부피가 10 L였다. 이 기체의 압력을 4 기압으로, 온도를 273 ℃로 증가시켰을 때 기체의 부피는?
$\frac{1\text{ 기압}\times 10\text{ L}}{(0+273)\text{ K}} = \frac{4\text{ 기압}\times x}{(273+273)\text{ K}}$, x=ⓒ ___ L

ⓐ 20 ⓑ 20 ⓒ 5

생활 속 과학

샤를 법칙을 이용한 풍등

우리 조상들은 샤를 법칙은 알지 못했지만, 샤를 법칙인 온도에 따른 기체의 부피 변화를 이용해 풍등을 만들었다. 풍등은 얇고 튼튼한 한지와 대나무로 공기 주머니를 만들고, 아래 부분에 불을 붙일 수 있는 종이를 묶어 둔 등이다. 아래 부분의 종이에 불을 붙이면 풍등 안의 공기가 가열되어 부피가 증가하고, 주위의 공기보다 밀도가 낮아지면 풍등이 위로 떠오른다. 우리 조상들은 이렇게 만든 풍등에 간절한 소망을 담아 날려 보냈다고 한다. 임진왜란 때에는 풍등이 군사용으로 사용되기도 했다.

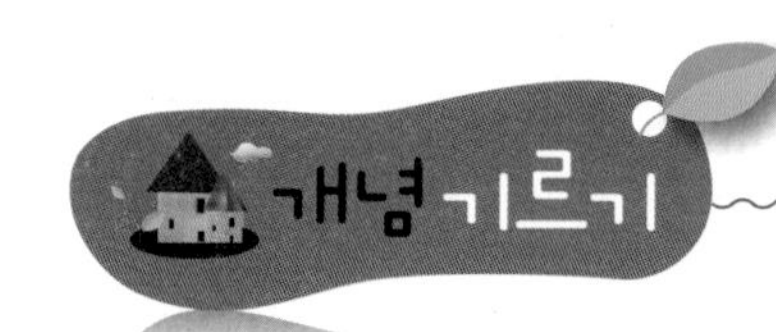

01 5 m²의 면적에 20 N의 힘이 수직으로 작용하고 있을 때의 압력은?

① $1 N/m^2$ ② $2 N/m^2$
③ $3 N/m^2$ ④ $4 N/m^2$
⑤ $5 N/m^2$

02 다음 중 압력을 작게 만들어 사용하는 것은?

① 못 ② 바늘
③ 스키 ④ 송곳
⑤ 하이힐

03 다음 중 바닥에 작용하는 압력이 가장 큰 것은? (단, 물체의 무게는 모두 같다.)

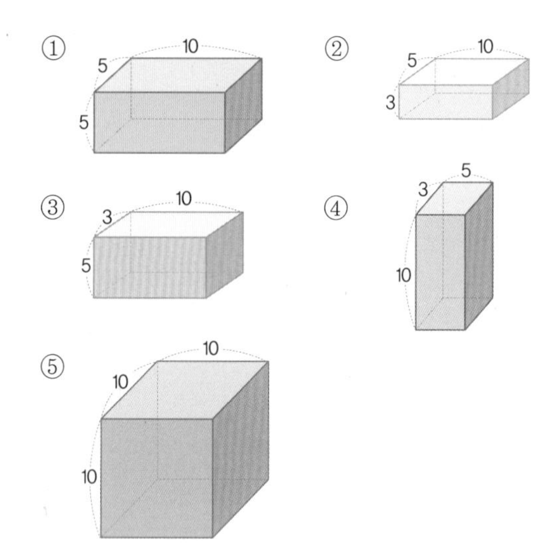

중요
04 0 ℃, 1 기압에서 5 L의 공기가 들어 있는 실린더가 있다. 같은 온도에서 압력을 2 기압으로 높일 때, 실린더 안의 값 중 값이 2배로 되는 것은?

① 공기의 질량 ② 공기의 부피
③ 공기의 입자 수 ④ 공기 입자의 크기
⑤ 공기 입자의 충돌 횟수

05 다음 그림은 실린더 속에 들어 있는 일정량의 공기의 압력과 부피의 관계를 나타낸 것이다. 그래프에 대한 설명으로 옳지 않은 것은? (단, 온도는 일정하다.)

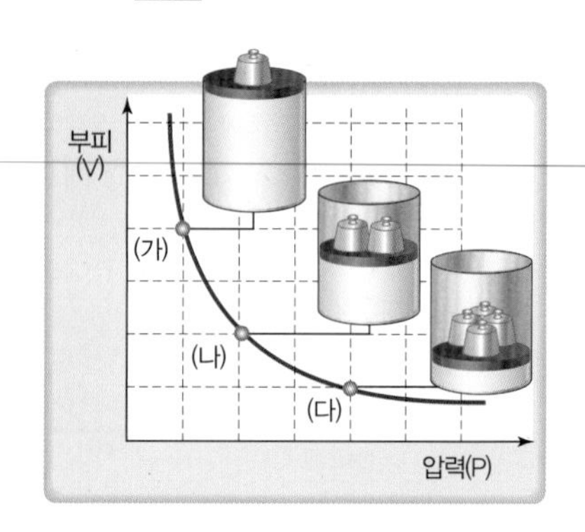

① 기체의 부피와 압력은 반비례한다.
② 입자 수가 가장 많은 것은 (가)이다.
③ 실린더의 압력이 가장 큰 것은 (다)이다.
④ 입자 사이의 거리가 가장 먼 것은 (가)이다.
⑤ 입자가 벽에 충돌하는 횟수가 가장 많은 것은 (다)이다.

06 다음 그림과 같이 피스톤에 압력을 가하여 압축시켰을 때의 결과에 대한 설명으로 옳지 않은 것은?

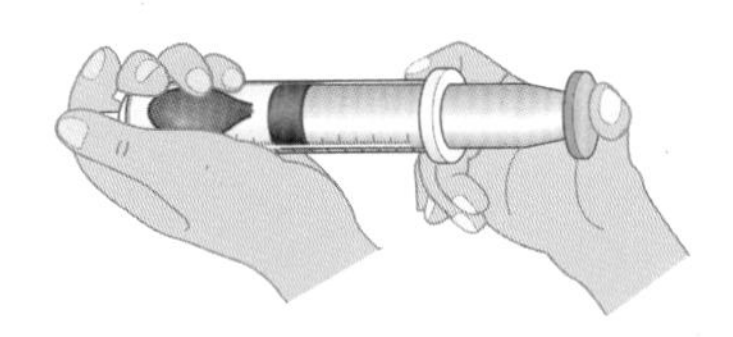

① 주사기 내부 압력은 사람이 가한 압력의 크기와 같다.
② 압력을 가해도 주사기 내부 공기의 입자 수는 동일하다.
③ 압력을 가하면 주사기 내부의 입자 사이의 거리가 가까워진다.
④ 압력을 가하면 풍선에 가해지는 압력이 커져 풍선의 크기가 커진다.
⑤ 압력을 가하면 주사기 내부 공기의 입자 사이의 충돌 횟수가 증가한다.

07 25 ℃, 1기압에서 10 L의 공기가 들어 있는 풍선이 있다. 온도를 일정하게 유지시키면서 압력을 5배로 증가시킬 때 풍선의 부피는?

① 2 L ② 5 L
③ 10 L ④ 20 L
⑤ 50 L

08 쭈그러진 탁구공에 뜨거운 물을 부으면 다시 팽팽해지는 이유를 바르게 설명한 것은?

① 탁구공 속의 기체 입자의 질량이 커지므로
② 탁구공 속의 기체 입자의 크기가 커지므로
③ 탁구공 속의 기체의 입자 수가 증가하므로
④ 탁구공 속의 기체 입자 운동 속도가 빨라지므로
⑤ 탁구공 속의 기체 입자 사이의 거리가 가까워지므로

09 플라스틱 컵에 따뜻한 물을 가득 채운 후 컵의 물을 따라내고 풍선을 컵의 입구에 완전히 밀착시킨 후 잠시 기다리면 컵에 풍선이 달라붙는다. 이때 컵 속에서 일어나는 변화에 대한 설명으로 옳지 않은 것은?

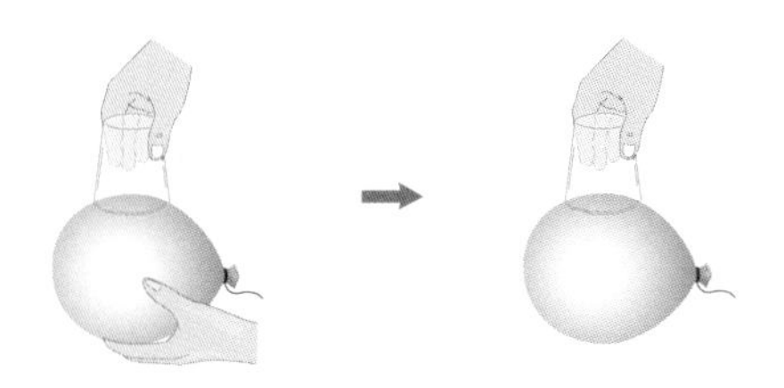

① 기체의 부피가 줄어든다.
② 기체 입자 수는 일정하다.
③ 기체 입자의 운동 속도가 느려졌다.
④ 기체 입자 사이의 거리가 가까워졌다.
⑤ 컵 속 기체의 압력이 바깥쪽보다 크다.

10 둥근 바닥 플라스크에 잉크 방울이 들어 있는 가는 유리관을 연결시킨 후 플라스크를 손으로 감싸 쥐었다. 이때 일어나는 현상과 원리가 같은 것은?

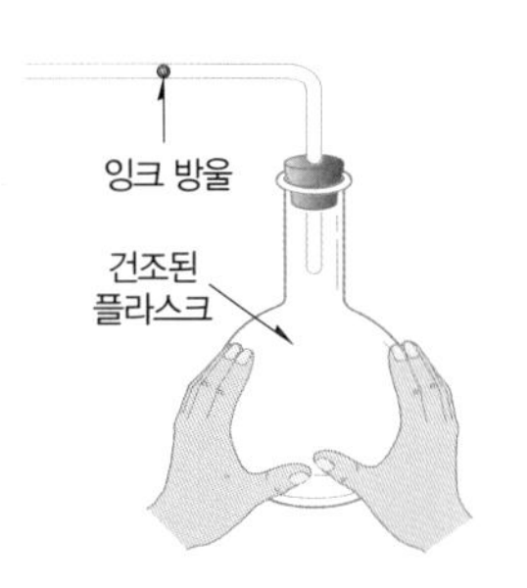

① 하늘 높이 올라간 풍선은 터진다.
② 향수병을 열어 놓으면 향기가 퍼진다.
③ 사이다 병의 마개를 따면 거품이 올라온다.
④ 자동차 타이어에 공기를 넣으면 팽팽해진다.
⑤ 쭈그러진 공을 뜨거운 물에 넣으면 팽팽해진다.

11 다음은 실린더 속에 있는 기체 입자들의 운동 상태를 나타낸 그림이다. 이에 대한 설명으로 옳은 것은?

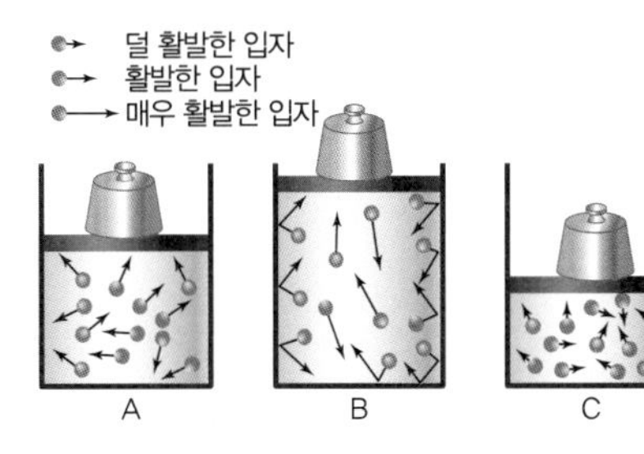

① C에서 A로 되려면 온도를 낮춰야 한다.
② B에서 A로 되려면 압력을 낮춰야 한다.
③ A에서 B로 되려면 온도를 높여야 한다.
④ A에서 C로 되면 입자들의 충돌 횟수가 증가한다.
⑤ A에서 B로 되면 입자들의 충돌 횟수가 감소한다.

정답 ◆ 3p ◆

01 두 친구가 해변의 모래밭을 걷고 있다. 한 친구는 운동화를 신었고, 다른 친구는 뾰족한 구두를 신었는데 모래밭에 신발 자국의 깊이가 다르게 나타났다. 두 친구의 신발 자국의 깊이가 다르게 나타난 이유를 서술하시오. (단, 두 친구의 몸무게는 비슷하다.)

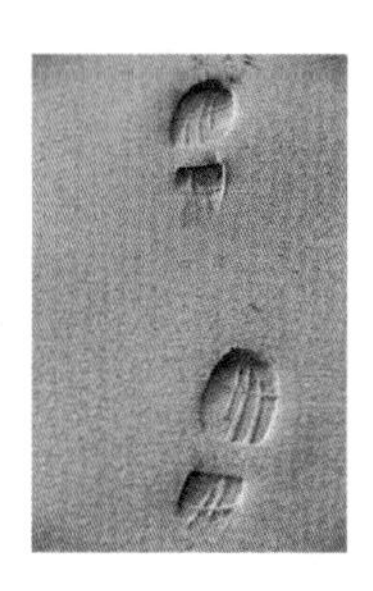

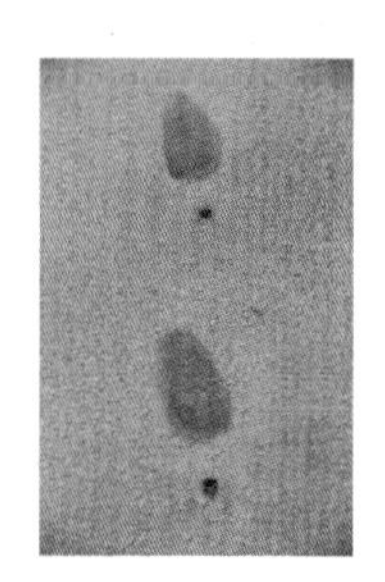

02 영화에서 하늘을 날고 있는 비행기의 기체에 구멍이 나면, 비행기 안에 있는 물체들이 기체에 난 구멍을 통해 밖으로 빨려 나가는 것을 볼 수 있다. 이와 같은 현상이 나타나는 이유를 서술하시오.

03 피펫의 위쪽 입구를 막고 다른 손으로 피펫의 중간 부분을 잡고 있으면 피펫 안에 있는 액체가 모두 아래로 흘러 내려온다. 이러한 현상의 원인을 서술하시오.

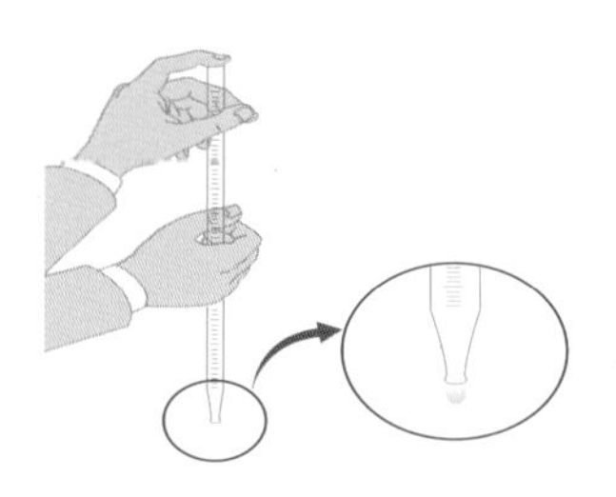

논술형

04 밥을 먹을 때 식탁을 깨끗이 닦았는데도 바닥이 오목한 그릇에 뜨거운 국을 담아 식탁 위에 올려놓으면 그릇이 미끄러지는 것을 볼 수 있다. 이와 같은 현상이 나타나는 이유를 서술하시오.

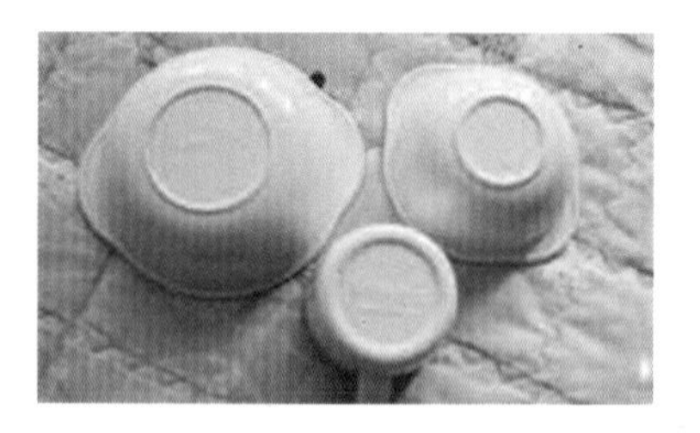

정답 ◆ 4p ◆

STEAM 막힌 곳을 시원하게 뚫어주는 뚫어뻥의 원리

'뚫어뻥'은 욕실에서 배수구가 막혔을 때 공기 압력을 이용해 뚫는 도구로, 구조가 매우 간단한 도구임에도 불구하고 사용법을 잘 몰라서 어려워하는 사람이 있다. 이 도구의 원리를 잘 이해하지 못하기 때문이다.

뚫어뻥은 변기의 막힌 부분을 공기의 압력차를 이용하여 뚫는 도구로 압축기의 일종이다. 종류는 앞부분이 반원형의 고무로 되어 있어서 그 부위의 압력차를 이용하는 것과, 피스톤 식으로 막힌 부분에 갖다 대고 손잡이를 끌어당기는 형식의 것 등 다양하나 원리는 동일하다. 즉, 공기 압력차에 의해 관 아래쪽에 있는 다량의 공기나 물을 순식간에 관 위쪽으로 끌어올림으로써 물의 흐름을 막는 장애물을 밀어내는 것이다. 뚫어뻥의 고무 부분에 작용하는 압력 차이가 클수록 작용하는 힘이 세어지기 때문에, 공기를 빼낼 때는 가급적 완전히 빼내고 당길 때도 확실히 당겨주어야 한다. 금방 뚫어지지 않을 때에는 밀고 당기는 과정을 몇 번 반복하면 막혀 있던 부분에 압력이 가해져 오르락 내리락 움직이면서 결국 이물질이 아래로 빠져나가거나 위쪽으로 올라와 막혔던 부분이 뚫린다.

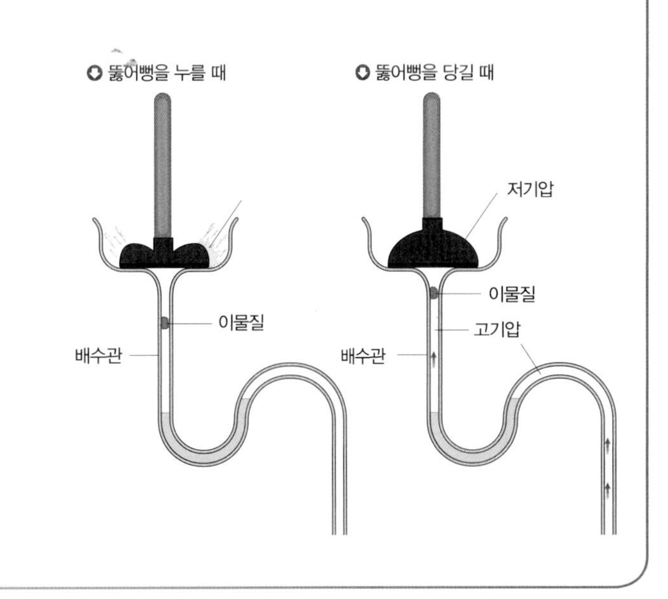

01 뚫어뻥은 위 그림처럼 뚫어뻥을 누를 때와 당길 때 생기는 압력 차이를 이용하여 막힌 변기를 시원하게 뚫어준다. 뚫어뻥의 원리를 공기의 압력 변화를 이용하여 서술하시오.

02 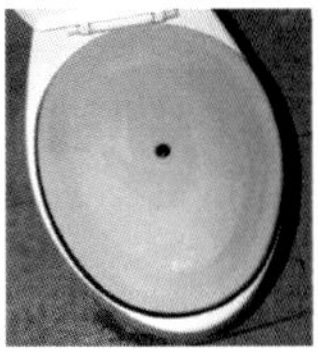 왼쪽 사진은 장풍 뚫어뻥으로, 변기 위에 놓고 손자국이 표시된 곳에 발이나 손을 올려 놓은 뒤 2~3번 장풍을 불어내듯이 눌러주면 깔끔하게 뚫린다. 이처럼 기존의 뚫어뻥 대신 막힌 변기를 깔끔하게 뚫을 수 있는 아이디어를 한 가지 고안하여 서술하시오.

장풍 뚫어뻥

정답 ◆ 4p ◆

STEAM 보일·샤를 법칙

압력 및 온도에 따른 기체의 부피 변화를 알아보자.

[준비물] 주사기, 초코파이, 접시, 초, 라이터, 유리컵, 물

실험 ①

① 주사기 안에 초코파이 조각을 조금 넣는다.
② 손으로 주사기를 잡고 피스톤을 누르면서 초코파이의 변화를 관찰한다.
③ 손으로 주사기를 잡고 피스톤을 당기면서 초코파이의 변화를 관찰한다.

실험 ②

① 접시에 물을 담고 중간에 초를 놓은 후 초에 불을 붙이고 30초 동안 초를 태운다.
② 30초 후에 유리컵으로 초를 덮고 변화를 관찰한다.

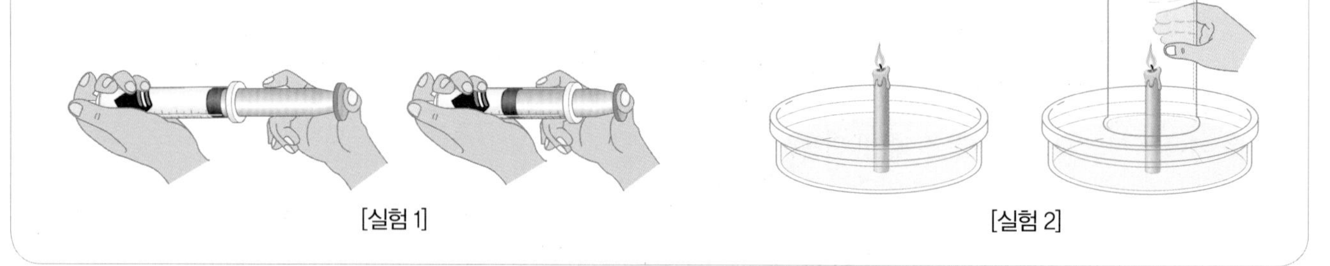

[실험 1] [실험 2]

01 [실험 1]에서 피스톤을 당겼을 때와 밀었을 때의 변화를 서술하시오.

초코파이 변화

02 [실험 1]을 통해 알 수 있는 사실을 서술하시오.

03 [실험 2]에서 유리컵으로 초를 덮으면 접시 속의 물이 유리컵 안으로 들어온다. 그 이유를 서술하시오.

04 [실험 2]에서 비커 안으로 들어오는 물의 양을 증가시킬 수 있는 방법을 서술하시오.

Ⅱ 물질의 상태 변화

2015 개정 교육과정 교과서

중학교 1~3학년 군 : 중1 5단원 물질의 상태 변화

다른 학년과의 연계

3~4학년 군 : 물의 상태 변화, 물의 여행
5~6학년 군 : 온도와 열
중학교 1~3학년 군 : 물질의 특성
화학 Ⅱ : 반응 엔탈피와 화학 평형

물질의 세 가지 상태인 고체, 액체, 기체

03 상태 변화

플러스 노트

● **가루 물질의 상태**
소금이나 밀가루 같은 가루 물질은 담는 그릇에 따라 모양이 달라지고, 손으로 잡으면 흘러내리므로 액체의 성질을 지니는 것처럼 보인다. 그러나 가루 물질을 이루는 알갱이 자체는 모양이 변하지 않고 흐르지 않으므로 가루 물질은 고체이다.

● **물질의 상태에 따른 입자 배열을 학교에서의 상황에 비유하기**
* **고체** : 움직임이 제한되는 수업 시간
* **액체** : 움직임이 비교적 자유로운 쉬는 시간
* **기체** : 자유롭게 이동이 가능한 방과 후

용어풀이

상태(형상 狀, 모양 態) : 사물이나 현상이 놓여 있는 모양이나 형편
고체(굳을 固, 몸 體, solid)
액체(진 液, 몸 體, liquid)
기체(공기 氣, 몸 體, gas)

정답
ⓐ 규칙 ⓑ 불규칙 ⓒ 가깝
ⓓ 멀 ⓔ 강 ⓕ 약

A 물질의 세 가지 상태

1 물질의 상태 : 우리 주변에 있는 대부분의 물질은 고체, 액체, 기체의 세 가지 상태로 존재한다.

2 물질의 세 가지 상태에 따른 특징

구분	고체	액체	기체
모양	일정하다.	일정하지 않다.	일정하지 않다.
부피	일정하다.	일정하다.	일정하지 않다.
성질	단단하고, 흐르는 성질이 없다.	흐르는 성질이 있다.	흐르는 성질이 있고, 사방으로 퍼져나간다.
모형	모양과 부피가 일정하다.	담는 그릇에 따라 모양이 변한다.	담는 그릇을 가득 채운다.
예	나무, 바위, 소금, 얼음 등	물, 식초, 아세톤, 에탄올 등	수증기, 공기, 산소, 수소 등

3 물질의 상태와 입자 배열

구분	고체	액체	기체
입자 모형			
입자 운동	제자리에서 진동 운동한다.	비교적 자유롭게 움직인다.	매우 자유롭고 활발하게 움직인다.
입자 배열	ⓐ ______ 적이다.	불규칙하다.	매우 ⓑ ______ 하다.
입자 사이의 거리	매우 ⓒ ______ 다.	가깝다.	매우 ⓓ ______ 다.
입자 사이의 인력	매우 ⓔ ______ 하다.	크다.	매우 ⓕ ______ 하다.
압축되는 정도	압축되지 않는다. → 입자 사이의 거리가 매우 가깝기 때문에 압축되지 않는다.	거의 압축되지 않는다. → 입자 사이의 거리가 가깝기 때문에 거의 압축되지 않는다.	쉽게 압축된다. → 입자 사이의 거리가 매우 멀기 때문에 쉽게 압축된다.

B 물질의 상태 변화

1 상태 변화

① 물질이 온도와 압력에 의해 상태가 변하는 현상으로 주로 ⓐ ____에 의해 변한다.

② 상태 변화가 일어나도 물질의 성질은 변하지 않는다.

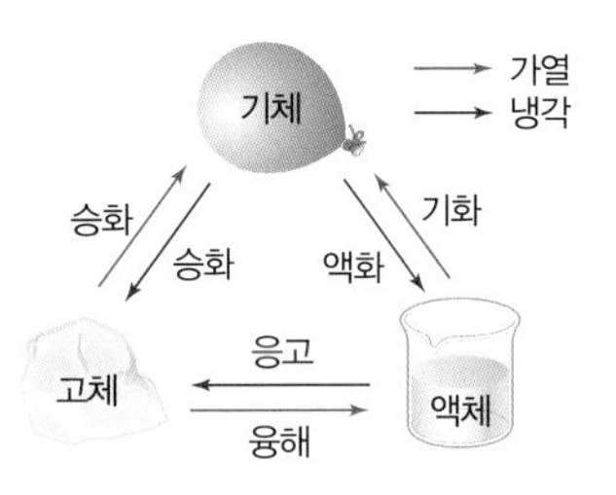

2 온도에 의한 상태 변화

① 가열 : 고체 → 액체 → 기체로 상태가 변한다.

② 냉각 : 기체 → 액체 → 고체로 상태가 변한다.

3 압력에 의한 상태 변화

① 대체로 기체와 액체 사이에서 상태 변화가 일어난다.

② 기체에 압력을 가하면 ⓑ ____가 되고, 액체에 가해진 압력을 줄이면 ⓒ ____가 된다. 예 뷰테인 가스에 큰 압력을 가하면 액체 상태가 되므로 통에 담아 저장할 수 있다.

③ 얼음에 압력을 가하면 ⓓ ____이 된다.

4 상태 변화의 종류와 입자 배열

① 융해와 응고

상태 변화	융해	응고
	고체 → 액체	액체 → 고체
예	• 얼음이 녹아 물이 된다. • 용광로에서 철이 녹아 쇳물이 된다. • 구운 감자 위에 얹은 버터 조각이 녹는다.	• 눈이 녹은 물이 얼어서 고드름이 된다. • 용광로의 쇳물이 식어서 단단한 철이 된다. • 촛농이 흘러내리면서 굳는다.
입자 모형	융해 → / ← 응고	
	• 규칙적이던 입자 배열이 흐트러진다. • 입자 사이의 거리가 멀어져 부피가 ⓔ ____한다. (얼음은 예외, 얼음이 녹으면 부피가 감소한다.)	• 입자들이 ⓕ ____적으로 배열된다. • 입자 사이의 거리가 가까워져 부피가 감소한다. (물은 예외, 물은 얼면 부피가 증가한다.)

플러스 노트

● **용해와 융해**

* **융해** : 고체가 액체로 상태가 변함 예 얼음이 녹아 물이 된다.
* **용해** : 용매에 용질이 녹아 균일하게 섞이는 현상 예 설탕이 물에 녹아 설탕물이 된다.

● **상태 변화 시 입자 배열**

고체 → 액체 → 기체로 상태 변화할수록 입자의 개수가 적어지는 것처럼 보이지만, 입자 사이의 거리가 멀어져 같은 부피에 존재하는 입자의 개수가 적어질 뿐이다. 상태 변화 시 전체 입자 수는 변화가 없다.

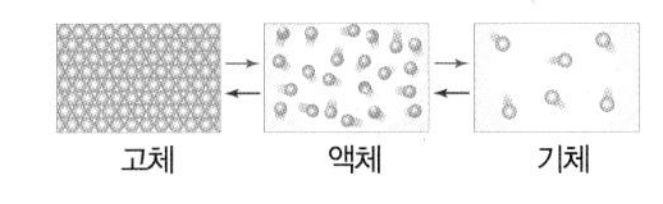

용어풀이

융해(녹을 融, 풀 解) : 고체에 열을 가했을 때 액체로 되는 현상

응고(엉길 凝, 굳을 固) : 액체를 냉각했을 때 고체로 되는 현상

ⓐ 온도 ⓑ 액체 ⓒ 기체
ⓓ 물 ⓔ 증가 ⓕ 규칙

Ⅱ 물질의 상태 변화

03 상태 변화

플러스 노트

● 수증기와 김

주전자에 물을 넣고 끓이면 하얀 김을 볼 수 있다. 김은 물이 끓어 나온 수증기가 식어 물방울이 된 것으로 액체 상태이다. 수증기는 기체 상태이며, 우리 눈에 보이지 않는다.

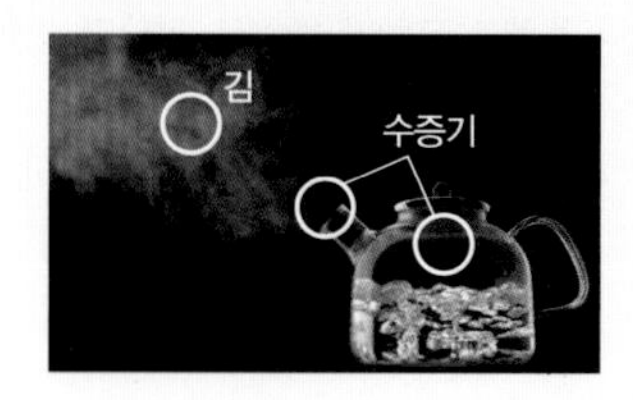

● 동결 건조 방법

식품을 급속 냉동시켜 식품 안의 수분을 얼음으로 만든 다음, 압력을 낮춰 얼음을 수증기로 승화시켜 수분을 제거하는 방법이다. 라면 수프, 인스턴트 커피, 우주 식품을 만들 때 사용한다.

● 상고대

겨울철 영하의 온도에서 공기 중의 수증기가 승화하여 나무나 풀 등에 얼어붙어서 생긴 얼음이다.

용어풀이

기화(공기 氣, 될 化) : 액체에 열을 가했을 때 기체로 되는 현상

액화(진 液, 될 化) : 기체를 냉각했을 때 액체로 되는 현상

승화(오를 昇, 될 化) : 고체를 가열했을 때 기체로 되는 현상, 또는 반대 변화 과정

정답

ⓐ 증가 ⓑ 감소 ⓒ 증가

② 기화와 액화

상태 변화	기화	액화
	액체 → 기체	기체 → 액체
예	• 주전자에서 끓고 있는 물이 점점 줄어든다. • 도로에 뿌린 물이 서서히 사라진다. • 젖은 빨래가 마른다.	• 차가운 물이 담긴 컵 바깥쪽에 물방울이 맺힌다. • 이른 새벽에 풀잎에 이슬이 맺힌다. • 이른 새벽에 안개가 자욱하게 낀다.
입자 모형	기화 → / ← 액화	
	• 규칙적이던 입자 배열이 흐트러진다. • 입자 사이의 거리가 매우 멀어져 부피가 크게 ⓐ ____ 한다.	• 입자들이 비교적 규칙적으로 배열된다. • 입자 사이의 거리가 가까워 부피가 ⓑ ____ 한다.

③ 승화

상태 변화	승화	승화
	고체 → 기체	기체 → 고체
예	• 드라이아이스가 점점 작아진다. • 라면 수프와 인스턴트 커피를 만들 때 수분을 제거한다. • 나프탈렌의 크기가 점점 작아진다.	• 냉장고에 성에가 생긴다. • 겨울철 높은 산에서 상고대가 생긴다. • 아이오딘 기체가 차가워지면 고체로 변한다.
입자 모형	승화 → / ← 승화	
	• 규칙적이던 입자 배열이 흐트러진다. • 입자 사이의 거리가 매우 멀어져 부피가 크게 ⓒ ____ 한다.	• 입자들이 규칙적으로 배열된다. • 입자 사이의 거리가 가까워져 부피가 감소한다.

C 물질의 상태 변화에 따른 여러 가지 변화

1 일반적인 물질의 상태 변화에 따른 부피 및 질량 변화

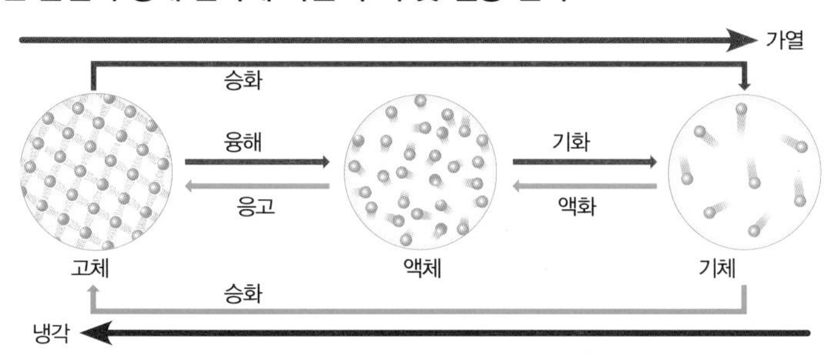

상태 변화	가열할 때 (융해, 기화, 승화)	냉각할 때 (응고, 액화, 승화)
입자 운동	점점 ⓐ ____ 해진다.	점점 둔해진다.
입자 배열	점점 불규칙적으로 배열된다.	점점 규칙적으로 배열된다.
입자 사이의 거리	점점 ⓑ ____ 진다.	점점 가까워진다.
입자 사이의 인력	점점 약해진다.	점점 ⓒ ____ 해진다.
부피 변화	ⓓ ____ 한다.	감소한다.
질량 및 성질 변화	ⓔ ____________ 다.	

2 물의 상태 변화에 따른 부피 변화

① 물은 예외적으로 액체에서 고체로 될 때 부피가 ⓕ ____ 한다.

➡ 물이 응고될 때 빈 공간이 많은 구조로 배열되기 때문이다.

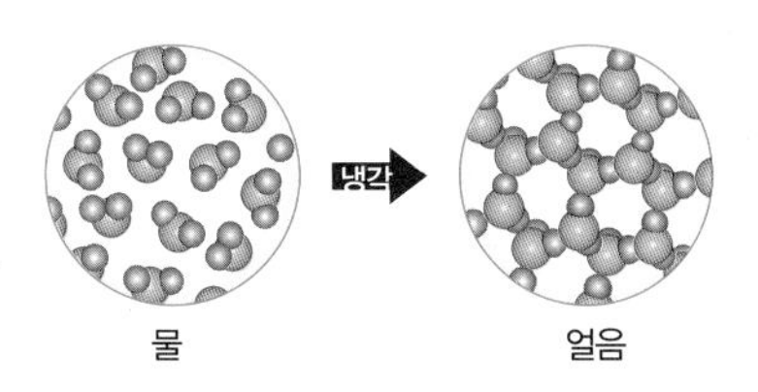

② 물이 응고될 때의 변화

- 얼음의 밀도가 물보다 더 작으므로 얼음이 물 위에 뜬다.
- 페트병이나 유리병에 물을 가득 넣고 얼리면 병이 볼록해지거나 깨진다.

3 상태 변화할 때 변하는 것과 변하지 않는 것

변하는 것	변하지 않는 것
물질의 부피, 입자 운동, 입자 배열, 입자 사이의 거리, 입자 사이의 인력	물질의 질량, 물질의 성질, 입자의 개수, 입자의 크기, 입자의 종류, 입자의 질량

플러스 노트

● **양초와 물의 응고 시 부피 변화**
양초를 녹인 후 응고시키면 부피가 약간 줄어들어 윗부분이 오목하게 들어간다. 물은 얼리면 부피가 약간 증가하여 윗부분이 볼록하게 올라온다.

○ 양초 응고

○ 물 응고

● **상태 변화 시 물의 부피 변화**
얼음 ← 물(4 ℃) → 수증기
1.1 mL　1 mL　1700 mL

● **물과 얼음의 밀도**
* 얼음은 물보다 부피가 크므로, 밀도는 얼음이 물보다 더 작다. 따라서 얼음이 물 위에 뜬다.
* 물은 4 ℃에서 부피가 가장 작으므로 4 ℃ 물의 밀도가 가장 크다. 이때의 물의 밀도는 1 g/cm^3이다.

정답
ⓐ 활발 ⓑ 멀어 ⓒ 강
ⓓ 증가 ⓔ 변하지 않는
ⓕ 증가

01 다음 그림은 물질의 세 가지 상태를 모형으로 나타낸 것이다. 이에 대한 설명으로 옳지 않은 것은?

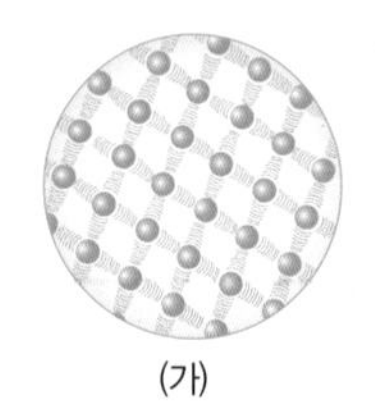
(가)

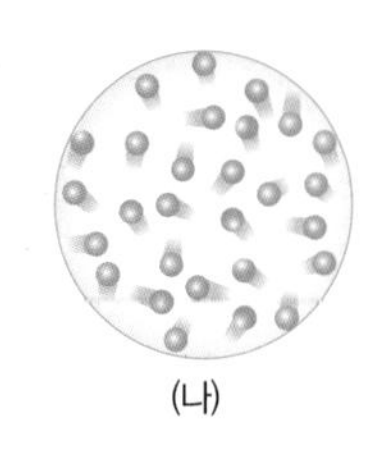
(나)

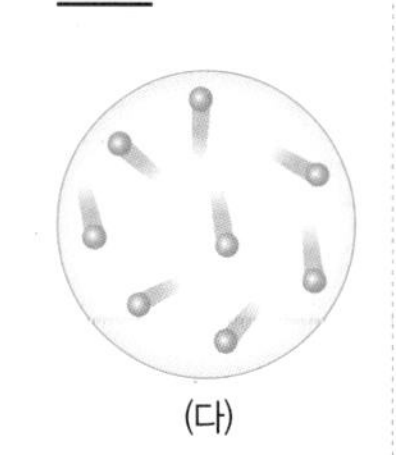
(다)

① (가)는 입자 배열이 규칙적이다.
② (가)는 입자 운동을 하지 않는다.
③ (나)와 같은 상태의 물질에는 알코올, 식용유, 물 등이 있다.
④ (다)는 입자 사이의 인력이 거의 작용하지 않는다.
⑤ (다)는 압력을 가하면 부피가 쉽게 변한다.

02 물질의 세 가지 상태에 대한 설명으로 옳지 않은 것은?

① 고체는 모양과 부피가 일정하다.
② 고체는 단단하고 흐르는 성질이 없다.
③ 액체는 담는 그릇에 따라 모양이 변한다.
④ 기체는 모양이 일정하고 흐르는 성질이 있다.
⑤ 기체는 압력에 따라 부피가 쉽게 변한다.

03 다음 중 상태 변화의 종류가 다른 것은?

① 주전자에서 끓고 있는 물이 점점 줄어든다.
② 도로에 뿌린 물이 서서히 사라진다.
③ 냉장고에 성에가 생긴다.
④ 젖은 빨래가 마른다.
⑤ 어항 속의 물이 점점 줄어든다.

04 물질의 상태 변화 현상이 아닌 것은?

① 손등에 바른 알코올이 사라진다.
② 냉장고에 성에가 낀다.
③ 드라이아이스가 점점 작아진다.
④ 이른 새벽에 풀잎에 이슬이 맺힌다.
⑤ 뜨거운 커피에 넣은 설탕이 녹았다.

05 다음 중 각 과정에 해당하는 상태 변화의 예로 옳지 않은 것은?

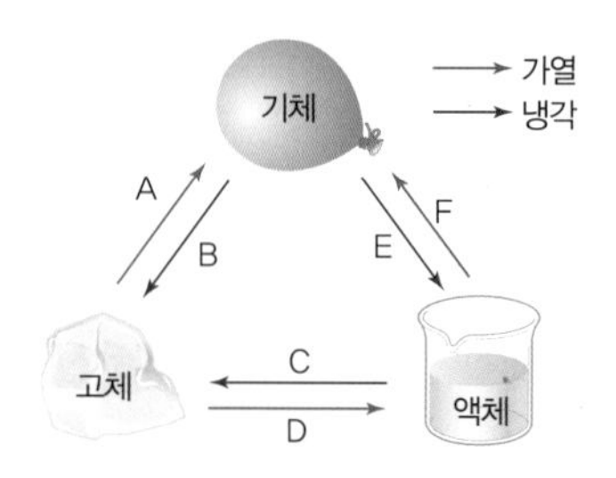

① A－드라이아이스의 크기가 점점 작아진다.
② B－겨울철 높은 산에서 상고대가 생긴다.
③ C－녹은 양초가 흘러내리다 굳는다.
④ D－얼음물이 담긴 컵 표면에 물방울이 맺힌다.
⑤ E－이른 새벽에 안개가 자욱하게 낀다.

06 주전자의 물이 끓고 있는 모습에 대한 설명 중 옳은 것 2개는?

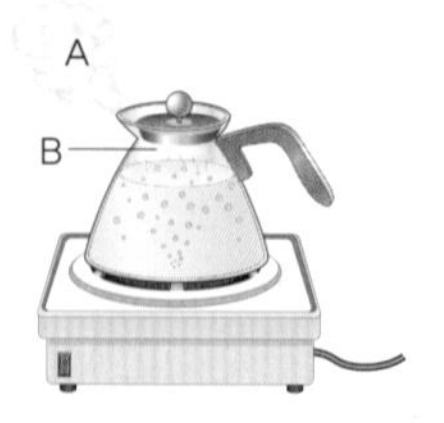

① A는 액체 상태이고, B는 기체 상태이다.
② A는 물이 기화된 것이다.
③ A와 B의 입자 사이의 거리는 같다.
④ B는 물이 승화된 것이다.
⑤ A는 B보다 입자 사이의 인력이 강하다.

07 고체 아이오딘이 들어 있는 비커 위에 찬물이 들어 있는 둥근 바닥 플라스크를 올려놓고 서서히 가열하였다. 이에 대한 설명으로 옳지 않은 것은?

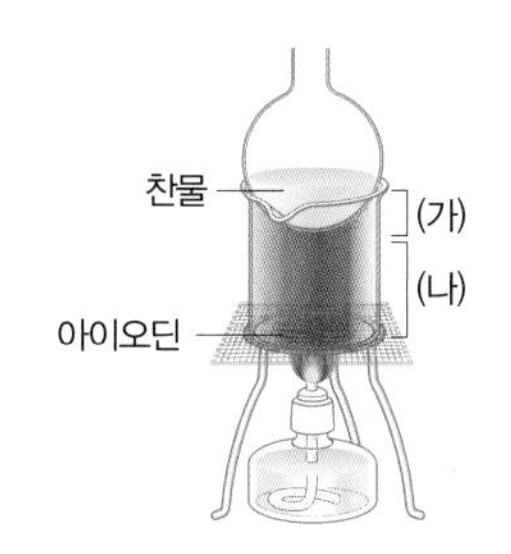

① (가)에서 입자가 규칙적으로 배열된다.
② (나)에서 입자 사이의 인력이 매우 강해진다.
③ 아이오딘의 상태가 변하는 순서는 고체 → 기체 → 고체이다.
④ (가)와 (나)의 변화가 일어날 때 전체 입자의 개수는 일정하다.
⑤ (가)와 (나)에서 일어나는 상태 변화는 승화이다.

08 물이 들어 있는 비커 위에 얼음이 든 시계 접시를 올려놓고 알코올램프로 서서히 가열한 후, 시계 접시 바닥에 생긴 액체 물질을 파란색 염화 코발트 종이에 묻혀 보았다. 이 실험에 대한 설명으로 옳지 않은 것은?

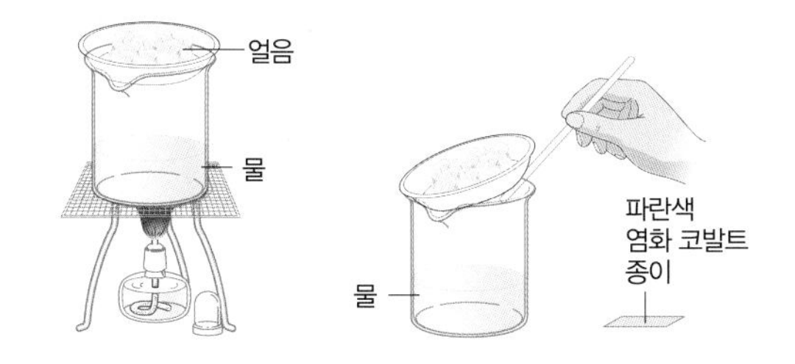

① 비커의 물을 가열하면 승화되어 수증기가 된다.
② 시계 접시 아래쪽에 맺힌 액체 방울은 수증기가 액화되어 생긴 것이다.
③ 비커 위에 얼음이 든 시계 접시를 올려놓은 이유는 수증기를 냉각시키기 위해서이다.
④ 푸른색 염화 코발트를 시계 접시 아래쪽에 생긴 액체 방울에 묻히면 붉게 변한다.
⑤ 상태 변화가 일어날 때 물질의 성질은 변하지 않는다.

09 고체 양초를 가열하여 액체 양초로 만든 후 질량과 부피를 측정하고, 액체 양초를 굳혀 고체 양초로 만들었다. 양초가 상태 변화 할 때에 대한 설명으로 옳지 않은 것은?

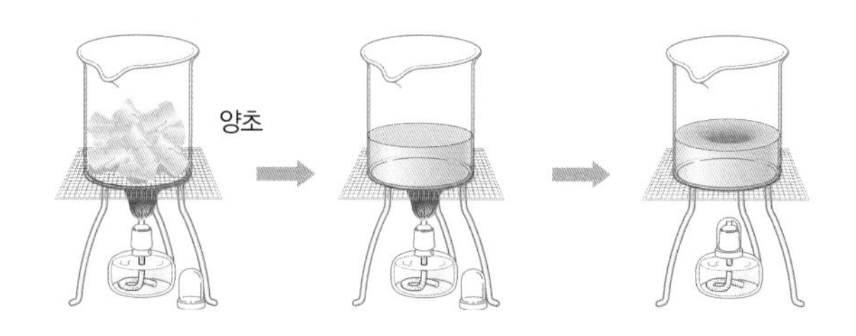

① 고체 양초가 융해할 때 질량은 변하지 않는다.
② 고체 양초가 융해할 때 입자 사이의 거리가 점점 멀어진다.
③ 액체 양초가 응고할 때 입자 배열이 촘촘해진다.
④ 액체 양초가 응고할 때 부피가 약간 늘어난다.
⑤ 양초가 상태 변화할 때 양초를 이루는 입자의 개수는 변하지 않는다.

10 다음과 같이 상태 변화할 때 변하지 않는 것을 <보기>에서 모두 고른 것은?

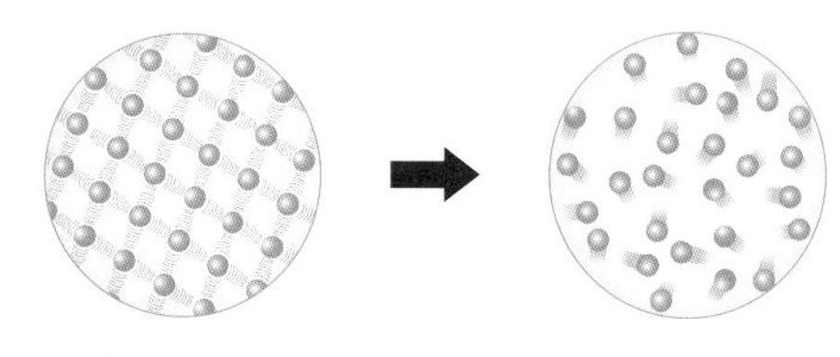

보기

㉠ 물질의 질량	㉡ 입자 배열
㉢ 입자의 종류	㉣ 입자의 개수
㉤ 입자 사이의 인력	㉥ 입자 운동

① ㉠, ㉡, ㉢ ② ㉠, ㉢, ㉣
③ ㉡, ㉢, ㉣ ④ ㉡, ㉣, ㉤
⑤ ㉣, ㉤, ㉥

정답 ◆ 5p ◆

01 일정한 온도에서 주사기에 물과 공기를 각각 넣고 주사기 끝을 고무마개로 막은 채 주사기 피스톤을 누르면, 물은 부피의 변화가 없지만 공기는 부피가 줄어드는 것을 관찰할 수 있다. 그 이유를 서술하시오.

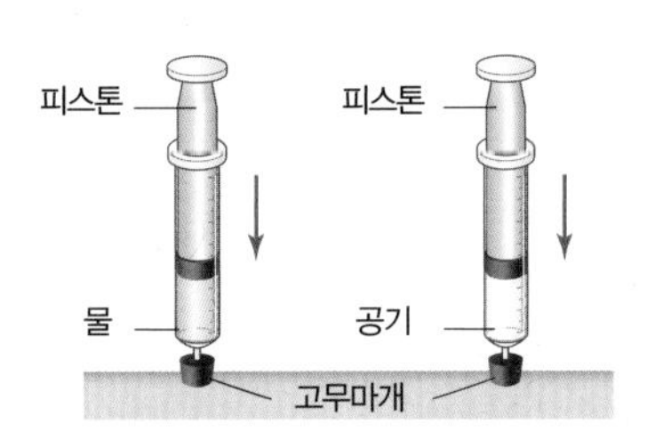

02 양초 심지에 불을 붙였더니 양초가 밝게 불을 밝히고 촛농이 생겼다. 이 과정에서 일어나는 양초의 상태 변화를 3가지 서술하시오.

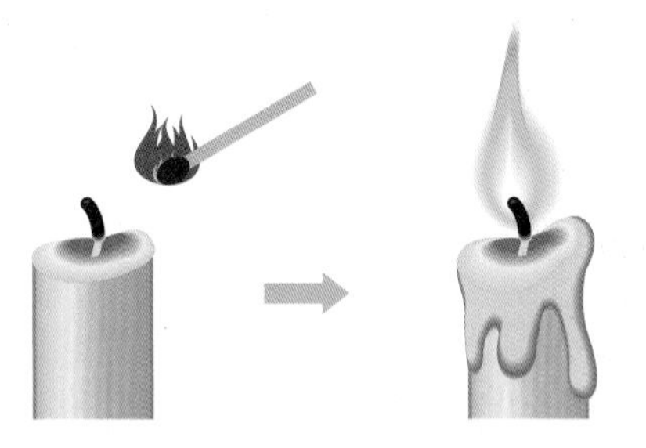

03 드라이아이스를 물에 넣었더니 물속에서 기포가 발생하고 비커 주변에는 흰 연기가 생겼다. 이때 물속의 기포와 흰 연기를 구성하는 물질을 상태 변화와 관련지어 서술하시오.

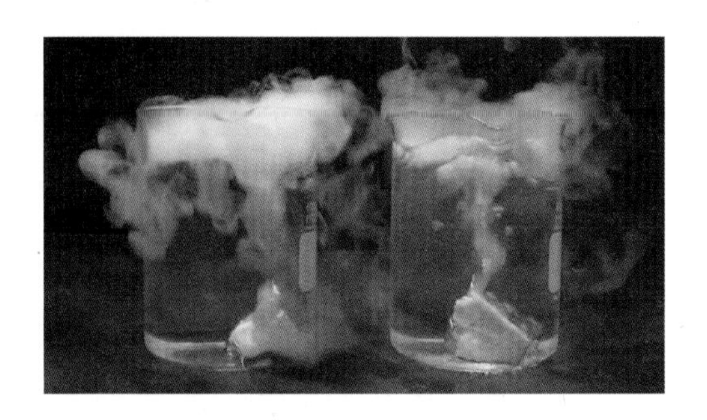

논술형

04 비닐장갑의 손가락 부분에 아세톤을 조금 넣고 새지 않게 손목 부분을 잘 묶은 다음, 아세톤이 들어 있는 비닐장갑의 손가락 부분을 뜨거운 물에 넣었다. 이때 아세톤의 부피는 증가하였지만, 질량은 변하지 않았다. 그 이유를 서술하시오.

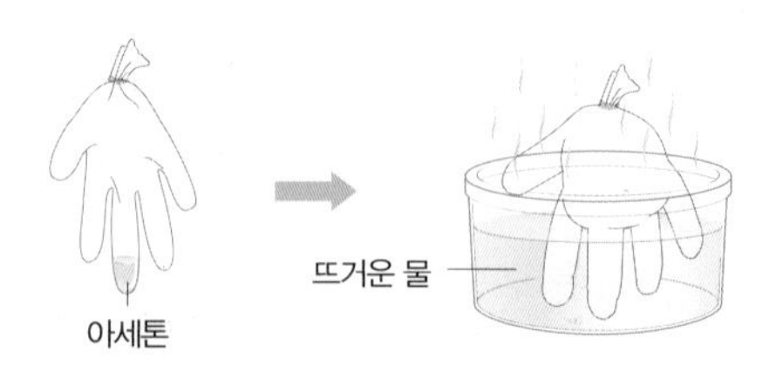

융합사고력 키우기

정답 ◆6p ◆

STEAM 금속을 이용해서 만든 금속 활자

사람들은 금속 활자를 처음으로 발명한 사람이 독일인 구텐베르크라고 알고 있다. 하지만 그보다 78년이나 앞서 고려에서는 이미 금속으로 활자를 만들어서 틀에 배열한 후 인쇄하는 방식이 사용되었다. 이때 만들어진 《직지심체요절》은 전 세계에 남아있는 금속 활자로 인쇄된 책 중에서 가장 오래된 것으로, 2001년 유네스코 세계 기록 유산에 등재되었다. 《직지심체요절》은 세계적으로 중요한 기록 유산이지만, 지금 우리나라에 없다. 조선 고종 때 주한 프랑스 대리 공사로 근무한 꼴랭 드 쁠랑시가 가져갔고, 그 후 골동품 수집가였던 앙리 베베르에게 넘어갔으며, 1950년에 그가 죽고 나서 프랑스 국립 도서관으로 옮겨졌다.

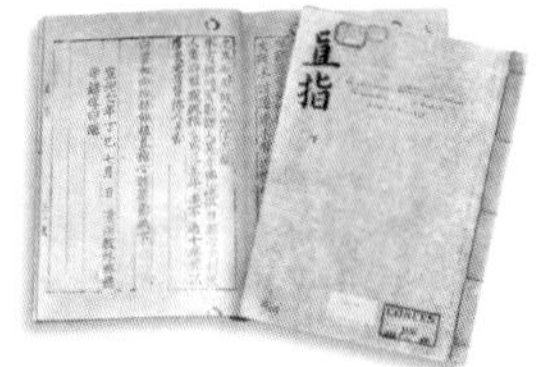

직지심체요절

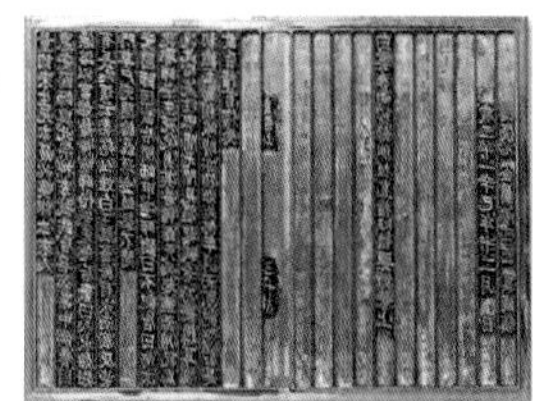

직지심체요절 금속 활자

금속 활자는 각각의 문자나 기호를 네모 기둥 모양의 금속 윗면에 볼록 튀어나오게 새긴 것으로, 도장과 비슷하다.

금속 활자를 만드는 과정은 다음과 같다. 밀랍을 녹여 네모 모양의 긴 밀랍자를 만든 후 글자본을 뒤집어 붙이고 칼로 밀랍을 깎아 글자를 볼록하게 새겨 밀랍 활자를 만든다. 밀랍 활자에 황토 반죽을 감싸서 주형을 만들고, 열을 가하면 밀랍은 녹고 황토 주형은 단단해진다. 단단해진 황토 주형에 쇳물을 부어 식힌 후 주형을 깨트려 금속 활자를 꺼낸다. 활자판에 책의 내용에 맞게 금속 활자를 하나씩 놓고 밀랍을 부어 금속 활자를 고정한다. 금속 활자에 잉크를 바르고 종이를 덮어 찍어내면 인쇄가 된다.

금속 활자

금속 활자를 만들기 위해서는 높은 수준의 기술이 필요하며, 세계에서 가장 먼저 금속 활자를 만든 나라는 우리나라이다.

01 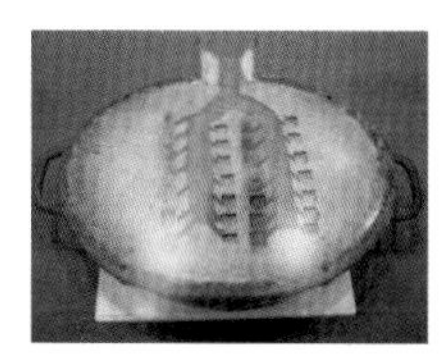

금속 활자 주형을 만들 때 만들고자 하는 금속 활자의 글자 크기보다 크게 만들어야 한다. 그 이유를 서술하시오.

02 

금속 활자의 장점을 서술하시오.

온도에 의해 일어나는

04 상태 변화와 에너지

플러스 노트

● **열에너지**
* 물질의 온도를 변화시키거나 상태를 변화시키는 에너지의 한 형태이다.
* 물질의 온도가 높을수록 열에너지가 크다.
* 물질이 고체 → 액체 → 기체 상태로 될수록 열에너지가 크다.

● **녹는점, 끓는점과 물질의 상태**
* **녹는점보다 낮은 온도 :** 고체
* **녹는점과 끓는점 사이의 온도 :** 액체
* **끓는점보다 높은 온도 :** 기체

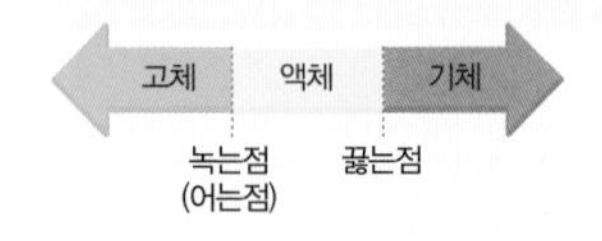

A 상태 변화에 따른 온도 변화와 입자 운동

1 고체 물질을 가열할 때 : 융해, 기화

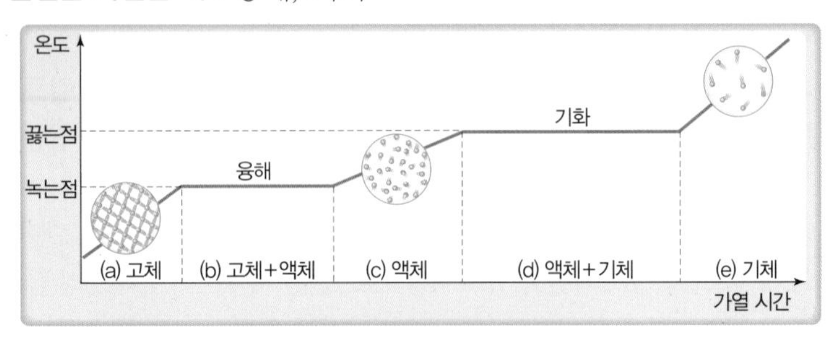

① ⓐ ______ : 고체가 녹아서 액체로 변할 때의 온도

② ⓑ ______ : 액체가 끓어서 기체로 변할 때의 온도

③ (a), (c), (e) 구간 : 가해 준 열에너지가 입자 사이의 거리를 증가시키고 온도를 높인다.

④ (b), (d) 구간 : 가해 준 열에너지가 물질의 ⓒ ______를 변화시키는 데 사용되기 때문에 온도가 일정하게 유지된다.

2 기체 물질을 냉각할 때 : 액화, 응고

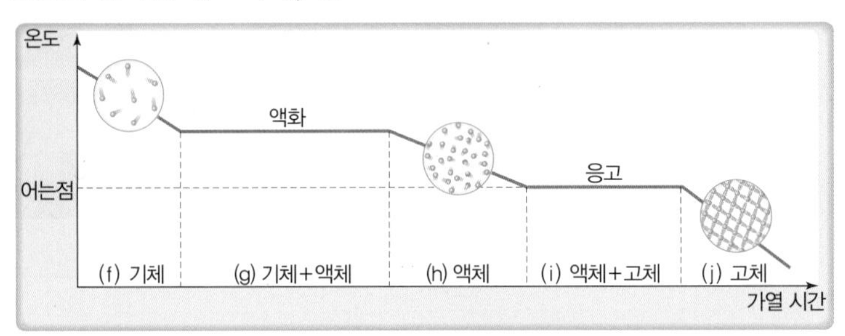

① ⓓ ______ : 액체가 얼어서 고체로 변할 때의 온도

② (f), (h), (j) 구간 : 물질이 냉각되므로 입자 사이의 거리가 줄어들고 온도가 낮아진다.

③ (g), (i) 구간 : 물질의 상태가 변하는 동안 열에너지가 ⓔ ______ 되고, 이 에너지가 온도가 낮아지는 것을 막기 때문에 온도가 일정하게 유지된다.

3 한 물질의 가열·냉각 곡선 : 한 물질의 어는점과 녹는점은 ⓕ ______다.

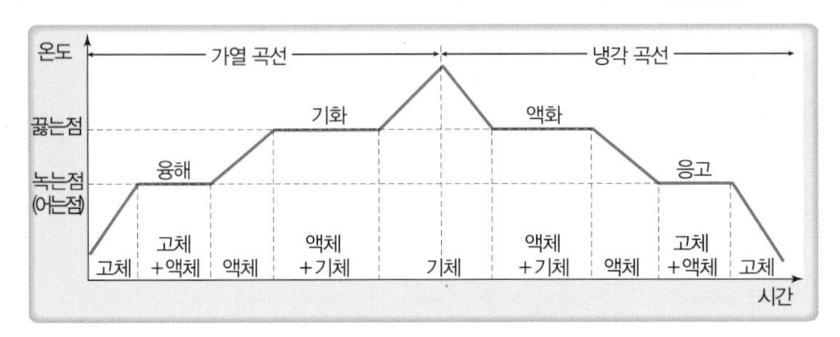

정답

ⓐ 녹는점 ⓑ 끓는점 ⓒ 상태
ⓓ 어는점 ⓔ 방출 ⓕ 같

4 상태 변화와 열에너지 출입

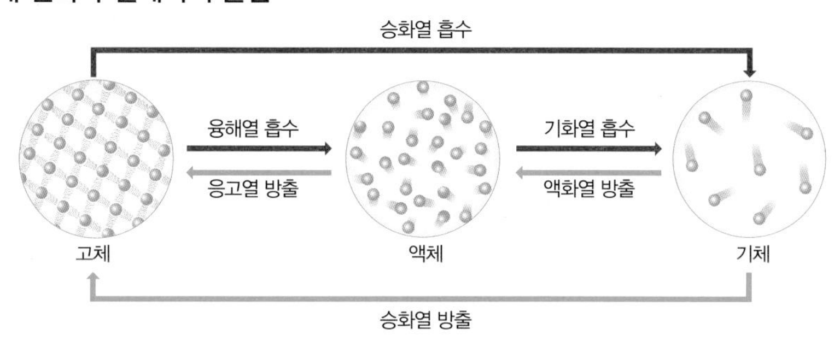

5 상태 변화와 입자 운동

열에너지 흡수	열에너지 방출
➡ 입자 운동 ⓐ ___ 해짐 ➡ 입자 사이의 인력이 약해짐 ➡ 입자 배열이 ⓑ ___ 해짐 ➡ 입자 사이의 거리가 멀어짐	➡ 입자 운동 둔해짐 ➡ 입자 사이의 인력이 ⓒ ___ 해짐 ➡ 입자 배열이 규칙적으로 됨 ➡ 입자 사이의 거리가 ⓓ ___ 짐

[에탄올을 가열할 때와 물을 냉각할 때의 온도 변화]

• **탐구 과정**

① 가지 달린 시험관에 에탄올과 끓임쪽을 넣고 물중탕으로 가열하면서 1분 간격으로 온도를 측정한다.

② 증류수가 들어 있는 시험관을 얼음 조각과 소금이 섞여 있는 스타이로폼 컵에 넣고 냉각하면서 2분 간격으로 온도를 측정한다.

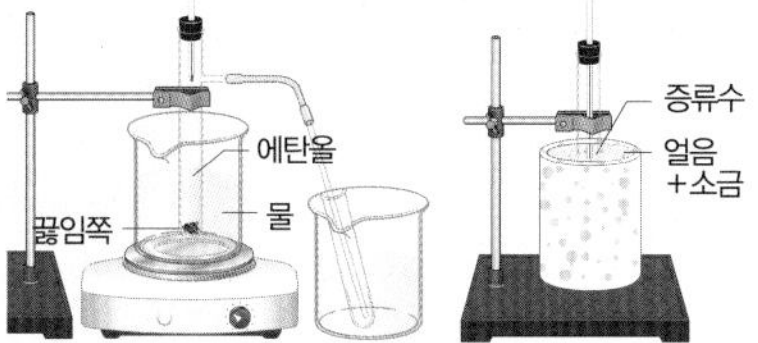

• **탐구 결과**

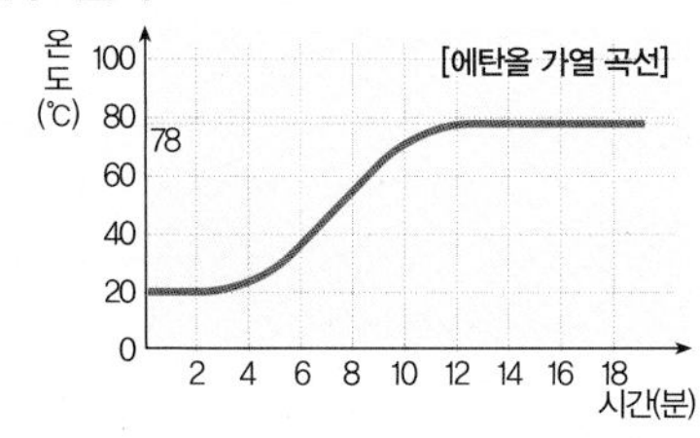

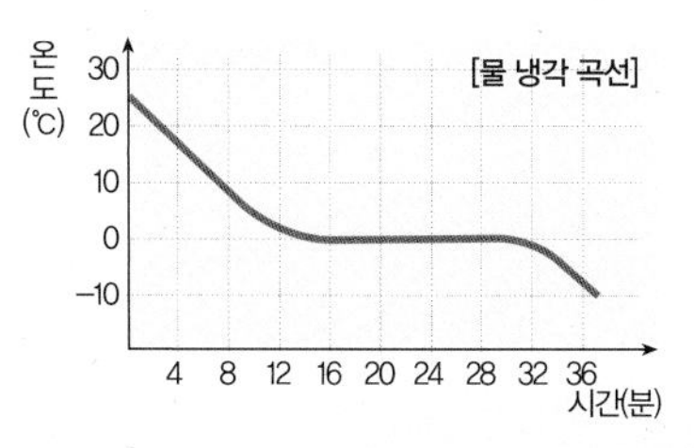

① 에탄올의 온도가 서서히 높아지다가 약 ⓔ ___ ℃가 되면 에탄올이 끓기 시작한다.

② 에탄올이 끓는 동안에는 온도가 일정하게 유지된다.

➡ 에탄올이 끓는 동안 흡수한 에너지가 ⓕ ___ 하는 데 모두 사용되기 때문이다.

③ 에탄올의 끓는점은 ⓖ ___ ℃이다.

④ 물의 온도가 서서히 낮아지다가 약 ⓗ ___ ℃가 되면 물이 얼기 시작한다.

⑤ 물이 어는 동안에는 온도가 일정하게 유지된다.

➡ 물이 어는 동안 열에너지를 ⓘ ___ 하기 때문이다.

⑥ 물의 어는점은 ⓙ ___ ℃이다.

플러스 노트

● **상태 변화 시 출입하는 열에너지 크기**
물질의 종류가 같을 때 융해열과 응고열의 크기는 같고, 기화열과 액화열의 크기가 같다.

● **열에너지와 온도 및 상태**
* **물질의 상태가 같을 때** : 출입하는 열에너지는 온도를 변화시킨다.
* **물질의 상태가 변할 때** : 출입하는 열에너지로 인해 온도가 일정하게 유지된다.

● **얼음의 온도는 항상 0℃인가?**
물이 어는 동안 온도가 일정하게 유지되므로 얼음의 온도는 0 ℃일 것이라고 생각하는 경우가 있는데 실제는 그렇지 않다. 물이 0 ℃에서 모두 얼고 나면 온도가 내려가므로 더 낮은 온도의 얼음이 된다. 냉동실에서 바로 꺼낸 얼음의 경우 −15 ℃ 정도이다.

ⓐ 활발 ⓑ 불규칙 ⓒ 강
ⓓ 가까워 ⓔ 78 ⓕ 기화
ⓖ 78 ⓗ 0 ⓘ 방출 ⓙ 0

플러스 노트

B 열에너지를 흡수·방출하는 상태 변화

1 열에너지를 흡수하는 상태 변화의 예

상태 변화	열에너지	예
융해 (고체 → 액체)	ⓐ 흡수	• 아이스박스에 얼음을 넣으면 음식물이 시원해진다. • 손 위에 얼음 조각을 놓으면 손이 차가워진다. • 얼음 조각상 옆에 있으면 얼음이 녹으면서 시원해진다. • 이른 봄에 호수의 얼음이 녹을 때 호수 주변은 다른 지역보다 춥다.
기화 (액체 → 기체)	ⓑ 흡수	• 수영장에서 젖은 몸이 마를 때 춥다. • 몸에 열이 날 때 물수건으로 몸을 닦아 열을 내린다. • 운동을 한 후 땀을 흘리면 땀이 마르면서 시원해진다. • 더운 여름날 도로에 물을 뿌리면 시원해진다. • 사용하고 난 뷰테인 가스통이 차가워진다. • 사막의 유목민들은 시원한 물을 마시기 위해 가죽으로 만든 물통을 사용한다. 가죽 틈새로 스며 나온 물이 증발하면서 시원해진다. • 에어컨은 액체 상태의 냉매를 기화시켜 실내를 시원하게 한다.
승화 (고체 → 기체)	ⓒ 흡수	• 아이스크림을 포장할 때 드라이아이스를 사용하여 녹지 않게 보관한다.

● 냉매
에어컨이나 냉장고와 같은 장치에 이용하는 물질로, 기화와 액화가 반복적으로 일어나면서 열에너지를 흡수하거나 방출한다.

● 체온 조절
사람은 더울 때 땀을 흘리고, 이 땀이 기화하면서 열에너지를 흡수하므로 체온이 일정하게 유지된다. 땀샘이 발달하지 않은 동물은 땀을 흘리는 대신 다른 방법으로 체온을 조절한다. 개는 입안의 혀를 내밀고, 고양이는 혀로 자신의 털을 핥으며, 돼지는 진흙 목욕을 하여 체온을 낮춘다.

더 알아보기

[팟인팟 쿨러]
전기가 들어오지 않아 냉장고를 이용할 수 없는 곳에서는 음식물을 신선하게 보관하기 위해 팟인팟 쿨러를 이용하기도 한다. 팟인팟 쿨러의 큰 항아리는 유약을 바르지 않아 공기가 잘 통하고, 작은 항아리는 물이 스며들지 않는다. 두 항아리 사이에 젖은 모래를 넣으면, 젖은 모래의 물이 기화하면서 작은 항아리 안의 온도를 낮춘다.

ⓐ 융해열 ⓑ 기화열 ⓒ 승화열

2 열에너지를 방출하는 상태 변화의 예

상태 변화	열에너지	예
응고 (액체 → 고체)	ⓐ 방출	• 얼음집 내부에 물을 뿌려 집안을 따뜻하게 한다. • 오렌지 나무에 미리 물을 뿌려 냉해를 막는다. • 과일 창고에 물 항아리를 놓아두어 과일이 어는 것을 막는다. • 초겨울에 호수가 얼 때 호수 주변의 지역은 다른 지역보다 따뜻하다. • 액체 파라핀을 이용하여 통증을 줄이는 온열 치료를 한다.
액화 (기체 → 액체)	ⓑ 방출	• 커피 전문점에서 수증기를 이용하여 우유를 데운다. • 비가 오기 전에는 날씨가 후텁지근하다. • 목욕탕 안에 습기가 차면 후텁지근하다. • 증기 난방을 이용하여 집안을 따뜻하게 한다.
승화 (기체 → 고체)	ⓒ 방출	• 겨울철에 눈이 내리면 날씨가 포근하다.

더 알아보기

[에어컨 원리]

• **실내 증발기 :** 에어컨의 증발기에서 액체 냉매가 기체로 변하면서 실내 공기의 열에너지(기화열)를 흡수하여 온도를 낮춘다. 차가워진 공기가 실내로 퍼지면서 방 안을 시원하게 한다.

• **실외 응축기 :** 실내 증발기에서 나온 기체 냉매는 실외에 설치된 응축기에서 액체로 변하면서 열에너지(액화열)를 방출하고, 방출한 열에너지는 실외기를 통해 더운 바람으로 나온다.

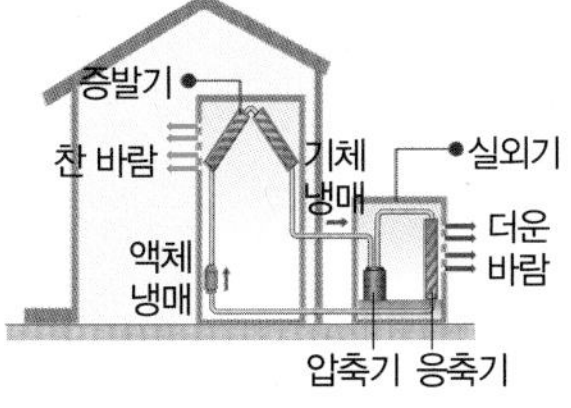

[스팀 난방의 원리]

• **보일러 :** 물을 가열하면 물이 기화열을 흡수하여 수증기로 변한다.

• **실내 방열기 :** 보일러에서 나온 수증기는 집안에 설치된 방열기로 들어가 관을 따라 이동하면서 물로 변하며 액화열을 방출한다. 방출한 열에너지는 실내 온도를 높여 따뜻하게 한다.

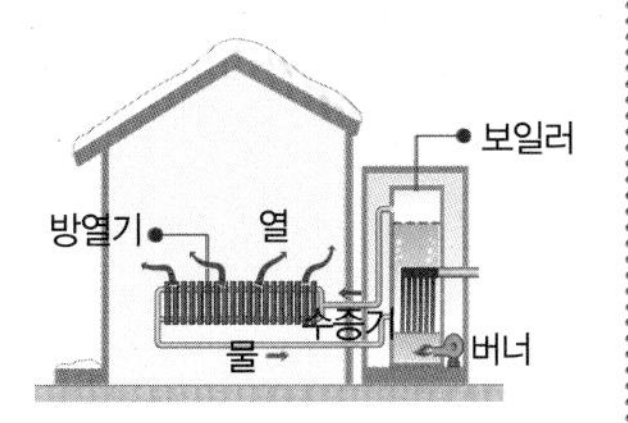

플러스 노트

● **눈 오는날 기온이 높은 이유**

눈은 대기 중의 얼음 알갱이에 수증기가 얼어붙어 승화하고, 이것이 커져 지상으로 떨어지는 것이다. 따라서 눈이 오는 날에는 많은 양의 수증기가 승화하면서 열에너지(승화열)를 방출하므로 기온이 높아진다.

● **일체형 냉난방기 원리**

* **여름 :** 실내에서 액체 상태의 냉매가 기체로 기화하면서 기화열을 흡수하여 온도를 낮춘다. 실외기에서는 기체 냉매를 액화시키고 액화열을 방출하므로 더운 바람이 나온다.
* **겨울 :** 기체 상태의 냉매가 액체로 액화하면서 액화열을 방출하여 실내 온도를 높인다. 실외기에서는 주변으로부터 열을 흡수해 냉매를 기화시키므로 찬 바람이 나온다. 따라서 실외 온도가 −10 ℃ 이하가 되면 냉매의 역순환만으로 난방하기 어렵다.

ⓐ 응고열 ⓑ 액화열 ⓒ 승화열

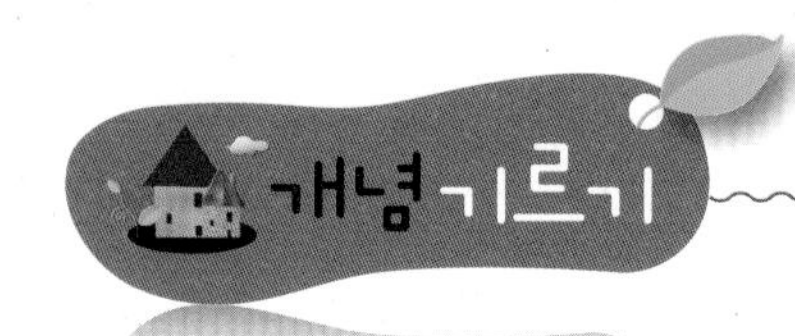

01 다음 그림은 물질의 세 가지 상태를 모형으로 나타낸 것이다. 이에 대한 설명으로 옳지 않은 것은?

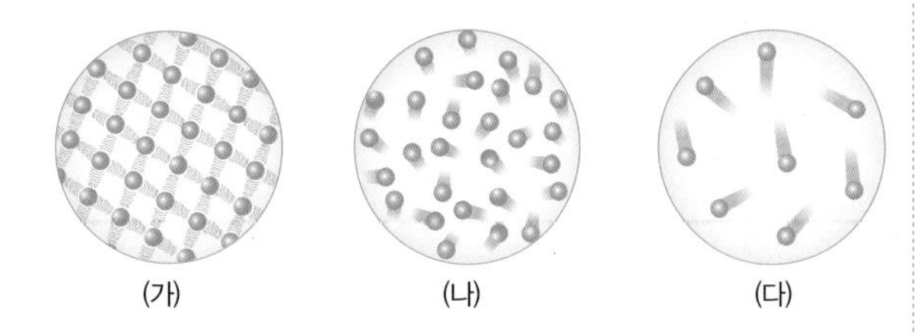

① (다)에서 (나)로 될 때 열을 방출한다.
② (다)에서 입자 운동이 가장 활발하다.
③ (가)에서 (나)로 될 때 열을 흡수한다.
④ (다)에서 열에너지를 가장 많이 가지고 있다.
⑤ (나)에서 (다)로 될 때보다 (가)에서 (나)로 될 때 더 많은 열이 필요하다.

02 다음 중 물의 상태 변화와 열에너지에 대한 설명으로 옳지 않은 것은?

① 응고열과 융해열의 크기는 같다.
② 얼음의 녹는점과 물의 어는점은 같다.
③ 물의 기화열과 수증기의 액화열의 크기는 같다.
④ 물의 끓는점은 얼음의 녹는점보다 낮다.
⑤ 물이 수증기로 상태 변화하는 동안 열을 계속 흡수한다.

03 물질의 상태 변화에 대한 설명으로 옳지 않은 것은?

① 같은 물질일 경우 녹는점과 어는점이 같다.
② 물질이 상태 변화할 때 입자의 배열 상태가 변하여 부피가 달라진다.
③ 물질이 상태 변화할 때 필요한 열에너지 양은 물질의 질량과 관계 없다.
④ 물질이 상태 변화할 때 필요한 열에너지 양은 입자 사이의 인력이 클수록 크다.
⑤ 물질이 상태 변화할 때 가해 준 열은 입자 사이의 거리를 증가시키는 데 사용된다.

04 다음 그림과 같이 장치하고 나프탈렌을 가열하였다. 이때 플라스크의 밑바닥 (가)와 비커의 바닥 (나)에서 일어나는 나프탈렌의 열 출입으로 옳게 짝지어진 것은?

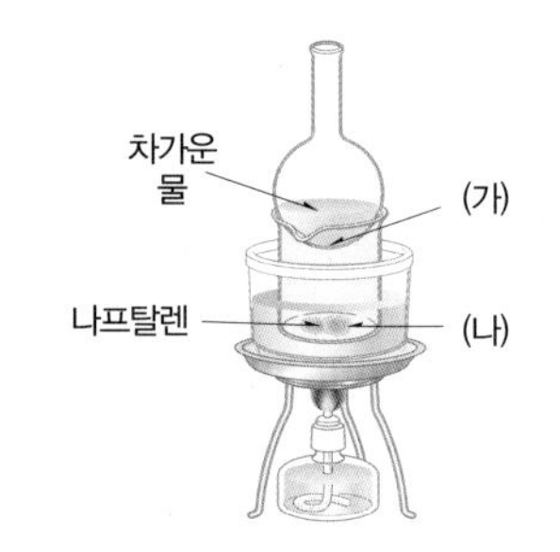

	①	②	③	④	⑤
(가)	방출	흡수	흡수	방출	흡수
(나)	방출	흡수	방출	흡수	소모

05 응고가 일어날 때에 대한 설명으로 옳은 것은?

① 열에너지를 흡수한다.
② 온도가 계속 높아진다.
③ 액체와 기체가 함께 존재한다.
④ 입자 사이의 결합력이 약해진다.
⑤ 입자 사이의 거리가 가까워진다.

중요

06 다음 중 상태 변화 과정에서 열을 흡수하는 것 2개는?

① 추운 겨울날 창문에 성에가 끼었다.
② 추운 겨울날 바깥에 둔 물이 얼었다.
③ 옷장 속의 나프탈렌이 처음보다 작아졌다.
④ 시원한 주스가 든 컵 주위에 물방울이 맺혔다.
⑤ 더운 여름날 도로에 물을 뿌렸더니 금방 말랐다.

07 에탄올의 끓는점을 측정하기 위한 실험 장치이다. 이에 대한 설명으로 옳지 않은 것은?

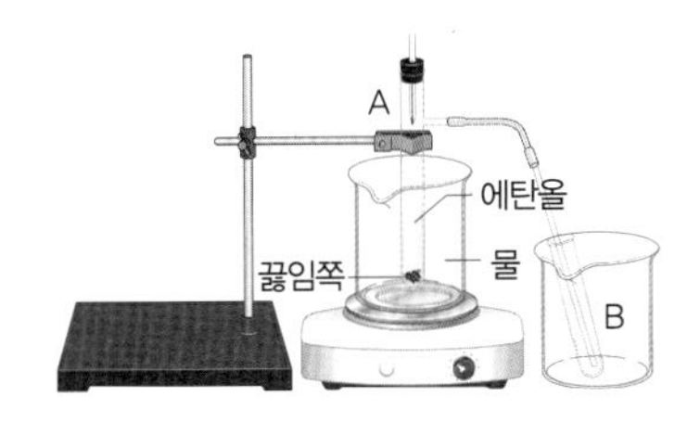

① 에탄올의 온도는 계속 높아지다가 일정해진다.
② 에탄올의 끓는점은 물의 끓는점 보다 낮다.
③ 시험관 A에서는 에탄올이 액화한다.
④ 시험관 B에서는 에탄올이 열에너지를 잃는다.
⑤ 에탄올이 갑자기 끓어 넘치는 것을 막기 위해 끓임쪽을 넣는다.

08 열에너지를 흡수하는 상태 변화가 일어날 때 감소하는 것 2개는? (단, 물은 제외한다.)

① 물질의 부피　② 주변 온도
③ 입자 사이의 거리　④ 입자 사이의 인력
⑤ 입자 운동의 활발한 정도

09 상태 변화와 열에너지를 생활에 잘못 적용한 것은?

① 무더운 여름날 도로에 물을 뿌려 시원하게 하였다.
② 열이 심하게 나는 환자에게 알코올로 마사지를 해 체온을 떨어뜨렸다.
③ 더운 여름날 시원한 주스를 마시기 위해 주스컵 위에 뚜껑을 덮어 두었다.
④ 날씨가 추운 겨울철에 화초가 얼지 않게 하기 위해 주위에 물을 뿌려주었다.
⑤ 아이스크림이 녹지 않게 하기 위해 드라이아이스가 들어 있는 통에 넣었다.

10 다음 표는 증류수가 들어 있는 시험관을 얼음 조각과 소금이 섞여 있는 스타이로폼 컵에 넣고 냉각하면서 2분 간격으로 온도를 측정한 결과이다. 6분~16분 동안 일어나는 변화에 대한 설명 중 옳지 않은 것은?

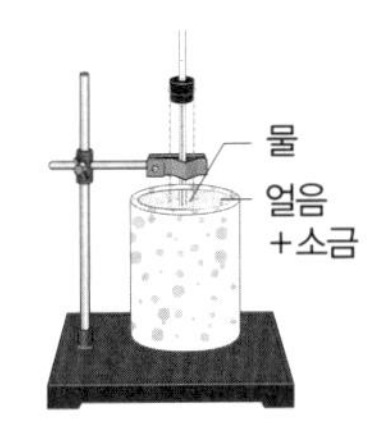

시간(분)	0	2	4	6	8	10	12	14	16	18	20	22
온도(℃)	8	5	2	0	0	0	0	0	0	−1	−3	−5

① 밀도가 증가하고 있다.
② 부피가 증가하고 있다.
③ 열에너지를 방출하고 있다.
④ 물이 얼음으로 변하고 있다.
⑤ 증발이 없다면 질량은 변하지 않는다.

11 다음 그래프는 얼음의 가열·냉각 곡선이다. 그래프에서 각 구간에 대한 설명으로 옳지 않은 것은?

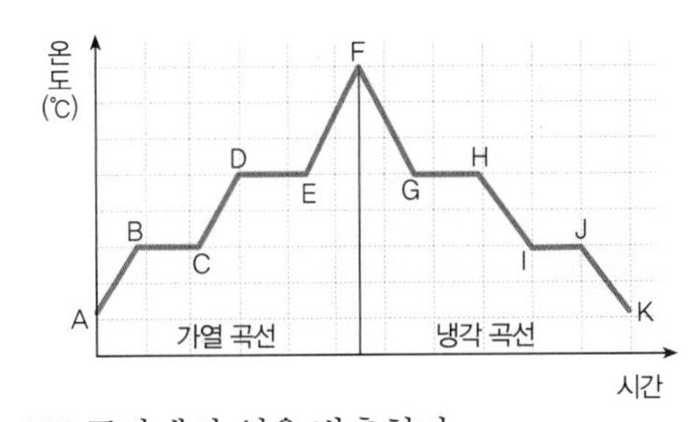

① GH 구간에서 열을 방출한다.
② BC 구간에서는 입자의 배열이 흐트러진다.
③ EF 구간에서 입자가 가지는 에너지가 가장 작다.
④ DE 구간에서 열은 입자 사이의 인력을 끊는데 사용된다.
⑤ 상태 변화가 일어나는 IJ 구간의 온도를 어는점이라고 한다.

정답 ◆ 7p ◆

01 일반적으로 스프레이 모기약에는 모기약과 액화 석유가스(LPG)가 함께 들어 있다. 스프레이 모기약을 뿌리면 통 안에 들어 있는 LPG가 기체 상태로 되어 모기약과 함께 뿜어져 나온다. 스프레이 모기약을 뿌린 후 모기약 통의 온도 변화를 이유와 함께 서술하시오.

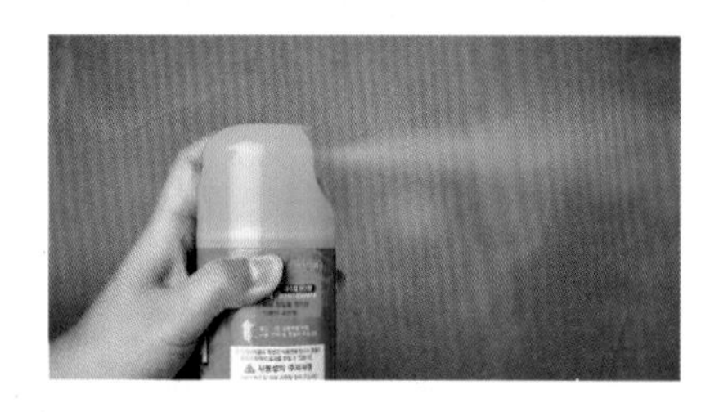

02 건습구 습도계는 건구 온도계와 습구 온도계의 온도 차이를 이용해 습도를 측정한다. 건구 온도계와 습구 온도계 중 온도가 낮은 것을 고르고 그 이유를 서술하시오.

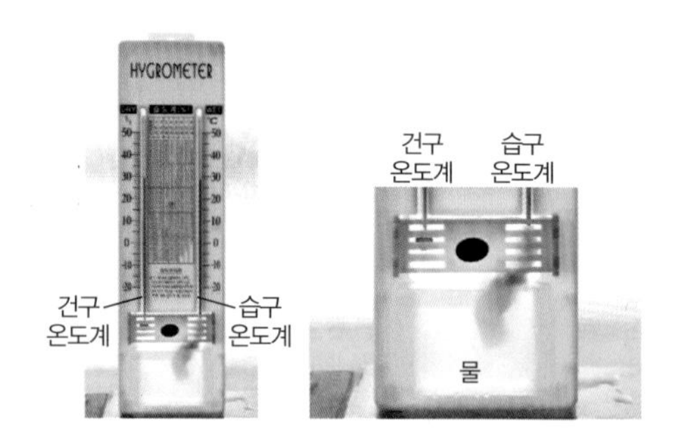

03 종이를 가열하면 타지만, 종이 냄비 안에 물을 넣고 가열하면 종이 냄비가 타지 않고 라면을 끓일 수 있다. 종이 냄비의 원리를 서술하시오.

04 이누이트들이 얼음집(이글루) 안쪽에 물을 뿌리는 이유를 서술하시오.

융합사고력 키우기

정답 ◆7p ◆

STEAM 식품을 시원하고 신선하게 보관하기 위한 주방 필수품, 냉장고의 원리

냉장고는 액체 상태에서 기체 상태로 쉽게 변하는 냉매를 사용하여 주변의 열을 흡수하여 시원하게 하는 가전제품이다. 초기에는 에테르를 이용하여 냉장 장치를 만들려고 노력하였다. 에테르보다 냉장 효과를 더 크게 할 수 있는 물질은 없을까? 기체를 고압으로 압축하면 액체가 되는데, 이 액체가 기화하면서 열을 빼앗아 갈 수 있도록 하면 효과적인 냉장 장치가 될 수 있다. 그래서 사용한 것이 암모니아이며, 1913년 미국에서 암모니아 냉각제를 사용한 최초의 가정용 전기 냉장고가 나오게 되었다. 그 후 암모니아가 프레온으로 대체되었으며, 최근에는 천연가스 및 이산화 탄소를 이용한 대체 냉매를 사용하고 있다.

냉장고가 차갑게 유지되기 위해서는 냉매가 기체가 되고, 다시 액체가 되는 과정을 끊임없이 반복해야 한다. 이러한 순환은 압축기에서의 압축 과정, 응축기(방열기)에서의 응축 및 열방출 과정, 모세관을 지나면서 일어나는 팽창 과정, 증발기에서의 증발 과정으로 나누어지며, 이 과정들은 서로 연결되어 있다. 압축기에서의 압축 과정은 냉매가 쉽게 기화할 수 있도록 준비하는 단계라고 할 수 있다. 압축기에서는 모터를 가동하여 증발기에서 오는 저압의 기체 상태인 냉매를 압축한다. 압축기에서 나온 고온 고압의 기체 냉매는 응축기에서 액화되어 온도가 낮은 액체로 변하고, 응축기에서 나온 저온 고압의 냉매는 모세관을 통과하면서 압력이 낮아진다. 저온 저압의 액체 냉매는 증발기에서 증발하면서 기체가 되고, 이 과정에서 열을 흡수하므로 냉장고의 온도가 급격히 떨어져 시원해진다.

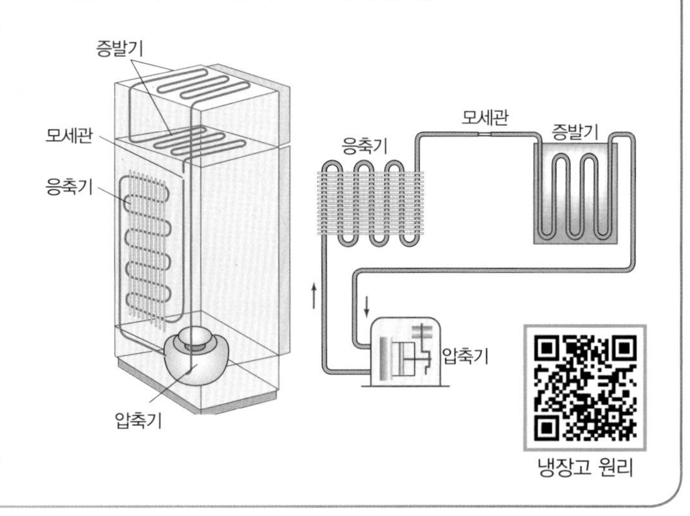

냉장고 원리

01 냉장고 뒷부분이 뜨거운 이유를 서술하시오.

02

최근에는 각 가정에서 김치냉장고를 많이 사용한다. 김치냉장고는 일반 냉장고에 비해 뛰어난 냉기 단속 능력으로 김치를 오랫동안 보관할 수 있다. 김치 냉장고의 냉기 단속 원리를 서술하시오.

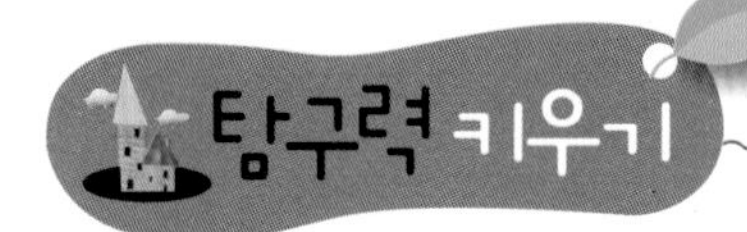

정답 ◆ 7p ◆

STEAM 마실 수 있는 깨끗한 물을 얻는 방법

흙탕물에서 마실 수 있는 깨끗한 물을 얻는 방법을 알아보자.
[준비물] 페트병, 흙탕물, 얼음, 작은 컵, 깨끗한 돌멩이, 전등, 가위, 칼

실험 1

① 반으로 자른 페트병의 아랫부분에 흙탕물을 넣는다.
② 흙탕물이 담긴 페트병 안에 작은 컵을 넣고 컵이 뜨지 않도록 깨끗한 돌멩이를 넣는다.
③ 페트병 아랫부분 위에 뚜껑을 닫은 페트병 윗부분을 거꾸로 세운다.
④ 거꾸로 세운 페트병 윗부분에 얼음을 채운다.
⑤ 페트병 안의 흙탕물에 전등을 비춘다.

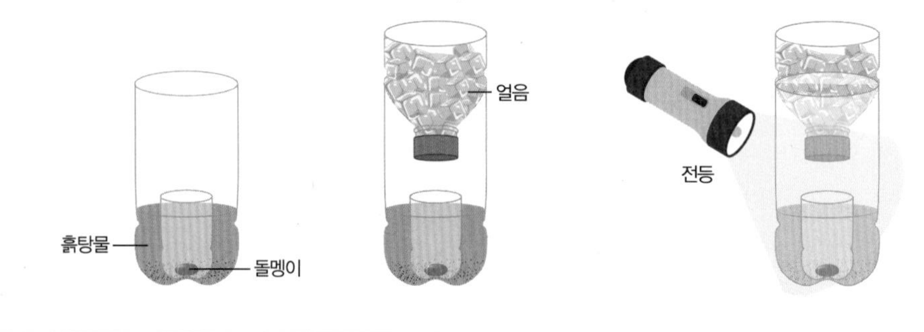

01 어느 정도 시간이 지난 후 변화를 서술하시오.

02 이 장치에서 이용한 물의 상태 변화와 열에너지의 출입을 서술하시오.

03 아프리카의 건조한 지역에서는 풀에 들어 있는 수분을 모아 물을 얻는다고 한다. 풀에 들어 있는 물을 얻을 수 있는 장치를 설계하고 원리를 서술하시오.

와카워터

Ⅲ 물질의 구성

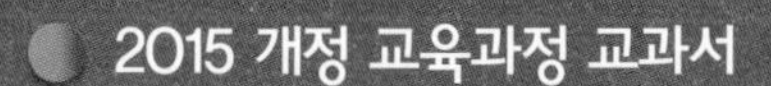

2015 개정 교육과정 교과서

중학교 1~3학년 군 : 중2 1단원 물질의 구성

다른 학년과의 연계

5~6학년 군 : 용해와 용액
중학교 1~3학년 군 : 기체의 성질, 물질의 상태 변화, 화학 반응의 규칙성과 에너지 변화
통합과학 : 물질과 규칙성과 결합
화학 Ⅰ : 원자의 세계, 화학 결합과 분자의 세계

물질을 이루고 있는 기본 성분,

05 원소

플러스 노트

A 물질의 구성 성분

1 원소 개념의 형성 과정

구분	학자	물질관	주장 내용
고대	탈레스	1원소설	만물의 근원은 물이다.
	엠페도클레스	4원소설	만물의 근원은 물, 불, 흙, 공기이다.
	ⓐ	최초의 원자설 (입자설)	만물은 더 이상 쪼개지지 않는 입자로 구성되어 있다.
	ⓑ	4원소 변환설	만물은 물, 불, 흙, 공기의 4원소로 구성되고, 이 원소들은 따뜻함, 차가움, 건조함, 습함의 4가지 성질에 의해 서로 변환된다.
중세	연금술사	3원소설 (연금술)	물질의 근원은 수은, 황, 소금이다. 아리스토텔레스의 4원소 변환설을 기초로 값싼 금속을 금으로 바꾸려는 연구를 하였다.
근대	보일	원소설	모든 물질은 더 이상 분해되지 않는 원소로 이루어져 있다. 최초의 현대적인 원소의 개념을 제시했다.
	ⓒ	원소설	실험을 통해 4원소설이 옳지 않음을 증명했다. 더 이상 분해될 수 없는 물질을 원소라 정의하고 33종의 원소를 발표했다.

● **동양의 물질관**
동양에서는 고대부터 중세에 이르기까지 자연 현상을 5행[목(木), 화(火), 토(土), 금(金), 수(水)]의 원리로 설명하였다.

● **연금술의 기여**
고대에서 시작되어 2000여 년 동안 계속되었던 연금술로 인해 화학에 대한 많은 지식이 축적되었을 뿐만 아니라 실험 기기와 실험 기술도 발전하였다. 황산, 인, 질산 등의 물질이 발견되었고 플라스크, 도가니 등의 실험 기구가 만들어졌다.

더 알아보기

[고대 물질관]

• **1원소설** : 고대 그리스 학자들이 만물의 근원이라고 생각한 물질
① 탈레스 : 물
② 헤라클레이토스 : 불
③ 아낙시메네스 : 공기

• **아리스토텔레스의 4원소 변환설**
따뜻함, 차가움, 건조함, 습함이 두 가지씩 만나서 물, 불, 흙, 공기가 된다.

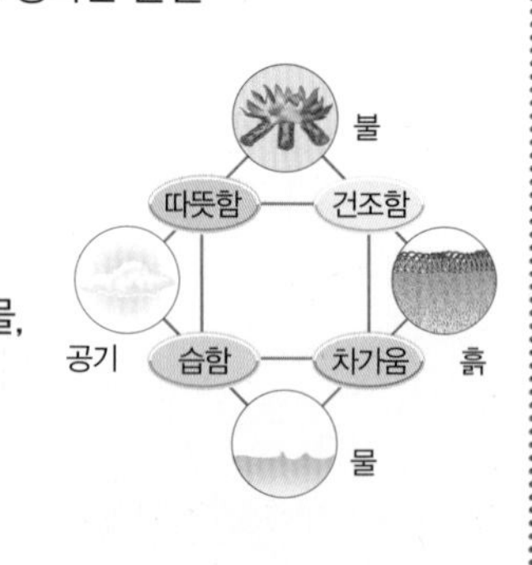

[라부아지에의 원소 분류 – 33원소]
① **제 1 그룹 :** 빛, 열, 산소, 질소, 수소
② **제 2 그룹 :** 황, 인, 탄소, 염소, 플루오린, 붕소
③ **제 3 그룹 :** 안티모니, 은, 비소, 비스무트, 코발트, 구리, 주석, 철, 망가니즈, 수은, 몰리브데넘, 니켈, 금, 백금, 납, 텅스텐, 아연
④ **제 4 그룹 :** 생석회(CaO), 마그네시아(MgO), 바라이터(BaO), 알루미나(Al_2O_3), 실리카(SiO_2)
➡ 현재 물질이 아닌 것(빛, 열)과 원소가 아닌 것(제 4 그룹)으로 밝혀진 것들도 있다.

용어풀이

원소(으뜸 元, 성질 素) : 화학적으로 더 이상 분해할 수 없는 물질

연금술(불릴 鍊, 쇠 金, 재주 術) : 중세 유럽에서 구리와 납 등의 값싼 물질로 금과 같은 귀금속을 제조하려고 했던 화학 기술

정답

ⓐ 데모크리토스 ⓑ 아리스토텔레스
ⓒ 라부아지에

2 물이 원소가 아님을 증명하는 실험

① 라부아지에의 물 분해 실험

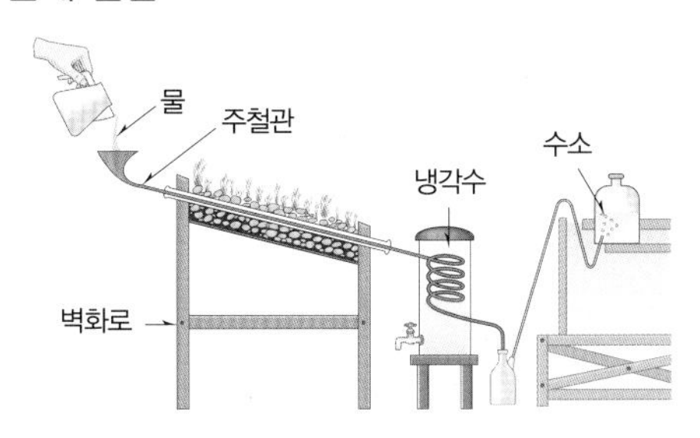

• 과정 : 뜨거운 주철관에 물을 부어 통과시킨다.

• 결과 : 주철관의 질량이 ⓐ ______ 하고, 냉각수를 통과한 기체에서 ⓑ ______ 를 얻을 수 있다. 물이 분해되었으므로 물은 원소가 아니다.

➡ 주철관의 질량이 증가한 것은 물이 분해되어 발생한 ⓒ ______ 가 주철관의 철과 결합하였기 때문이다.

② 물의 전기 분해 실험

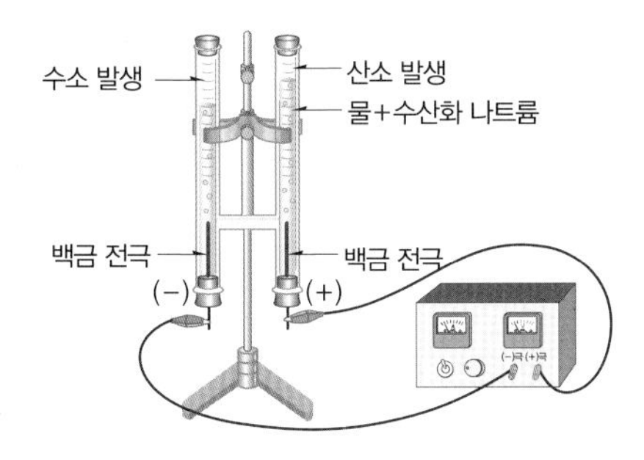

• 과정 : 수산화 나트륨을 조금 녹인 물에 전류를 흘려준다.

• 결과 : 물이 분해되어 (−)극에서 ⓓ ______ 기체가 발생하고, (+)극에서 ⓔ ______ 기체가 발생한다. 물이 분해되었으므로 물은 원소가 아니다.

– (+)극 : 불씨가 남아 있는 향불을 가까이하면 향불이 다시 타오른다.

– (−)극 : 점화기의 불을 가까이하면 '퍽' 소리를 내며 타오른다.

➡ 이때 발생하는 두 기체의 부피비는 수소 : 산소 = 2 : 1이다.

3 원소

① 원소는 더 이상 분해되지 ⓕ ______ 물질을 이루고 있는 기본 성분이다.

② 지금까지 알려진 원소의 종류는 110여 가지이다.

③ 종류에 따라 각 원소의 특징이 다르다.

④ 대부분의 원소는 지난 200여 년 동안 발견되었다.

⑤ 자연에서 발견된 것(90여 가지)과 인공적으로 만들어진 것(20여 가지)이 있다.

플러스 노트

● **물의 전기 분해**
순수한 물은 전기적으로 중성이므로 전류가 흐르지 않는다. 물에 수산화 나트륨을 소량 녹여서 전류를 흘려주면 전기 분해가 일어나서 (−)극에서 수소 기체, (+)극에서 산소 기체가 생성된다.

● **원소의 발견**
110여 가지 원소 중 금, 은, 구리 등은 수천 년 전에 발견되었고, 알루미늄은 1800년에 들어와 발견되었다. 중세 시대에 연금술에 의해 황이나 수은과 같은 원소가 발견되기도 하였다. 플루토늄, 아인슈타이늄 등은 인공적으로 만든 원소이며, 현재도 과학자들은 새로운 원소를 발견하기 위해 노력하고 있다.

용어풀이

주철(부어서 만들 鑄, 쇠 鐵) : 수도나 가스의 관으로 쓰는 것으로, 1.7 % 이상의 탄소가 함유된 철로 만든다.

ⓐ 증가 ⓑ 수소 ⓒ 산소 ⓓ 수소 ⓔ 산소 ⓕ 않는

플러스 노트

● **원소의 존재**

* **우주를 구성하는 원소 :** 우주를 구성하는 원소 중에서 수소가 74 %로 가장 많고, 헬륨 24 %, 다른 원소들이 2 %이다.
* **우리 몸을 구성하는 원소 :** 약 25종으로, 이 중 산소, 탄소, 수소, 질소가 약 96 %를 차지하고, 칼슘과 인이 2 %를 차지하며, 철, 마그네슘, 염소, 아연, 나트륨, 황 등은 몸의 구성 비율이 매우 작지만 살아가는 데 꼭 필요하다.
* **지각을 구성하는 원소 :** 지각을 구성하는 원소 중 가장 큰 비율을 차지하는 원소는 산소이며, 그 다음으로 규소, 알루미늄, 철 등이 존재한다.

ⓐ 대문자 ⓑ 소문자

B 원소의 표현

1 원소 기호

① **원소 기호 :** 원소를 나타내는 간단한 기호

② 원소 기호의 변천

연금술사 : 자신들만 아는 그림으로 표시	➡	돌턴 : 원과 기호를 사용하여 표시	➡	베르셀리우스 : 오늘날 원소 기호 제안
 금		 금		Au 금

③ 원소 기호를 나타내는 법

• 원소 이름의 알파벳 첫 글자를 ⓐ ______ 로 나타낸다.

• 첫 글자가 같을 때는 적당한 중간 글자 하나를 선택하여 첫 글자 다음에 ⓑ ______ 로 나타낸다.

④ 원소 기호의 유래 : 원소의 성질과 관련된 라틴어, 그리스어, 원소를 발견한 지역이나 국가의 명칭, 위대한 과학자의 이름 등 다양하다.

2 여러 가지 원소의 원소 기호

수소	H	헬륨	He	리튬	Li	베릴륨	Be
붕소	B	탄소	C	질소	N	산소	O
플루오린	F	네온	Ne	나트륨	Na	마그네슘	Mg
알루미늄	Al	규소	Si	인	P	황	S
염소	Cl	칼륨	K	칼슘	Ca	철	Fe
구리	Cu	아연	Zn	스트론튬	Sr	은	Ag
아이오딘	I	바륨	Ba	백금	Pt	금	Au

3 여러 가지 원소의 이용

산소	잠수부용 공기통, 산소-아세틸렌 용접	수소	우주선의 연료, 수소 전지 등 미래 청정 연료
헬륨	광고용 풍선, 잠수부용 공기통	염소	수돗물의 소독, 표백제
탄소	숯, 다이아몬드, 연필심, 전지 전극	수은	체온계
철	선박이나 건물의 철근 구조물	규소	반도체, 유리, 광학 도구
구리	전선, 청동, 놋쇠, 조리 기구	알루미늄	비행기 동체, 일회용 용기, 포일
납	화장품, 페인트, 배터리, 의약품	질소	음식물의 충전 기체, 비료

C 원소의 확인

1 불꽃 반응

① 불꽃 반응 : 일부 금속 원소와 금속 원소를 포함하는 물질을 겉불꽃에 넣을 때 특정한 불꽃색이 나타나는 현상

② 같은 종류의 금속 원소를 포함하면 불꽃색이 ⓐ ______ 다.

③ 적은 양으로도 물질 속에 포함된 ⓑ ______ 원소를 확인할 수 있다.

실험 방법	결과
니크롬선을 묽은 염산으로 씻고, 니크롬선에 금속 원소를 묻힌 후 토치의 겉불꽃에 넣는다. (묽은 염산 → 금속 원소 → 니크롬선, 토치)	Li-붉은색, Na-노란색, K-보라색 Sr-붉은색, Ca-주황색, Cu-청록색

더 알아보기

[불꽃 반응의 불꽃색]

화합물의 종류가 달라도 포함된 금속 원소의 종류가 같으면 불꽃색이 같다.

화합물의 짝	염화 리튬, 질산 리튬	질산 칼륨, 염화 칼륨	염화 나트륨, 질산 나트륨
불꽃색	ⓒ ______ 색	ⓓ ______ 색	ⓔ ______ 색

2 스펙트럼

① 스펙트럼 : 빛을 분광기로 관찰할 때 나타나는 여러 가지 색의 띠

② 원소의 종류에 따라 선의 색, 위치, 개수, 굵기 등이 다르다.

③ 원소 불꽃색이 비슷한 경우 ⓕ ______ 스펙트럼을 이용하여 구별한다.

연속 스펙트럼과 선 스펙트럼	선 스펙트럼으로 금속 원소 구별
• 금속 원소의 불꽃을 분광기로 관찰하면 태양 광선의 연속 스펙트럼과는 다른 밝은 색 선의 띠가 나타난다. • 태양 광선의 연속 스펙트럼 • 나트륨 원소의 선 스펙트럼	• 리튬(Li)과 스트론튬(Sr)은 불꽃 반응 색이 붉은색으로 비슷하지만 선 스펙트럼을 관찰하면 두 원소를 명확하게 구분할 수 있다. • 리튬(Li) • 스트론튬(Sr)

플러스 노트

● **비금속 원소의 스펙트럼**
금속 원소뿐 아니라 수소와 헬륨 같은 비금속 원소들도 분광기로 선 스펙트럼을 관찰할 수 있다.

용어풀이

스펙트럼(spectrum) : 빛을 분광기나 프리즘으로 굴절시켜 파장에 따라 분산시켜 배열한 것

ⓐ 같 ⓑ 금속 ⓒ 붉은
ⓓ 보라 ⓔ 노란 ⓕ 선

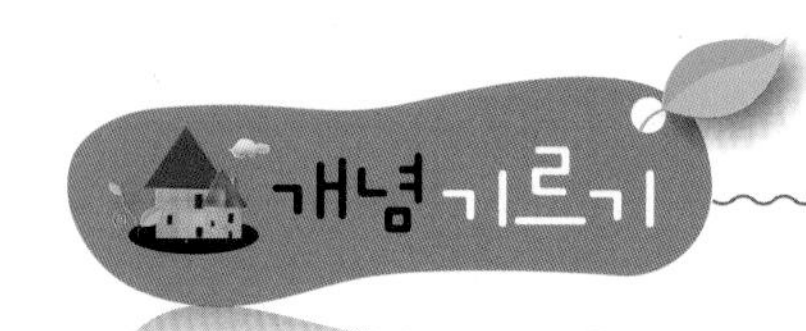

01 다음 물질관을 시대 순으로 바르게 나열한 것은?

보기
(가) 물질은 물, 불, 흙, 공기의 4가지 원소로 이루어져 있다.
(나) 모든 물질의 근원은 물이다.
(다) 모든 물질은 더 이상 분해되지 않는 원소로 이루어져 있다.
(라) 값싼 금속으로부터 금을 만들 수 있다.
(마) 물질을 구성하는 물, 불, 흙, 공기는 서로 결합하여 새로운 물질을 형성한다.

① (가)-(나)-(다)-(라)-(마)
② (가)-(나)-(다)-(마)-(라)
③ (나)-(가)-(라)-(다)-(마)
④ (나)-(가)-(마)-(라)-(다)
⑤ (다)-(나)-(가)-(라)-(마)

02 기원전 4세기에 시작된 연금술은 중세 시대에 크게 발달하였으나 금을 만드는 데는 실패하였다. 이와 같은 실패에도 불구하고 연금술이 현대 과학 발전에 기여한 부분으로 옳은 것 2개는?

① 현대적 원소 기호의 기초를 확립하였다.
② 원소와 화합물을 구별할 수 있게 되었다.
③ 아리스토텔레스의 원소 변환설을 확립하였다.
④ 새로운 실험 기구와 실험 기술을 발전시켰다.
⑤ 황산, 인, 질산 등 새로운 물질을 발견하였다.

03 다음 〈보기〉에서 설명하는 물질이 아닌 것은?

보기
• 순수한 물질로 화학적으로 분해되지 않는다.
• 물질을 이루는 기본 성분이다.

① 금　② 염소
③ 암모니아　④ 수소
⑤ 헬륨

중요 **04** 라부아지에는 다음과 같은 장치로 물을 분해하였다. 이에 대한 설명으로 옳지 않은 것은?

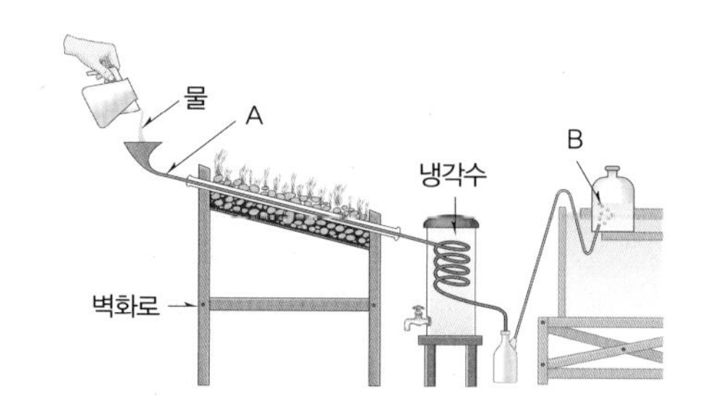

① 물은 원소가 아님을 알 수 있다.
② B에서 발생한 기체는 폭발성이 크다.
③ A와 B에서 발생한 기체를 다시 합성하면 물이 된다.
④ A에서 철은 수소에 의해 녹이 슬므로 주철관의 질량은 증가한다.
⑤ 이 실험을 통해 엠페도클레스와 아리스토텔레스의 물질관은 더 이상 받아들여지지 않았다.

05 다음 중 원소에 대한 설명으로 옳지 않은 것은?

① 더 이상 분해되지 않는다.
② 물질을 이루는 기본 성분이다.
③ 종류에 따라 각 원소의 특징이 다르다.
④ 다른 종류의 원소로 변환될 수 있다.
⑤ 현재까지 110여 종의 원소가 알려져 있다.

06 다음 중 원소 기호에 대한 설명으로 옳은 것은?

① 각 나라마다 사용하는 원소 기호가 다르다.
② 연금술사들은 원과 기호로 원소를 표시하였다.
③ 현대 원소 기호는 라부아지에가 최초로 제안한 것이다.
④ 오래전부터 알려진 원소는 그리스어나 라틴어에서 따온 것이다.
⑤ 첫 글자는 대문자로, 첫 글자가 같으면 중간 글자 하나를 택하여 첫 글자 다음에 대문자로 나타낸다.

07 다음 중 원소 기호를 바르게 표시한 것은?

① 수소 – He　② 철 – F
③ 탄소 – C　④ 칼륨 – Ca
⑤ 네온 – Na

08 다음은 불꽃 반응 실험 과정을 나타낸 것이다. 이에 대한 설명으로 옳지 않은 것은?

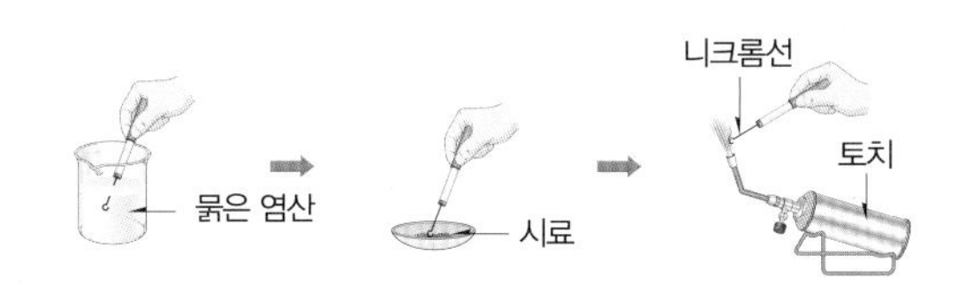

① 니크롬선이 없을 때는 백금선이나 구리선을 사용한다.
② 화합물을 분해하지 않아도 성분 원소를 알아낼 수 있다.
③ 시료의 양이 적어도 성분 원소의 종류를 확인할 수 있다.
④ 불순물을 제거하기 위해서 니크롬선을 묽은 염산으로 씻는다.
⑤ 시료를 묻힌 니크롬선을 겉불꽃에 넣어야 불꽃색을 정확하게 알 수 있다.

중요
09 다음 중 불꽃색이 서로 같은 시료와 그 색깔이 바르게 짝지어진 것은?

보기
㉠ 질산 구리　㉡ 질산 칼륨　㉢ 염화 나트륨
㉣ 염화 구리　㉤ 염화 칼륨　㉥ 질산 나트륨

① ㉠, ㉣ – 보라색　② ㉠, ㉥ – 파란색
③ ㉡, ㉤ – 주황색　④ ㉢, ㉣ – 빨간색
⑤ ㉢, ㉥ – 노란색

10 불꽃 반응 실험을 통해 구별할 수 없는 물질은?

① 염화 칼륨과 염화 바륨
② 질산 구리와 염화 구리
③ 황산 칼륨과 염화 나트륨
④ 질산 나트륨과 황산 구리
⑤ 황산 구리와 황산 칼륨

11 다음은 어떤 화합물 X와 몇 가지 금속 원소 A, B, C의 선 스펙트럼을 나타낸 것이다. 어떤 화합물(X) 속에 포함되어 있는 금속 원소를 모두 고른 것은?

① A, B　② A, C
③ B　④ B, C
⑤ A, B, C

12 다음 중 스펙트럼에 대한 설명으로 옳은 것은?

① 빛의 반사 현상을 이용한 구별 방법이다.
② 불꽃 반응색이 비슷하면 선 스펙트럼이 같게 나온다.
③ 적은 양으로 물질 속에 포함된 비금속 원소만 확인할 수 있다.
④ 원소의 종류에 따라 스펙트럼에 나타나는 선의 개수, 위치, 색깔이 모두 다르게 나타난다.
⑤ 원소의 불꽃색을 분광기로 보면 연속 스펙트럼이 나타나고, 햇빛을 분광기로 보면 선 스펙트럼이 나타난다.

서술형으로 다지기

정답 ◆ 8p ◆

01 라부아지에는 다음 그림과 같이 벽화로 속으로 통과시킨 긴 주철관을 뜨겁게 달군 후에 주철관에 물을 천천히 따라 부었더니 주철관의 질량이 증가하고 수소 기체가 얻어졌다. 라부아지에의 실험 결과로 알 수 있는 사실을 서술하시오.

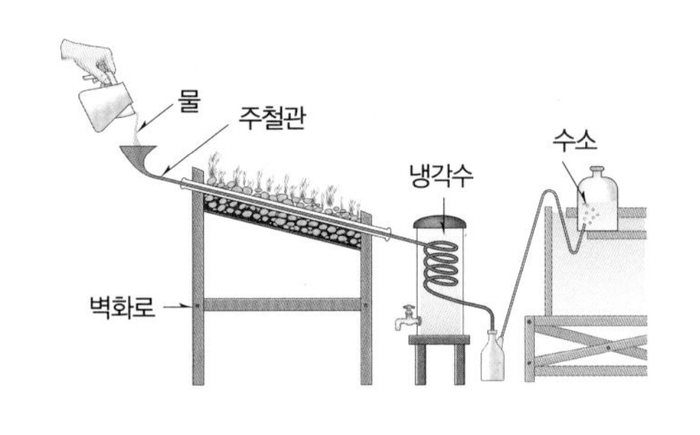

02 다음은 불꽃 반응 실험을 나타낸 것이다. 화합물의 모든 구성 원소를 불꽃 반응 실험을 통해 알 수 있는지 판단하고, 그렇게 생각한 이유를 서술하시오.

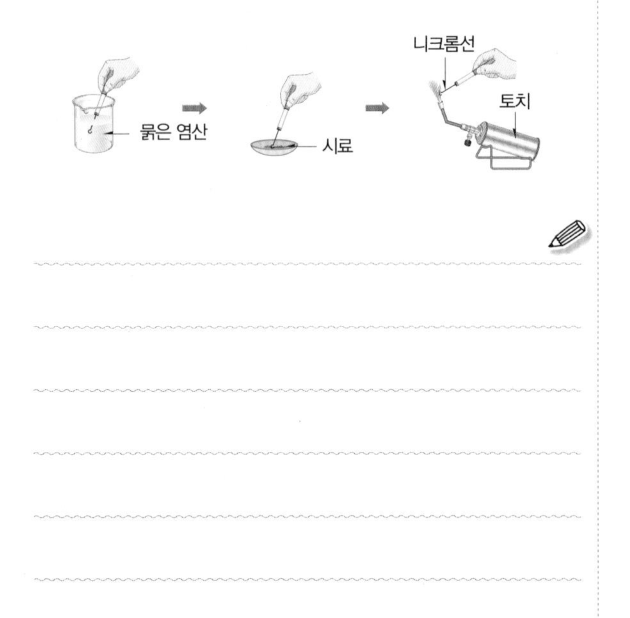

03 몇 가지 화합물의 불꽃색을 관찰하였더니 다음 표와 같았다. 같은 불꽃색을 나타내는 화합물이 같은 금속에 의한 것인지 정확히 구별할 수 있는 방법을 서술하시오.

화합물	불꽃색
염화 리튬, 질산 스트론튬	빨간색
염화 나트륨, 질산 나트륨	노란색

04 다음 글을 읽고 연금술사들의 시도가 실패할 수밖에 없었던 이유를 원소설을 바탕으로 서술하시오.

아리스토텔레스는 만물은 물, 불, 흙, 공기의 4가지 원소로 이루어져 있으며, 4가지 성질에 의해 다른 원소로 서로 변환될 수 있다고 주장했다. 이러한 물질관에 근거하여 연금술사들은 귀금속을 구성하는 물, 불, 흙, 공기의 구성비만 알면 철이나 구리 등의 값싼 금속을 금이나 은 같은 값비싼 금속으로 바꿀 수 있다고 생각하고 오랫동안 물질을 변화시키려는 실험을 거듭했지만, 끝내 실패했다.

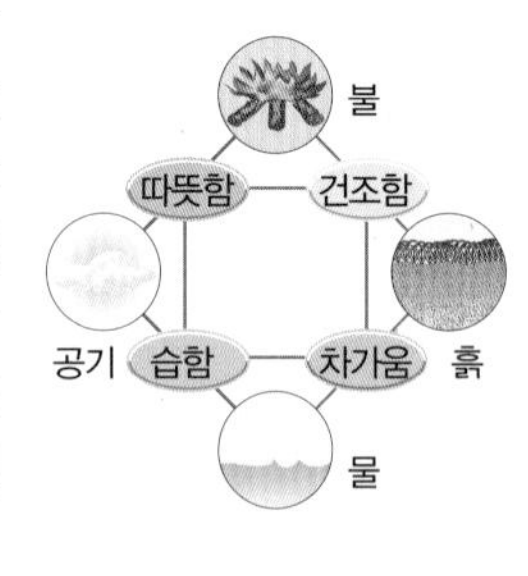

정답 ◆ 9p ◆

STEAM 영화 이야기 – 제5원소

1914년 이집트의 어느 피라미드 발굴 현장에서 한 고고학자가 지구의 미래를 바꿔 놓을 비밀을 밝혀낸다. 그것은 바로 피라미드의 벽화에 새겨진 '5개 원소'의 비밀이었다. 피라미드에 의하면 5000년마다 세상이 바뀌고 악마가 찾아오는데, 이때 물, 불, 바람, 흙을 상징하는 돌이 인간과 결합하면 세상을 구하지만, 악마와 결합하면 지구는 악마의 지배를 받게 된다는 것이다.

그로부터 300년 후 2259년 뉴욕, 지구에 거대한 괴행성이 다가온다는 정보를 입수하고 대통령을 비롯한 전 군대는 비상사태에 돌입하고 핵 미사일 공격을 강행했다. 그러나 괴행성은 공격을 받을수록 거대하게 확대되어 빠른 속도로 지구를 향해 돌진해왔다. 일반인들의 생각과는 달리 피라미드 성직자인 코넬리우스는 300여년 전의 예언대로 악마가 다가온 것이라고 생각하고, 그 예언처럼 우주인이 5개의 원소를 가지고 찾아와 지구를 구해 주기를 기다린다.

예언처럼 미지의 제5원소를 제외한 네 개의 원소를 가진 것으로 알려진 몬도샤 행성인이 4개의 돌을 가지고 지구를 찾아오지만, 지구에 접근하기 전에 만갈로라는 우주 해적에 의해 격추된다. 남은 것은 오직 몬도샤인의 한쪽 팔뿐. 과학자들은 이것으로 유전자를 재합성하여 인간을 만든다. 재합성된 인간은 신비한 외모의 빨간 머리의 소녀 리루. 리루는 갑작스런 환경 변화에 당황해 실험실을 뚫고 경찰의 눈을 피해 달아나다 전직 연방요원 출신의 코벤 달라스와 만난다. 코벤은 리루와 함께 코넬리우스에게 가게 되고, 코넬리우스는 리루가 세상을 구하리라고 전해지는 5번째 원소라는 것을 알아낸다. 코벤은 4개의 돌을 가지고 리루와 함께 이집트 성소로 가서, 신성한 빛으로 악마를 쫓아낸다.

01 이 영화에서 제5원소는 사람의 사랑이다. 4가지 원소 외에 제5원소가 필요했던 이유를 서술하시오.

제5원소

논술형

02 이 영화는 고대인들의 원소설 중 어떤 것과 관련이 깊은지 서술하시오.

Ⅲ 물질의 구성

주기율표로 알 수 있는

06 원소의 분류와 성질

플러스 노트

A 원소의 분류 시험

1 원소의 분류 변천

학자	원소의 분류
라부아지에	원소를 4집단(모든 물체의 원소, 비금속 원소, 금속 원소, 염)으로 분류하였고, 전기 전도성이 있는 원소는 금속, 없는 원소는 비금속이라고 하였다.
되베라이너	유사한 성질의 원소들이 세 개씩 존재하는 것을 발견하고, 이를 '세 쌍 원소'라고 하였다. ➡ 세 쌍 원소설
뉴랜즈	당시에 알려져 있던 50여 종의 원소들을 상대적인 질량 순서대로 나열했을 때 여덟 번째마다 원소의 성질이 비슷하다는 사실을 발견하였다. ➡ 옥타브설
ⓐ	원소들을 원자의 질량 순서로 배열하였을 때 성질이 비슷한 원소들이 주기적으로 나타난다는 것을 발견하였다. ➡ 저마늄(Ge), 갈륨(Ga), 스칸듐(Sc)의 존재와 성질 예언
모즐리	멘델레예프의 주기율표에서 규칙성이 맞지 않는 부분을 설명할 수 있도록 원자 번호 순으로 재배열하여 오늘날과 비슷한 주기율표를 완성하였다.

● **원자 번호**
원자는 원자핵과 전자로 구성된다. 각 원자들은 원자핵 속에 고유의 양성자 수를 가지며, 양성자 수만큼 전자가 존재한다. 각 원자가 가지는 양성자 수를 원자 번호라고 한다.

더 알아보기

[멘델레예프, Mendeleev]

러시아 화학자 멘델레예프는 1869년에 당시 알려져 있던 63종의 원소를 어떤 순서로 배열할 것인가를 연구하다가 원자의 질량 순으로 배열하면 원소들의 성질에 주기성이 나타난다는 사실을 발견하였다.

원소를 일정한 규칙에 따라 나열하면 발견되지 않은 원소의 성질까지 예측할 수 있다고 생각하고, 당시 알려진 원소는 물론, 발견되지 않은 원소들을 위한 빈 자리도 주기율표에 남겨 두었다. 1870년에는 발견되지 않은 세 가지 원소의 성질을 상세히 예측하였는데, 그 후 1875년에 갈륨(Ga), 1879년에 스칸듐(Sc), 1886년에 저마늄(Ge)이 발견되었다. 이 세 가지 원소의 성질은 멘델레예프가 예측한 것과 정확하게 일치하였다.

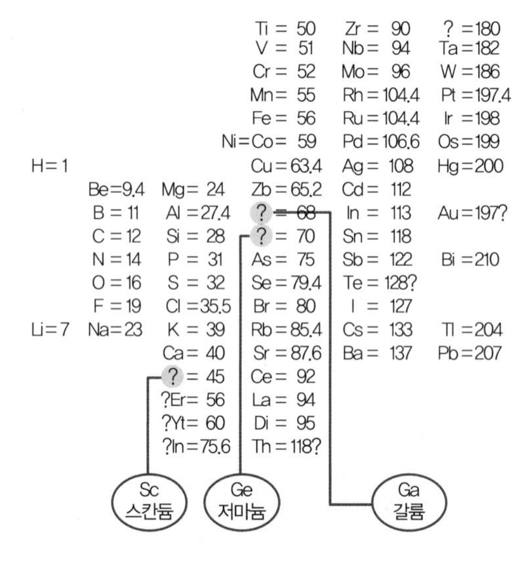

용어풀이

주기율(돌 週, 기약할 期, 법칙 律) : 원소를 배열하였을 때 비슷한 성질을 가지는 원소가 규칙적으로 나타나는 것

ⓐ 멘델레예프

B 주기율표 심화

플러스 노트

1 주기율표 : 비슷한 성질을 가진 원소들이 같은 세로줄에 오도록 원소를 원자 번호 순으로 배열한 표

2 주기율표 구성

① 족

- 주기율표의 ⓐ ＿＿ 줄로 1~18족까지 있다.
- 같은 족 원소들은 ⓑ ＿＿ 성질이 비슷하다.

② 주기

- 주기율표의 ⓒ ＿＿ 줄로 1~7주기까지 있다.
- 주기가 변하면 화학적 성질의 변화가 비슷하게 ⓓ ＿＿ 된다.

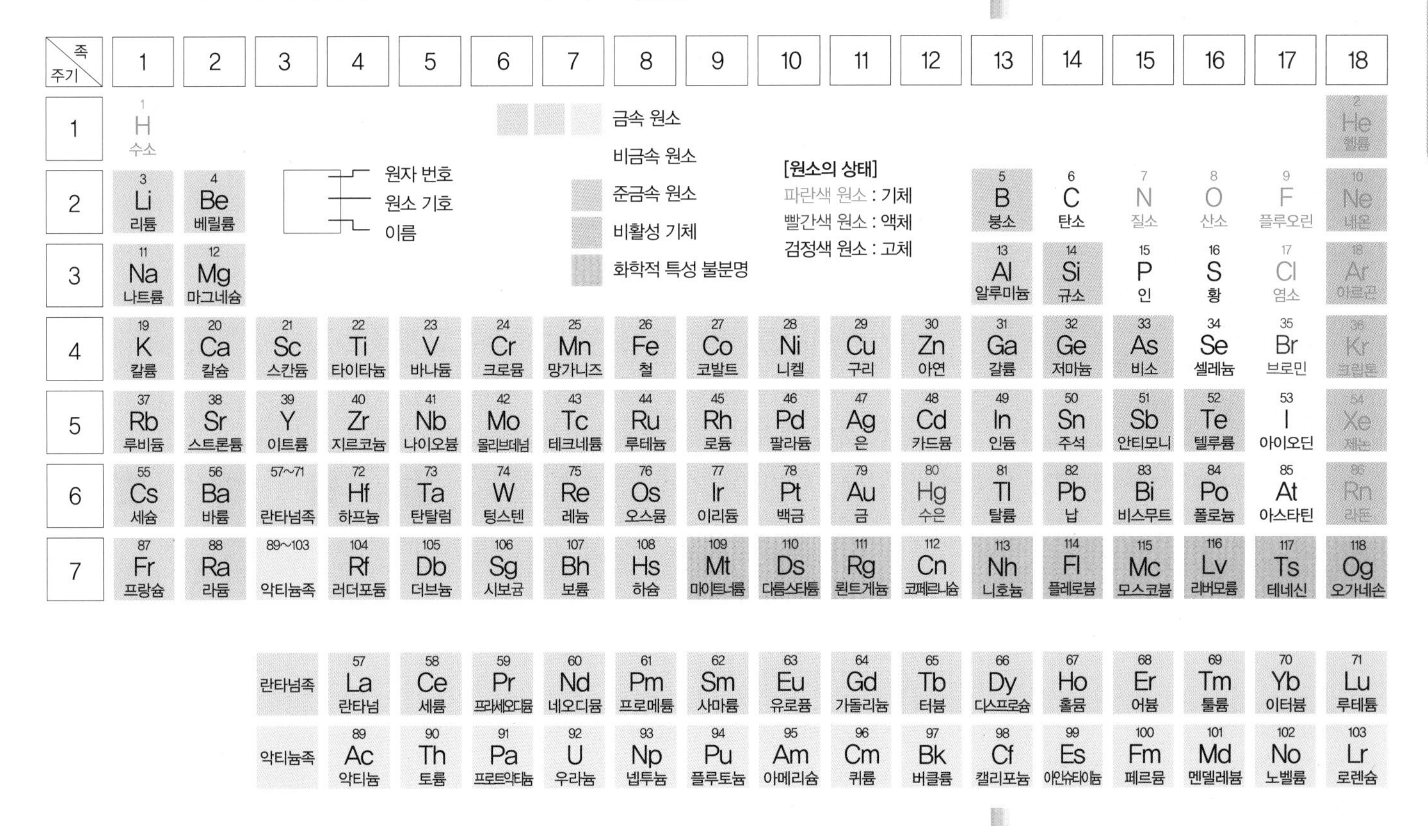

주기 \ 족	1	2	3	4	5	6	7	8	9	10	11	12	13	14	15	16	17	18
1	1 H 수소																	2 He 헬륨
2	3 Li 리튬	4 Be 베릴륨											5 B 붕소	6 C 탄소	7 N 질소	8 O 산소	9 F 플루오린	10 Ne 네온
3	11 Na 나트륨	12 Mg 마그네슘											13 Al 알루미늄	14 Si 규소	15 P 인	16 S 황	17 Cl 염소	18 Ar 아르곤
4	19 K 칼륨	20 Ca 칼슘	21 Sc 스칸듐	22 Ti 타이타늄	23 V 바나듐	24 Cr 크로뮴	25 Mn 망가니즈	26 Fe 철	27 Co 코발트	28 Ni 니켈	29 Cu 구리	30 Zn 아연	31 Ga 갈륨	32 Ge 저마늄	33 As 비소	34 Se 셀레늄	35 Br 브로민	36 Kr 크립톤
5	37 Rb 루비듐	38 Sr 스트론튬	39 Y 이트륨	40 Zr 지르코늄	41 Nb 나이오븀	42 Mo 몰리브데넘	43 Tc 테크네튬	44 Ru 루테늄	45 Rh 로듐	46 Pd 팔라듐	47 Ag 은	48 Cd 카드뮴	49 In 인듐	50 Sn 주석	51 Sb 안티모니	52 Te 텔루륨	53 I 아이오딘	54 Xe 제논
6	55 Cs 세슘	56 Ba 바륨	57~71 란타넘족	72 Hf 하프늄	73 Ta 탄탈럼	74 W 텅스텐	75 Re 레늄	76 Os 오스뮴	77 Ir 이리듐	78 Pt 백금	79 Au 금	80 Hg 수은	81 Tl 탈륨	82 Pb 납	83 Bi 비스무트	84 Po 폴로늄	85 At 아스타틴	86 Rn 라돈
7	87 Fr 프랑슘	88 Ra 라듐	89~103 악티늄족	104 Rf 러더포듐	105 Db 더브늄	106 Sg 시보귬	107 Bh 보륨	108 Hs 하슘	109 Mt 마이트너륨	110 Ds 다름슈타튬	111 Rg 뢴트게늄	112 Cn 코페르니슘	113 Nh 니호늄	114 Fl 플레로븀	115 Mc 모스코븀	116 Lv 리버모륨	117 Ts 테네신	118 Og 오가네손
			란타넘족	57 La 란타넘	58 Ce 세륨	59 Pr 프라세오디뮴	60 Nd 네오디뮴	61 Pm 프로메튬	62 Sm 사마륨	63 Eu 유로퓸	64 Gd 가돌리늄	65 Tb 터븀	66 Dy 디스프로슘	67 Ho 홀뮴	68 Er 어븀	69 Tm 툴륨	70 Yb 이터븀	71 Lu 루테튬
			악티늄족	89 Ac 악티늄	90 Th 토륨	91 Pa 프로트악티늄	92 U 우라늄	93 Np 넵투늄	94 Pu 플루토늄	95 Am 아메리슘	96 Cm 퀴륨	97 Bk 버클륨	98 Cf 캘리포늄	99 Es 아인슈타이늄	100 Fm 페르뮴	101 Md 멘델레븀	102 No 노벨륨	103 Lr 로렌슘

3 주기율표 이용 : 같은 족 원소들은 화학적 성질이 비슷하므로 주기율표에서 원소의 위치를 알면 그 원소의 ⓔ ＿＿ 을 예측할 수 있다.

ⓐ 세로 ⓑ 화학적 ⓒ 가로 ⓓ 반복 ⓔ 성질

C 원소의 성질 심화!

1 같은 족 원소들의 공통적인 특징

① 1족, 알칼리 금속

- Li, Na, K, Rb 등(H 제외)
- 은백색의 ⓐ ____ 을 띠지만, 산소와 반응하여 금방 사라진다.
- 칼로 쉽게 잘라질 정도로 매우 무르다.
- 열과 전기를 잘 통하고, 특유의 불꽃색을 나타낸다.
- 물이나 산소와 잘 반응한다. ➡ 석유나 액체 파라핀 속에 넣어 보관한다.
- 물에 넣으면 격렬하게 반응하면서 ⓑ ____ 기체가 발생하고, 반응 후의 수용액은 염기성을 띤다.

1족, 알칼리 금속

나트륨과 물의 반응

② 17족, 할로겐 원소

- F, Cl, Br, I 등
- 상온에서 독특한 색을 나타낸다.
- 독성이 있고, 알칼리 금속이나 수소와 잘 반응한다.
- 알칼리 금속과 반응하면 고체 물질을 생성한다.
- 2개의 원자가 결합하여 이원자 분자로 존재한다.

17족, 할로겐 원소

플루오린 염소 브로민 아이오딘

③ 18족, 비활성 기체

- He, Ne, Ar, Kr, Xe 등
- 다른 원소들과 잘 반응하지 않는다. ➡ 단원자 분자로 존재한다.
- 상온에서 모두 ⓒ ____ 상태이다.
- 전류를 흐르게 하면 독특한 색을 나타낸다.

18족, 비활성 기체

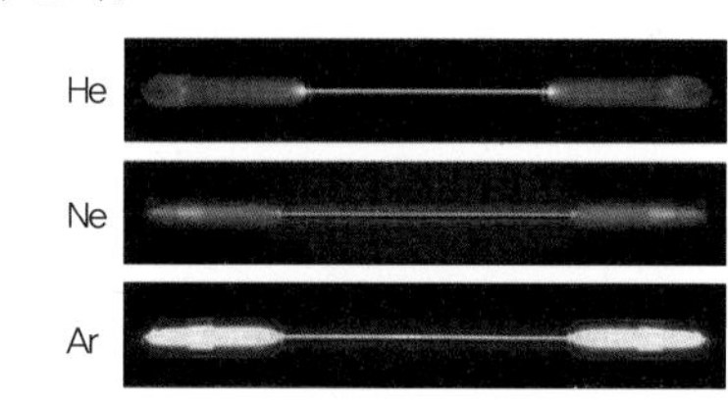

플러스 노트

● 나트륨과 물의 반응
나트륨은 물보다 밀도가 작아 물에 넣으면 물 위에 떠서 활발하게 반응한다. 나트륨과 물이 반응할 때 수소 기체와 많은 열이 발생하므로 수소 기체에 불이 붙기도 한다. 반응 후 전체 용액은 염기성이 되므로 페놀프탈레인 용액을 떨어뜨리면 용액의 색이 붉게 변한다.

● 할로젠 원소의 색
* **플루오린** : 연녹색 기체
* **염소** : 황록색 기체
* **브로민** : 적갈색 액체
* **아이오딘** : 흑자색 고체

● 18족 원소들의 전기 방전
진공 상태의 유리관 속에 18족 원소들의 기체를 주입한 뒤 전류를 흐르게 하면 각 원자의 전자가 들뜬 상태가 되었다가 안정한 상태로 돌아오며 빛을 낸다.

용어풀이

알칼리(alkali) : 물에 녹아 염기성을 나타내는 물질

할로젠(halogen) : 17족 원소들을 일컫는 말로, 화학 반응을 매우 잘 하고 독성이 강한 물질

정답

ⓐ 광택 ⓑ 수소 ⓒ 기체

2 금속 원소와 비금속 원소

	금속 원소	비금속 원소
주기율표에서의 위치	주로 왼쪽과 중앙(파란색 원소) 금속 원소	주로 오른쪽(노란색 원소) 비금속 원소
상온에서의 상태	ⓐ (수은은 액체)	ⓑ 또는 고체(브로민은 액체)
광택	ⓒ	없음
열, 전기 전도성	매우 ⓓ	매우 ⓔ (흑연 예외)
충격에 의한 변화	가늘게 뽑히거나 얇게 펴짐 (연성과 전성)	부서지거나 쪼개짐
예	금, 구리, 알루미늄 등	수소, 탄소, 규소 등
원소의 이용	• 리튬(Li) : 휴대 전화의 배터리 • 알루미늄(Al) : 포일, 비행기의 동체, 자동차의 휠, 고압 송전선 • 철(Fe) : 자동차나 건축물의 재료 • 구리(Cu) : 전선, 파이프, 각종 조리 기구 • 금(Au) : 장신구, 반도체 회로의 도선	• 수소(H) : 우주 왕복선의 연료, 미래의 청정 연료 • 탄소(C) : 숯, 연필심, 섬유, 다이아몬드 • 산소(O) : 생물의 호흡, 물질의 연소 • 규소(Si) : 유리, 반도체 회로 • 염소(Cl) : 표백제, 소독제

플러스 노트

● **전성과 연성**
* **전성** : 얇게 펴지는 성질
* **연성** : 가늘고 길게 늘어나는 성질

● **흑연의 전기 전도성**
흑연은 비금속 원소인 탄소로 이루어져 있지만, 자유롭게 돌아다닐 수 있는 전자가 있어 예외적으로 전기가 잘 통하므로 건전지의 전극으로 사용된다.

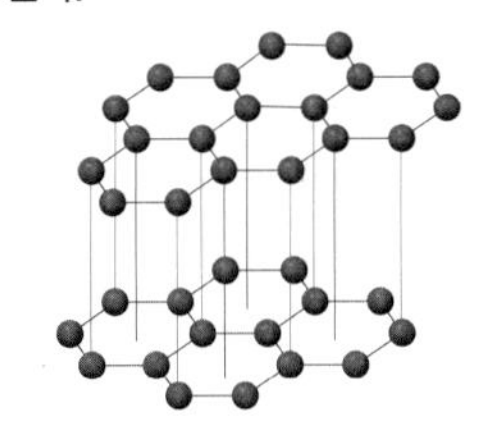

정답
ⓐ 고체 ⓑ 기체 ⓒ 있음
ⓓ 큼 ⓔ 작음

생활 속 과학

금속 중독

영화 속에서 아이언맨은 중금속인 팔라듐에 중독되어 고생한다. 실제로 금속 중독 때문에 많은 사람들이 죽거나 고통을 당했다. 고대 중국의 황제들은 불로장생을 위해 금과 수은으로 만든 약을 복용했지만, 그 약 때문에 수은에 중독되어 고통스럽게 죽음을 맞았다. 일본에서는 수은에 중독되어 걸리는 미나마타병, 카드뮴에 중독되어 걸리는 이타이이타이(일본어로 아프다, 아프다라는 뜻)병도 발생했었다.

미나마타병은 1932년부터 신일본질소비료의 미나마타 화학 공장에서 메틸 수은이 함유된 폐수를 충분히 정화하지 않고 방류해, 이곳의 물고기를 먹은 인근 주민들이 수은 중독에 걸린 사건이다. 수은 중독은 주로 중추 신경에 문제를 발생시켜 사지마비, 경련, 언어 장애, 정신 착란 등의 증상이 나타나며, 심한 경우 결국 사망한다.

이타이이타이병은 미츠이 금속광업 가미오카 광산에서 아연을 제련할 때 광석에 포함되어 있던 카드뮴을 제거하지 않고 그대로 강에 버린 것이 원인이 되어 발생한 병으로, 뼈가 쉽게 물러지는 특징이 있다. 물러진 뼈는 골절이 쉽게 발생하고 이로 인해 환자들이 이타이라고 한데서 이름이 붙여졌다.

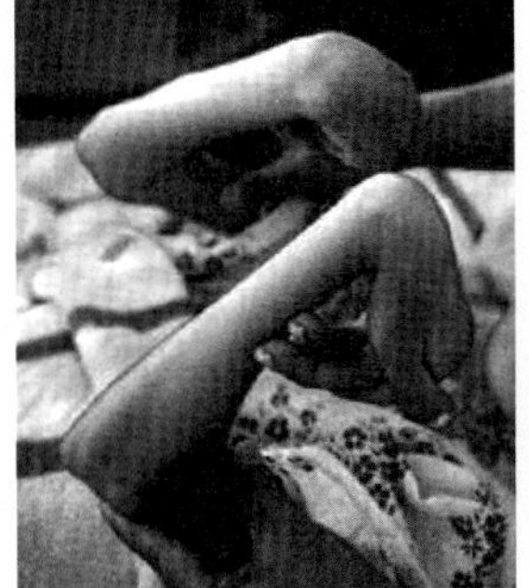

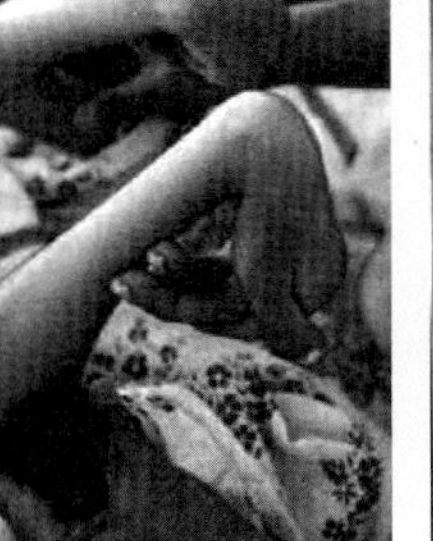

미나마타병

이타이이타이병

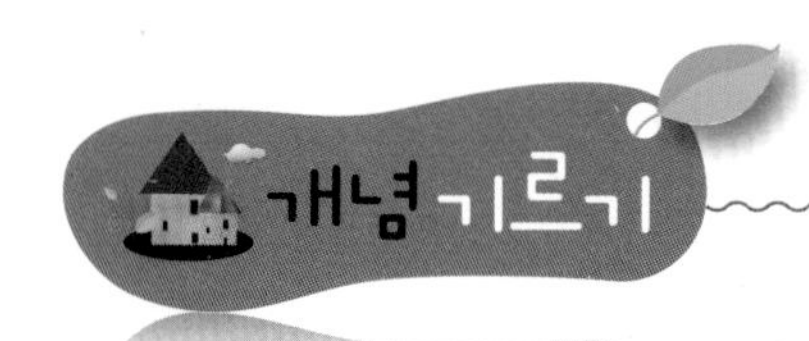

01 **다음 중 주기율표가 완성되기까지 원소의 분류에 대한 설명으로 옳은 것은?**

① 되베라이너는 당시까지 알려진 33종의 원소를 4그룹으로 분류하였다.
② 라부아지에가 분류한 원소 중 빛과 열, 염은 현재 원소가 아니다.
③ 뉴랜즈는 화학적으로 성질이 비슷한 원소를 세 개씩 묶어 세 쌍 원소라고 하였다.
④ 라부아지에는 당시까지 알려진 63종의 원소를 원자의 질량 순으로 배열하였다.
⑤ 모즐리는 원소들을 원자의 질량 순으로 배열하였을 때 여덟 번째마다 비슷한 성질을 가지는 원소가 나타난다는 것을 발견하였다.

02 **다음은 멘델레예프의 주기율표를 간단히 나타낸 것이다. 이에 대한 설명으로 옳지 않은 것은?**

H 1	Li 7	Na 23	K 39	
	Be 9	Mg 24	Ca 40	
	B 11	Al 27	(가)	(나)
	C 12	Si 28	Ti 48	(다)
	N 14	P 31	V 51	As 75
	O 16	S 32	Cr 52	Se 78
	F 19	Cl 35	Mn 55	Br 80

① 원자의 상대적 질량 순으로 원소들을 배열하였다.
② 성질이 비슷한 원소들을 같은 줄에 위치시켰다.
③ 현대의 1족부터 18족 원소까지 포함되어 있다.
④ 당시에 발견된 원소가 없으면 빈 칸으로 남겨두었다.
⑤ 빈칸에 해당하는 원소의 성질을 예측하였다.

03 **다음 중 라부아지에의 원소 분류에 대한 설명으로 옳지 않은 것은?**

① **제 1 그룹 :** 빛, 열, 산소, 질소, 수소
② **제 2 그룹 :** 황, 인, 탄소, 염소, 플루오린, 붕소
③ **제 3 그룹 :** 안티모니, 은, 비소, 비스무트, 코발트, 구리, 주석, 철, 망가니즈, 수은, 몰리브데넘, 니켈, 금, 백금, 납, 텅스텐, 아연
④ **제 4 그룹 :** 생석회, 마그네시아, 바라이터, 실리카, 알루미나

① 원소를 4개의 그룹으로 분류하였다.
② 원소로 분류한 물질 중 염은 원소가 아니다.
③ 원소로 분류한 물질 중 빛, 열은 원소가 아니다.
④ 분류한 원소들은 모두 현재에도 원소에 해당한다.
⑤ 전기 전도성에 따라 원소를 금속과 비금속으로 분류하였다.

04 **다음은 되베라이너의 대표적인 세 쌍 원소를 나타낸 것이다. 이 원소들의 공통점은?**

① 세 원소들은 모두 전기가 잘 통한다.
② 세 원소들은 모두 황록색을 나타낸다.
③ 세 원소들은 모두 금속과 반응을 잘한다.
④ 세 원소들은 모두 상온에서 기체 상태이다.
⑤ 세 원소들은 모두 힘을 가했을 때 늘어나거나 펴진다.

05 **다음 중 현재의 주기율표에 대한 설명으로 옳지 않은 것은?**

① 현재의 주기율표는 모즐리가 만든 것이다.
② 세로줄을 족이라고 하며 1~18족까지 있다.
③ 가로줄을 주기라고 하며 1~7주기까지 있다.
④ 화학적 성질이 비슷한 원소들은 같은 주기에 속한다.
⑤ 주기율표에서의 위치를 보면 그 원소의 성질을 예측할 수 있다.

중요

06 다음은 주기율표의 일부를 나타낸 것이다. A~G 원소에 대한 설명으로 옳지 않은 것은? (단, A~G는 임의의 원소 기호이다.)

주기＼족	1	2	13	14	15	16	17	18
1	A							
2	B			E				G
3		D					F	
4	C							

① F는 17족 원소로 할로젠족에 해당한다.
② E는 비금속 원소로 전기 전도성이 있다.
③ A, B, C는 1족 원소들로 알칼리 금속이다.
④ D는 금속 원소로 열과 전기의 전도성이 있다.
⑤ G는 반응성이 거의 없는 원소로 비활성 기체라고 한다.

07 다음 중 알칼리 금속에 대한 설명으로 옳지 않은 것은?

① 특유의 불꽃색을 나타낸다.
② 물속에 넣어 보관하면 안전하다.
③ 공기 중의 산소와 쉽게 반응한다.
④ 칼로 쉽게 잘라지며 은백색 광택이 난다.
⑤ 자연계에서 원소 상태로 존재하는 양이 적다.

08 다음 중 원소를 금속 원소와 비금속 원소로 분류하기 위한 방법으로 옳지 않은 것 2개는?

① 망치로 두드려 본다.
② 광택이 나는지 관찰한다.
③ 물에 대한 용해도를 알아본다.
④ 물에 넣었을 때 뜨는지 가라앉는지 관찰한다.
⑤ 전류를 흐르게 하였을 때 전구에 불이 켜지는지 확인한다.

09 다음 중 할로젠 원소에 대한 설명으로 옳지 않은 것은?

① 비금속 원소이다.
② 특유의 색깔을 띤다.
③ 수소나 알칼리 금속과 잘 반응한다.
④ 상온에서 모두 기체 상태로 존재한다.
⑤ 2개의 원자가 결합한 분자 상태로 존재한다.

10 다음 중 간판에 사용되며, 전류가 흐를 때 독특한 색을 내는 원소들의 성질로 옳은 것은?

① 공기 중에 많은 양이 존재한다.
② 상온에서 모두 기체 상태로 존재한다.
③ 주기율표의 17족에 속하는 원소들이다.
④ 독성이 있기 때문에 인체에 해로울 수 있다.
⑤ 금속 원소들과 쉽게 반응하여 다양한 화합물을 만든다.

11 다음은 오늘날 사용하고 있는 주기율표의 일부를 나타낸 것이다. 이 중 화학적 성질이 비슷한 원소끼리 바르게 짝지은 것은?

주기＼족	1	2	13	14	15	16	17	18
1	H							He
2	Li	Be	B	C	N	O	F	Ne
3	Na	Mg	Al	Si	P	S	Cl	Ar

① Na－Al ② Si－P
③ H－Li ④ Be－B
⑤ F－Cl

정답 ◆ 10p ◆

01 멘델레예프는 원소들을 원자의 질량 순서대로 배열하여 최초로 주기율표를 작성하였고, 그 당시 알려져 있지 않았던 저마늄(Ge), 갈륨(Ga), 스칸듐(Sc)의 존재를 예언하였다. 멘델레예프가 알려져 있지 않았던 원소들을 예측할 수 있었던 과학적 근거를 서술하시오.

02 다음은 주기율표의 원소들을 화학적 특징에 따라 구분하여 나타낸 것이다. (가) 파란색에 해당하는 원소와 (나) 노란색에 해당하는 원소의 특징을 각각 3가지씩 서술하시오.

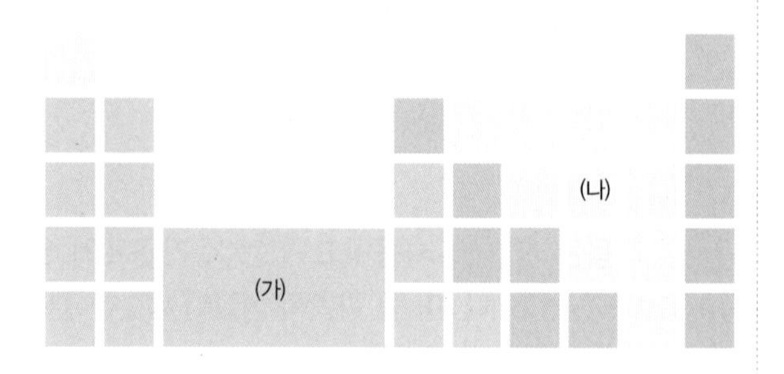

03 다음은 되베라이너의 대표적인 세 쌍 원소를 나타낸 것이다. 되베라이너가 이 원소들을 세 쌍 원소로 분류한 이유를 3가지 서술하시오.

Li 리튬 — Na 나트륨 — K 칼륨

논술형

04 다음은 주기율표에서 일부 원소들을 나타낸 것이다. 원소 (가), (나), (다)의 성질에 대해 서술하시오.

	1	2		13	14	15	16	17	18
1	H								He
2	Li	Be			C	N	O	F	Ne
3	(가)	Mg				P	S	(나)	(다)
4	K	Ca						Br	Kr
5									

융합사고력 키우기

정답 ◆ 10p ◆

STEAM 먹고 바르는 금, 어느 정도 효과가 있을까?

금가루를 뿌린 초밥, 회, 술을 먹고 금가루가 들어있는 화장품을 바른다. 막연히 몸에 좋을 것이라는 생각에 먹고 마시고 바르는 금이 과연 어느 정도 효과가 있을까? 사람이 금을 처음 먹기 시작한 것은 고대 중국과 인도까지 거슬러 올라간다. 근래에는 인도, 중국, 일본은 물론 독일, 영국, 프랑스 등 유럽에서도 인기가 높다. 우리나라의 경우 동의보감에 '순금은 정신을 맑게 하고 마음을 안정시키며 노폐물을 제거해 해독작용을 하고 오장을 보호한다.'는 내용이 담겨 있다. 관련 업자들은 이를 적극적으로 활용한다. 또 한방에서 금침을 쓰고 우황청심원, 기응환, 포룡환 등에 금박을 입히는 것도 우리 국민에게 금박 식품에 대한 막연한 호감을 갖도록 했다. 그러나 서양의학에서는 금의 효능을 대체로 부정한다. 금은 류머티즘 치료 등에 제한적으로 쓰이고 있을 뿐이다. 금을 철, 아연, 구리처럼 우리 몸의 성장, 유지, 생식 등에 꼭 필요한 무기질(미네랄)로 간주하지도 않는다.

대다수 전문가들은 금박 식품이 건강에 별 영향을 미치지 않는다고 여긴다. 실제로 금박과 건강의 상관 관계를 추적한 이렇다 할 연구 결과도 찾기 힘들다. 금은 우리 몸에서 소화, 흡수되는 성분이 아니고 대부분 몸 밖으로 배설되므로 금박을 먹어도 혈액 순환 촉진, 노화 방지, 숙취 제거, 성인병 예방 등 건강증진 효과는 기대할 수 없다. 그렇다고 금박이 든 술, 식품, 화장품 등이 건강에 특별히 나쁜 것도 아니어서 술, 과자의 착색용으로 금박을 사용하는 것은 법적으로 허용된다.

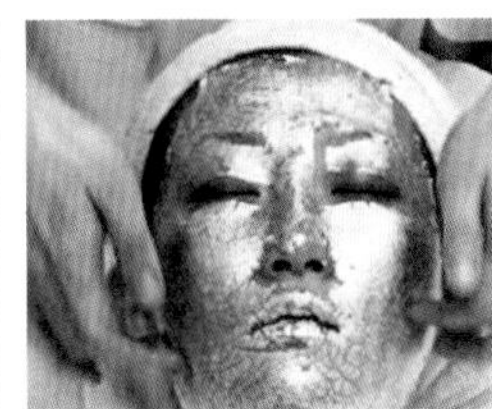
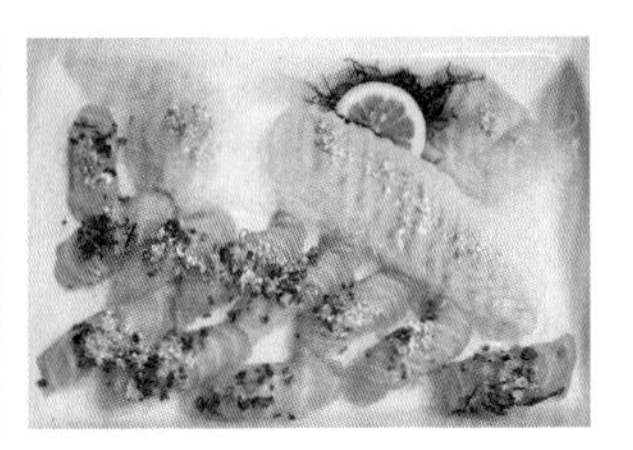

01 금이 우리 몸속에서 소화, 흡수되지 않는 이유를 금의 성질과 연관지어 서술하시오.

02

중고 휴대폰과 컴퓨터 등에서 금을 비롯한 각종 귀금속을 추출해 재활용하는 방안이 화제가 되고 있다. 폐휴대폰의 회로기판 1개에는 금 150 mg, 은 200 mg, 팔라듐 50 mg이 각각 함유돼 있어 폐휴대폰 약 7만대에서 금 1 kg, 은 9 kg, 팔라듐 0.3 kg을 추출할 수 있다. 휴대폰 속에 금이 들어가는 이유를 금의 성질과 연관지어 서술하시오.

도시광산

III 물질의 구성

원자핵과 전자로 이루어진

07 원자와 분자

플러스 노트

● **입자로 이루어져 있기 때문에 나타나는 현상**
* 음식 냄새가 멀리 퍼져 나간다.
* 비눗방울을 무한히 크고 얇게 만들 수 없다.
* 금속을 두드리면 넓게 펴지지만, 무한히 얇게 만들 수 없다.

● **보일의 실험**
보일의 실험은 아리스토텔레스의 이론을 반박하고 데모크리토스의 입자설을 되살리는 계기가 되었다.

● **돌턴의 원자설 수정 내용**
* ①항 : 원자는 더 작은 입자(양성자, 중성자, 전자 등)로 쪼개질 수 있다.
* ②항 : 같은 원소의 원자라도 질량이 다른 경우(동위 원소)가 존재한다.
* ③항 : 핵반응(핵분열이나 핵융합)에 의해 다른 원자로 변할 수 있다.

용어풀이

원자(근원 原, 입자 子) : 물질을 구성하는 기본 입자

ⓐ 원자설 ⓑ 감소 ⓒ 감소 ⓓ 작

A 원자

1 고대의 물질관

연속설(아리스토텔레스)	입자설(데모크리토스)
• 자연계에는 빈 공간이 존재할 수 없으며, 물질은 없어질 때까지 계속 쪼갤 수 있다. • 사과를 계속 쪼개면 결국 사라진다. 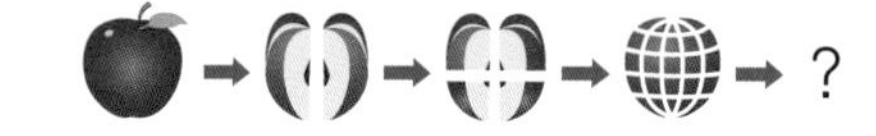	• 물질을 계속해서 쪼개면 더 이상 쪼개지지 않는 입자인 원자가 되며, 원자와 원자 사이에는 빈 공간이 존재한다. ➡ ⓐ ______ 로 발전 • 사과를 계속 쪼개면 더 이상 나눌 수 없는 상태가 된다. 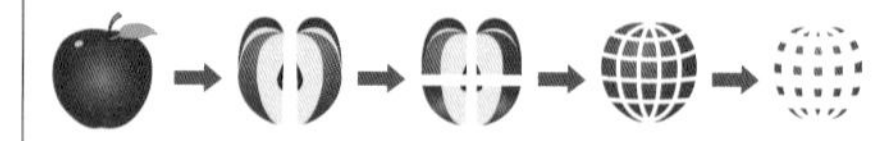

2 입자설의 증거

보일의 J자관 실험	주사기 실험	물과 에탄올 혼합 실험
J자관에 수은을 넣을수록 공기 입자 사이의 공간이 감소하기 때문에 J자관 속 공기의 부피가 ⓑ ______ 한다. 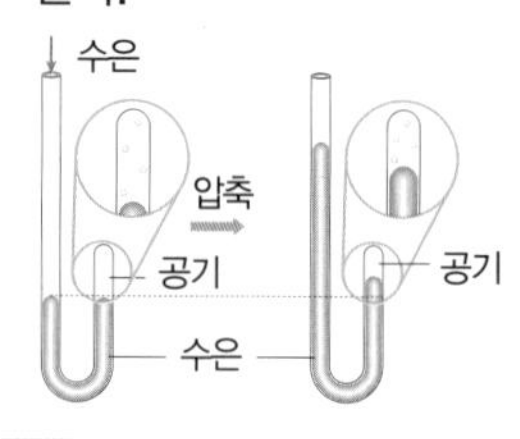	공기가 들어 있는 주사기의 끝을 막고 피스톤을 누르면 주사기 속 공기 입자 사이의 공간이 감소하기 때문에 공기의 부피가 ⓒ ______ 한다. 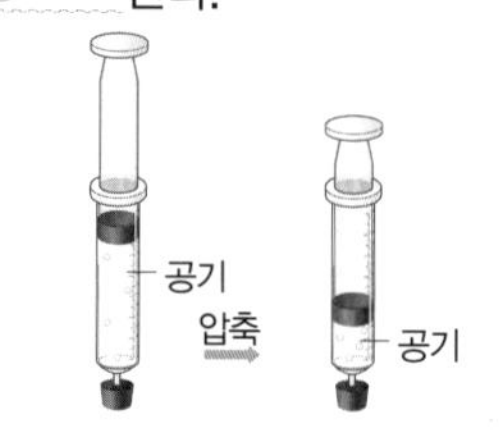	물 50 mL와 에탄올 50 mL를 섞으면 크기가 큰 입자 사이에 크기가 작은 입자가 끼어 들어가기 때문에 부피가 100 mL보다 ⓓ ______ 다. 

3 돌턴의 원자설

①항	모든 물질은 더 이상 쪼갤 수 없는 원자로 이루어져 있다.
②항	같은 원소의 원자는 크기와 질량이 모두 같고, 다른 원소의 원자는 크기와 질량이 다르다.
③항	화학 반응 시 원자는 없어지거나 새로 생기지 않으며, 다른 종류의 원자로 변하지 않는다. ➡ 질량 보존 법칙 설명
④항	서로 다른 원자들이 일정한 비율로 모여서 새로운 물질을 이룬다. ➡ 일정 성분비 법칙 설명

4 원자의 구조

① 원자 : 물질을 이루는 기본 단위 입자

② 원자의 구조 : 가운데에 있는 ⓐ ______ 과 그 주위를 빠르게 운동하는 ⓑ ______ 로 구성된다.

③ 원자를 구성하는 입자

구성 입자		전하	상대 질량
원자핵	양성자	(+)	1
	중성자	띠지 않음	1
전자		(−)	$\frac{1}{1837}$

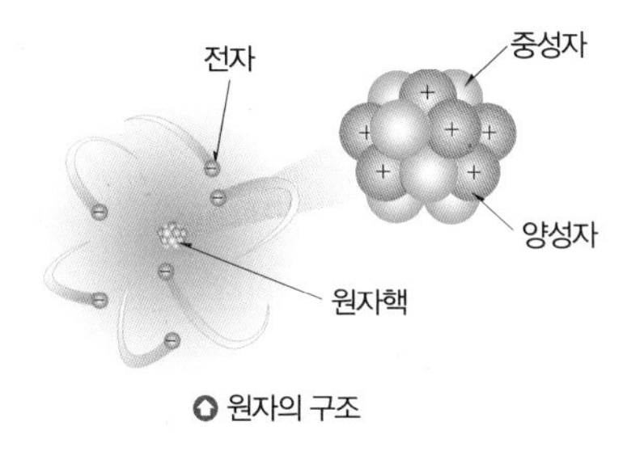

원자의 구조

④ 원자의 전하

- 양성자 수와 전자 수가 같으므로 원자는 전기적으로 ⓒ ______ 이다.
- 원자의 전하＝양성자 수−전자 수

⑤ 원자의 고유 성질 : 원자핵 속의 ⓓ ______ 수가 결정한다.

⑥ 원자와 원자핵의 크기

- 가장 작은 수소 원자의 크기는 지름이 약 10^{-10} m 정도로 매우 작다.
- 원자핵의 지름은 원자 지름의 약 $\frac{1}{100,000}$ 정도로 매우 작으며, 전자는 그보다 훨씬 작으므로 크기를 무시한다.
- 원자핵과 전자의 크기가 매우 작으므로 원자의 대부분은 ⓔ ______ 공간이다.

⑦ 원자의 질량

- 원자핵이 원자 질량의 대부분을 차지하며, 전자는 질량이 너무 작아 무시한다.
- 원자의 질량＝양성자 수＋중성자 수

5 원소와 원자

① ⓕ ______ : 물질을 이루는 기본이 되는 성분으로, 같은 종류의 원자를 통틀어 부르는 말이다.

② ⓖ ______ : 물질을 이루는 기본 입자로, 셀 수 있는 구체적인 대상이다.

구분	물	이산화 탄소
모형	H O H	O C O
원소	수소, 산소	탄소, 산소
원자	수소 원자 2개, 산소 원자 1개	탄소 원자 1개, 산소 원자 2개

플러스 노트

● 원자의 대부분은 빈 공간

전자는 원자핵 주위에서 매우 빠르게 움직이고 있어 정확하게 그 위치를 알 수 없고, 단지 전자 구름의 형태로 존재한다. 원자의 부피는 거의 대부분이 전자 구름의 부피이므로 원자의 대부분은 빈 공간이라고 할 수 있다.

● 원자의 크기와 질량

* 원자핵의 지름은 원자 지름의 $\frac{1}{10만}$ ~ $\frac{1}{1만}$ 정도이다. 수소 원자의 크기가 야구장과 같다면 원자핵의 크기는 야구장 한가운데에 있는 구슬과 같다.

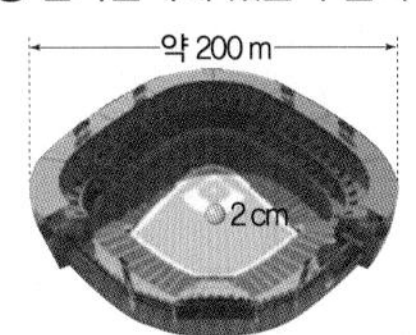

* 1.22 g인 10원짜리 동전에는 알루미늄 원자와 구리 원자가 2×10^{22}개 정도 들어 있다.

용어풀이

원자핵(근원 原, 입자 子, 씨 核) : (+)전하를 가지고 원자의 중심 부분을 이루는 입자

전자(전기 電, 입자 子) : (−)전하를 가지고 원자핵 주위에서 움직이는 입자

ⓐ 원자핵 ⓑ 전자 ⓒ 중성
ⓓ 양성자 ⓔ 빈 ⓕ 원소
ⓖ 원자

Ⅲ 물질의 구성

플러스 노트

● **원자 현미경**
원자는 너무 작아서 일반 현미경으로는 관찰할 수 없고, 원자현미경을 이용해야 한다. 원자현미경은 SPM(주사탐침현미경)과 AFM(원자력간현미경)으로 구분된다. SPM은 시료와 탐침 양쪽에 전류를 일정하게 유지하고 탐침을 시료 위에서 움직이면 탐침이 시료의 원자의 모양에 따라 상하로 움직이고, 이 움직임을 컴퓨터로 분석해 시료 표면의 원자 구조 이미지를 그려낸다. 전기가 통하지 않는 물질은 시료와 탐침 원자 사이에 작용하는 힘을 이용해 시료의 모양을 측정하는 AFM을 이용한다.

STM 금 원자

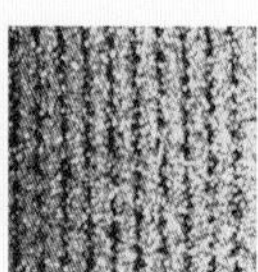
AFM 금 원자

● **전자 구름 모형**
전자는 너무 빠르게 운동하며 크기가 너무 작아 관측에 사용되는 전자기파에 의해서도 운동이 변할 수 있으므로 원자 내 전자의 위치를 확률로 표현한다. 이를 오비탈이라고 한다.

용어풀이

궤도(바퀴 軌, 길 道) : 보어의 원자 모형에서 전자가 안정된 상태에서 돌고 있다고 생각되는 길

ⓓ 궤도 ⓔ 구름 ⓕ 양성자
ⓐ 공 ⓑ 푸딩 ⓒ 행성

B 원자 모형

1 원자 모형

크기가 작아 맨눈으로 볼 수 없는 원자를 이해하기 쉽게 모형으로 나타낸 것

2 원자 모형의 변천 : 과학의 발달로 현대적 모형과 같이 수정되어 왔다.

학자	모형	내용
돌턴 (1803년)		• ⓐ ______ 모형 • 원자는 더 이상 쪼개지지 않는 단단한 공과 같다.
톰슨 (1897년)		• ⓑ ______ 모형 • 원자 안에는 (−)전하를 띠는 전자가 존재하고, 전자를 제외한 부분은 전자와 같은 수의 (+)전하를 띤다.
러더퍼드 (1911년)	+6	• ⓒ ______ 모형 • 원자의 한 가운데에는 (+)전하를 띠는 원자핵이 존재하고, (−)전하를 띠는 전자가 그 주위를 빠르게 돌고 있다.
보어 (1913년)	+6	• 전자 ⓓ ______ 모형 • 원자의 한 가운데에는 (+)전하를 띠는 원자핵이 존재하고, (−)전하를 띠는 전자는 일정한 전자 궤도에 배치되어 있다.
현대적 모형 (1926년)		• 전자 ⓔ ______ 모형 • 원자 내의 전자 분포를 수학적으로 계산하여 전자 구름 모양으로 나타낸다.

3 여러 가지 원자 모형

원자의 종류는 원자핵 속의 양성자 수에 따라 달라지므로 ⓕ ______ 수를 반드시 표시해야 한다.

원소	헬륨	탄소	나트륨
원자 번호	2	6	11
원자 모형	+2	+6	+11
원자핵의 전하량	+2	+6	+11
전자의 총 전하량	−2	−6	−11

C 분자

1 ⓐ______ : 한 종류 이상의 원자로 이루어진 물질의 성질을 지닌 가장 작은 입자

2 분자 모형 : 원자 모형을 이용하여 분자를 구성하는 원자의 종류, 수, 배열 상태를 나타낸 것

물질	수소	물	염화 수소	이산화 탄소	암모니아
분자 모형	H H	O H H	H Cl	O C O	H N H H
원자의 종류와 수	수소 2개	수소 2개, 산소 1개	수소 1개, 염소 1개	탄소 1개, 산소 2개	질소 1개, 수소 3개

3 분자식 : 분자를 구성하는 원자의 종류와 수를 원소 기호와 숫자로 나타낸 식

① 분자식으로 나타낼 수 있는 물질 : 일정한 개수의 원자가 결합하여 이루어진 물질은 독립적으로 존재하므로 분자식으로 나타낼 수 있다.

1 분자를 이루는 원자의 종류를 원소 기호로 쓴다.

2 분자를 이루는 원자의 개수를 원소 기호의 오른쪽 아래에 작은 숫자로 쓴다. (단, 1은 생략)

3 분자의 개수는 분자식 앞에 숫자로 쓴다. (단, 1은 생략)

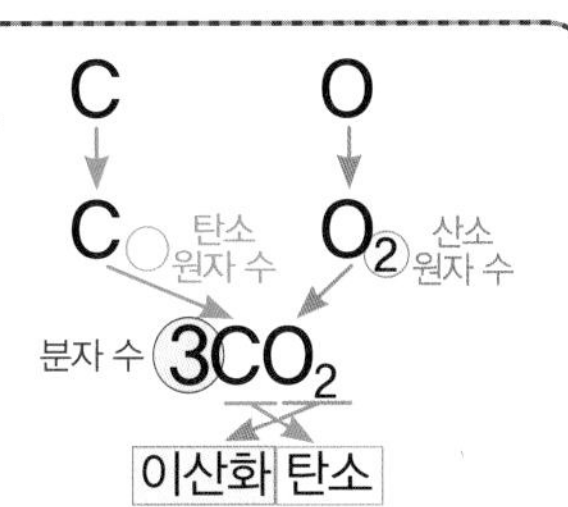

② 분자식 읽기

- 홑원소 물질 : ⓑ______ 이름과 같다.
- 화합물
  - ⓒ______의 원소 이름을 먼저 읽고, ⓓ______의 원소 이름을 나중에 읽는다.
  - '~소'로 끝나는 음이온이 되는 원소는 '~소'를 빼고 '~화'를 붙여 읽는다.

분자식	H_2S	CO	CO_2	NO_2	HCl
이름	황화 수소	ⓔ______	이산화 탄소	이산화 질소	ⓕ______

③ 분자식으로 알 수 있는 것

분자식	알 수 있는 것	예
$2H_2O$ (원소의 종류, 분자의 수, 원자의 수(1은 생략))	• 분자 이름(종류)	물
	• 분자의 수	ⓖ______ 개
	• 구성 원자의 개수비	수소 : 산소 = ⓗ______ : ⓘ______
	• 한 분자를 구성하는 원자의 종류와 수	수소 2, 산소 1
	• 총 원자의 종류와 수	수소 4, 산소 2

플러스 노트

● **같은 종류의 원자로 이루어진 분자의 원자 배열**
같은 종류의 원자로 이루어진 분자라고 하더라도 원자의 수가 다르면 분자를 이루는 원자의 배열이 다르다.

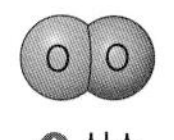

▲ 산소

▲ 오존

● **분자식에서 물질을 구성하는 원자의 나열 순서**
원소마다 전자쌍을 끌어당기는 정도가 다르다. 분자식에서 원소를 나열할 때 일반적으로 전자쌍을 끌어당기는 정도가 큰 원소를 뒤에 적으므로, H−C−N−O 순서로 적는다. 예외적으로 탄소가 포함된 탄소 화합물은 탄소를 맨 앞에 적고(C−H−N−O), 암모니아는 NH_3라고 적는다.

용어풀이
분자(나눌 分, 입자 子) : 물질의 성질을 지닌 가장 작은 입자

정답
ⓐ 분자 ⓑ 원소 ⓒ 앞
ⓓ 뒤 ⓔ 일산화 탄소
ⓕ 염화 수소 ⓖ 2 ⓗ 2 ⓘ 1

Ⅲ 물질의 구성

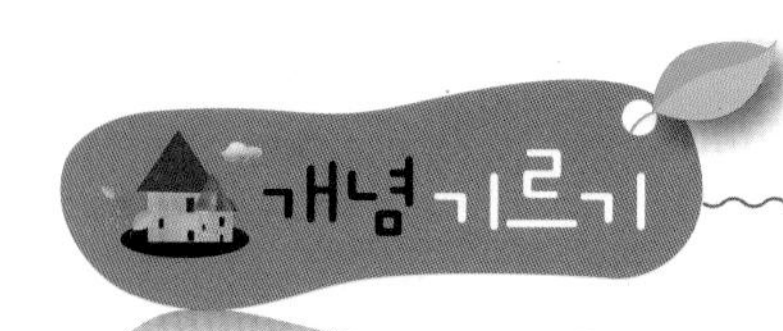

01 다음은 물질을 이루는 기본 입자에 대한 두 가지 물질관을 나타낸 것이다. (가)와 (나)에 대한 설명으로 옳지 않은 것은?

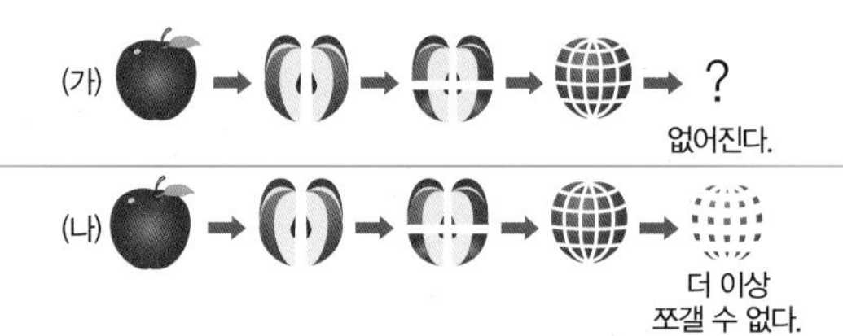

① (가)는 연속설, (나)는 입자설이다.
② (가)는 물질을 계속 쪼개면 결국 사라진다고 주장한다.
③ (나)는 물질을 계속 쪼개면 더 이상 나눌 수 없는 입자가 남는다고 주장한다.
④ (나)는 입자 사이에 공간이 존재한다고 주장한다.
⑤ (가)는 공기를 압축하면 입자 사이의 공간이 줄어든다고 주장한다.

02 다음 중 돌턴의 원자설과 일치하지 않은 것은?

① 수소 원자는 더 이상 쪼갤 수 없다.
② 산소 원자는 수소 원자보다 질량이 크다.
③ 구리를 가열하면 구리와 산소가 결합하여 산화구리가 만들어진다.
④ 금속 철과 황화 철을 이루고 있는 철 원자는 다르다.
⑤ 마그네슘을 연소시킬 때 마그네슘 원자는 없어지지 않는다.

03 현대 과학자들은 원자의 대부분이 빈 공간이라고 한다. 그 이유로 옳은 것은?

① 원자의 질량이 매우 작아서
② 원자가 매우 작은 입자여서
③ 원자가 전기적으로 중성이어서
④ 원자를 구성하는 원자핵과 전자가 너무 작아서
⑤ 원자핵 속의 양성자가 주위의 전자를 끌어당겨서

04 다음은 원자의 구조를 나타낸 것이다. 이에 대한 설명으로 옳은 것은?

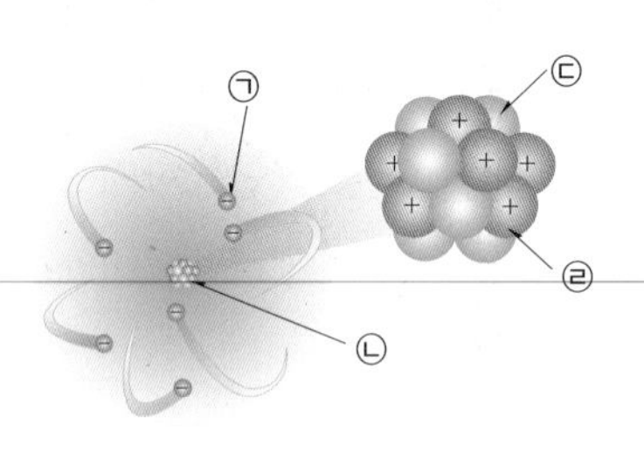

① ㉠은 (+)전하를 띠는 전자이다.
② ㉡은 (+)전하를 띠는 양성자이다.
③ 중성 상태의 원자는 ㉠과 ㉢의 개수가 같다.
④ 원자의 질량은 ㉠과 ㉣의 합과 같다.
⑤ ㉣에 의해 각 원자의 고유 성질이 결정된다.

05 다음 중 원자를 구성하는 입자에 대한 설명으로 옳지 않은 것은?

① 양성자는 (+)전하를 띠는 입자이다.
② 원자핵은 양성자와 중성자로 구성된다.
③ 원자의 질량은 원자핵의 질량을 사용한다.
④ 중성인 원자는 전자, 양성자, 중성자의 수가 모두 같다.
⑤ 원자핵 주위를 빠르게 운동하는 전자는 (−)전하를 띠며 크기가 매우 작다.

06 다음 중 원자와 원소를 구분하여 옳게 사용한 것이 아닌 것은?

① 원자는 물질을 이루는 기본 입자이다.
② 원소는 물질을 이루는 기본이 되는 성분이다.
③ 원소는 같은 종류의 원자를 부르는 말이고, 원자는 셀 수 있는 구체적인 대상이다.
④ 물 분자 1개는 수소 원자 2개와 산소 원자 1개로 이루어져 있다.
⑤ 물 분자 1개를 이루는 원소는 총 3개이다.

정답 ◆ 10p ◆

07 다음 중 과학자와 주장한 원자 모형의 설명이 옳지 <u>않은</u> 것은?

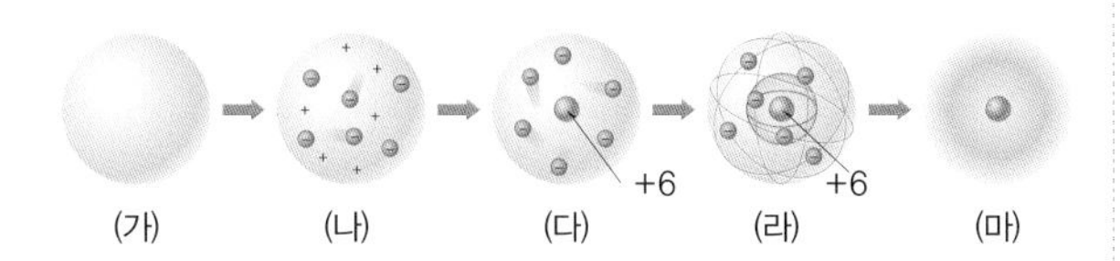

① (가) 돌턴 : 더 이상 쪼개지지 않는 단단한 공 모양이다.
② (나) 톰슨 : (-)전하를 띤 공 속에 (+)전하를 띤 원자핵이 박혀 있다.
③ (다) 러더퍼드 : 중심에 (+)전하를 띤 원자핵이 있고 그 주위를 전자가 돌고 있다.
④ (라) 보어 : 원자핵 주위의 일정한 위치에서 전자가 원 궤도를 따라 돌고 있다.
⑤ (마) 현대 : 전자가 원자핵 주위에 구름처럼 퍼져 있다.

08 오른쪽 그림과 같은 원자 모형에 대한 설명으로 옳지 <u>않은</u> 것은?

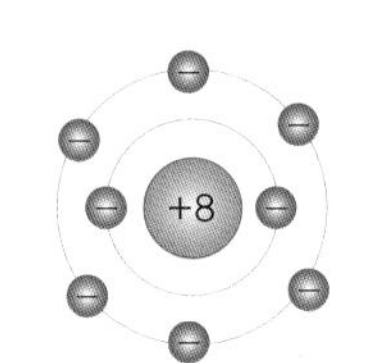

① 원자 번호는 8이다.
② 산소의 원자 모형이다.
③ 이 원자의 양성자 수와 전자 수를 더하면 16이다.
④ 이 원자의 원자핵 속에는 양성자만 8개 들어 있다.
⑤ 이 원자는 양성자와 전자의 수가 같으므로 전기적으로 중성이다.

09 분자와 분자식을 바르게 짝지은 것은?

① 수소 - H
② 물 - H_2O
③ 이산화 탄소 - CO
④ 암모니아 - NH_4
⑤ 염화 수소 - ClH

10 다음 분자식에 대한 설명으로 옳지 <u>않은</u> 것은?

$$3NH_3$$

① 암모니아의 분자식이다.
② 분자의 수는 3개이다.
③ 총 원자의 수는 4개이다.
④ 한 분자는 질소 원자 1개와 수소 원자 3개로 이루어져 있다.
⑤ 한 분자를 구성하는 원소는 2개이다.

11 분자 모형을 통해 알 수 <u>없는</u> 것은?

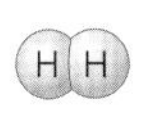

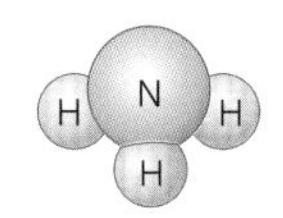

① 분자의 성질 ② 분자의 구조
③ 구성 원자의 수 ④ 구성 원자의 종류
⑤ 원자의 배열 상태

12 다음은 두 가지 분자 모형을 나타낸 것이다. (가)와 (나)에 대한 설명으로 옳은 것은?

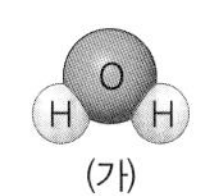

(가)

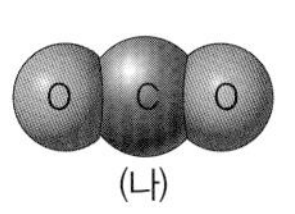

(나)

① (가)와 (나)의 분자 크기는 같다.
② (가)와 (나)의 한 분자를 이루는 원소의 종류가 같다.
③ (가)와 (나)의 한 분자를 이루는 원자의 개수가 같다.
④ (가)와 (나)의 한 분자를 이루는 원자의 종류가 같다.
⑤ (가)와 (나)의 분자를 구성하는 원자의 배열이 같다.

정답 ◆ 11p ◆

01 다음은 원자를 구성하는 입자의 모형을 순서 없이 나타낸 것이다. 시대적 변천 과정 순서대로 나열하고, 각 단계별로 어떻게 변화되었는지 원자를 구성하는 입자의 발견과 관련하여 간단히 서술하시오.

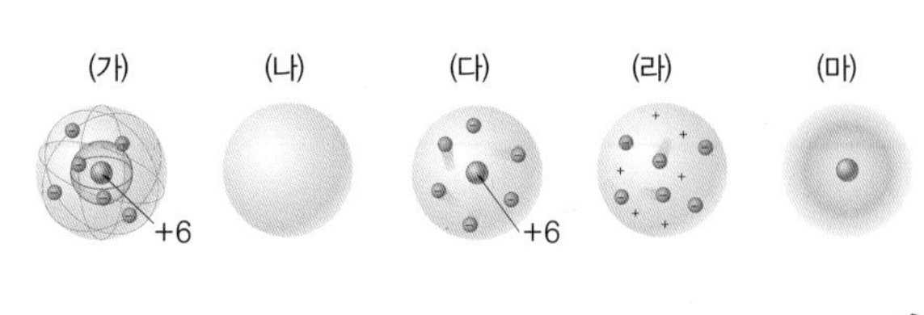

02 아리스토텔레스는 빈 공간(진공)은 존재하지 않으며 주사기를 눌렀을 때 부피가 줄어드는 것은 주사기 속 공기가 진해지기 때문이라고 주장했다. 아리스토텔레스의 주장을 반박할 수 있는 근거를 서술하시오.

03 다음은 LPG의 주성분인 화합물을 분자 모형으로 나타낸 것이다. 이 물질의 분자식을 쓰고, 분자식이 의미하는 것을 설명하시오.

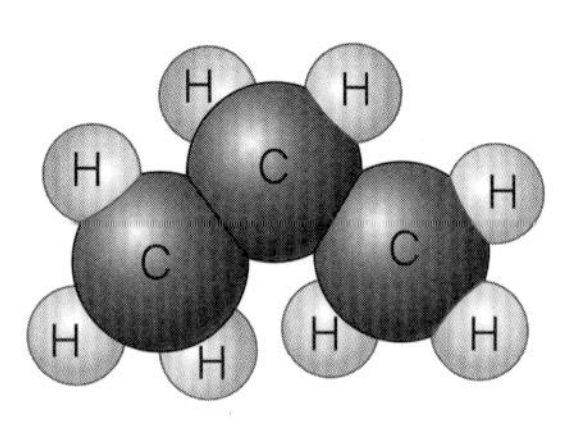

논술형

04 그리스 신화에 나오는 미다스 왕은 무엇이든 손으로 만지기만 하면 황금으로 변한다. 미다스 왕의 황금손이 거짓임을 돌턴의 원자설을 바탕으로 서술하시오.

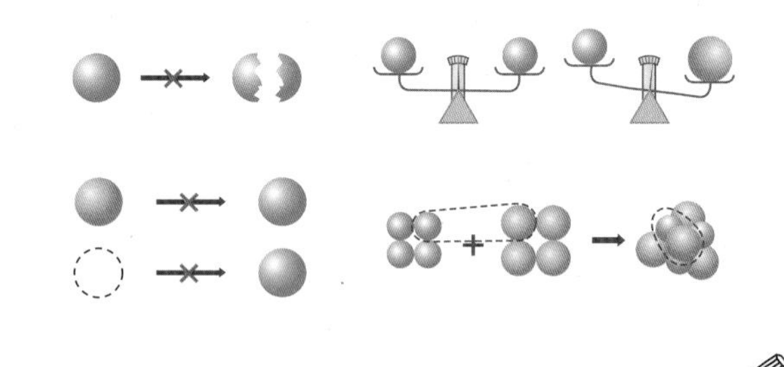

정답 ◆ 11p ◆

STEAM 핵분열로 에너지를 얻는 원자력 발전

1978년 우리나라 최초의 원자력발전소인 고리원자력 1호기가 상업운전을 시작함으로써 본격적인 원자력발전시대를 맞이하였다. 현재 가동중인 원자력 발전소 24곳은 우리나라 전력 생산략의 약 28.43 %정도를 차지하고 있으며, 이는 석탄 화력발전의 뒤를 이어 두 번째로 큰 규모이다.

원자는 가운데에 중성자와 양성자로 이루어진 원자핵이 있고, 주변에 전자가 빠른 속도로 운동하고있다. 원자는 (+) 전하를 띤 양성자 수와 (−)전하를 띤 전자의 수가 같아 중성이다. 원자핵을 구성하는 양성자와 중성자는 핵력이라는 매우 강한 힘으로 묶여 있어 잘 쪼개지지 않으며 안정적이다. 하지만 우라늄이나 플루토늄과 같은 무거운 원자핵이 외부의 중성자와 충돌하면 쪼개지면서 더 가벼운 원자로 바뀌며 엄청난 에너지를 방출한다. 원자핵이 쪼개지는 것을 핵분열, 이때 발생한 에너지를 핵에너지라고 한다. 천연 우라늄은 질량이 다른 우라늄 235와 우라늄 238이 있는데, 이중 우라늄 235만 핵분열을 일으킨다. 우라늄 235 원자핵 1개가 중성자와 충돌하면 핵분열하여 크립톤 92와 바륨 141로 쪼개지며 200 MeV의 아주 큰 에너지와 함께 2~3개의 중성자가 나온다. 이때 나온 중성자가 다른 우라늄 235에 충돌하면 또다른 핵분열이 일어난다.

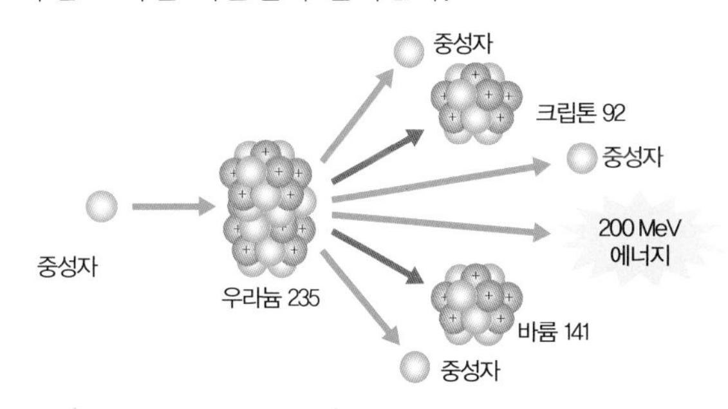

원자력이란 핵분열 연쇄반응 과정에서 생기는 에너지이고, 원자력을 이용하여 물을 끓여 증기를 만들고 터빈을 돌려 전기를 만드는 발전 형태를 원자력 발전이라고 한다.

우라늄 1 g이 핵분열할 때 나오는 원자력 에너지는 석유 9드럼, 석탄 3톤을 태울 때 나오는 에너지와 맞먹을 정도로 크고, 화석 연료에 비해 오염 물질을 비교적 적게 배출하고 가격이 싸다는 장점이 있다. 그러나 핵폐기물을 처리하는 데 어려움이 있고, 중성자를 통제하지 못하거나 냉각 시설이 고장나면 원자로가 폭발해 인체에 해로운 방사능이 외부에 누출되는 치명적인 단점이 있다.

01 우라늄 235가 핵분열할 때 에너지가 방출되는 원리를 서술하시오. (단, $1\ u = 1.66057 \times 10^{-27}$ kg이다.)

핵분열 반응식 :	우라늄	+	중성자 1개	→	크립톤	+	바륨	+	중성자 3개
질량 :	235.043924 u		1.008665 u		61.926270 u		140.914363 u		(3×1.008665) u
질량 변화 :	236.052589 u				235.866628 u				

핵분열

02 

원자력 발전과 원자폭탄의 공통점과 차이점을 서술하시오.

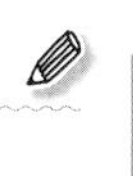

원자폭탄

전자의 이동에 의해 만들어지는

08 이온과 이온 사이의 반응

플러스 노트

● **이온의 발견**
영국의 과학자 패러데이는 용액을 전기 분해할 때 전극으로 끌려가는 물질이 있다는 사실을 발견하고, 그리스어 'ionai(끌려간다)'라는 말을 따서 'ion(이온)'이라고 불렀다. (−)극으로 끌려가는 물질을 양이온, (+)극으로 끌려가는 물질을 음이온이라고 정의했다.

● **이온의 형성**
* **양이온의 형성** : 금속 원자는 전자를 잃고 양이온이 되기 쉽다.
* **음이온의 형성** : 비금속 원자는 전자를 얻어 음이온이 되기 쉽다.

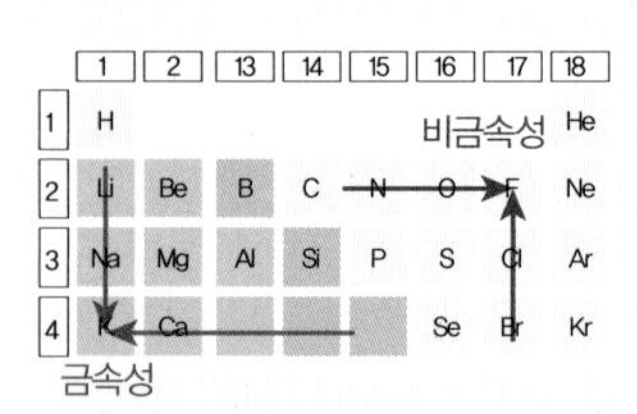

● **원자가 이온을 형성하는 이유**
불안정한 원자들이 전자를 잃거나 얻어서 비활성 기체처럼 안정한 전자 배치를 이루려고 하기 때문이다.

용어풀이

이온(ion) : 그리스 어로 '가다'라는 의미로, 1833년 패러데이가 전하를 띤 입자의 이동을 관찰하고 명명하였다.

ⓐ 양이온 ⓑ 음이온 ⓒ 금속 ⓓ 비금속

A 이온

1 이온 : 원자가 전자를 잃거나 얻어 전하를 띠게 되는 입자

① ⓐ _____ : 원자가 전자를 잃어서 (+)전하를 띠는 이온

② ⓑ _____ : 원자가 전자를 얻어서 (−)전하를 띠는 이온

2 이온의 형성

양이온	음이온
• 원자가 전자를 잃으면 원자핵의 (+)전하의 총량보다 전자의 (−)전하의 총량이 적어지므로 전체가 (+)전하를 띠는 양이온이 된다. • 양성자 수 > 전자 수 • (+)전하량 > (−)전하량 (전자, +3, 원자핵, 원자 → 전자를 잃음 → 양이온)	• 원자가 전자를 얻으면 원자핵의 (+)전하의 총량보다 전자의 (−)전하의 총량이 많아지므로 전체가 (−)전하를 띠는 음이온이 된다. • 양성자 수 < 전자 수 • (+)전하량 < (−)전하량 (전자, +9, 원자핵, 원자 → 전자를 얻음 → 음이온)

3 원소의 종류와 이온의 형성

① ⓒ _____ 원소 : 전자를 쉽게 잃어 양이온을 형성한다.

② ⓓ _____ 원소 : 전자를 쉽게 받아들여 음이온을 형성한다.

4 이온의 표현

구분	양이온	음이온
표현	원소 기호의 오른쪽 위에 잃은 전자의 수와 +기호를 작게 표시 (단, 1은 생략) Li^{+} (원소 기호, 전하의 종류) Ca^{2+} (원소 기호, 잃은 전자 수, 전하의 종류)	원소 기호의 오른쪽 위에 얻은 전자의 수와 −기호를 작게 표시 (단, 1은 생략) F^{-} (원소 기호, 전하의 종류) O^{2-} (원소 기호, 얻은 전자 수, 전하의 종류)
이름	원소 이름 뒤에 '이온'을 붙임 • Li^{+} : 리튬 이온 • Ca^{2+} : 칼슘 이온 • Al^{3+} : 알루미늄 이온	원소 이름 뒤에 '화 이온'을 붙임 (단, 원소 이름 끝의 '소'는 생략) • F^{-} : 플루오린화 이온 • O^{2-} : 산화 이온
예	나트륨 원자 (+11) → 전자 1개를 잃는다. → 나트륨 이온 (+11) $Na \rightarrow Na^{+} + ⊖$	플루오린 원자 (+9) → 전자 1개를 얻는다. → 플루오린화 이온 (+9) $F + ⊖ \rightarrow F^{-}$

5 여러 가지 이온

양이온		음이온	
이온 이름	이온식	이온 이름	이온식
수소 이온	H^+	염화 이온	Cl^-
나트륨 이온	Na^+	수산화 이온	OH^-
은 이온	Ag^+	질산 이온	NO_3^-
암모늄 이온	NH_4^+	과망가니즈산 이온	MnO_4^-
칼슘 이온	Ca^{2+}	산화 이온	O^{2-}
알루미늄 이온	Al^{3+}	탄산 이온	CO_3^{2-}
구리 이온	Cu^{2+}	황산 이온	SO_4^{2-}

6 이온의 전하 확인

[이온의 전하 확인]

• **탐구 과정**

① 질산 칼륨 수용액에 적신 거름종이 가운데에 보라색의 과망가니즈산 칼륨 수용액과 푸른색의 황산 구리(Ⅱ) 수용액을 각각 한 방울씩 떨어뜨린다.

② 거름종이 양 끝에 전극을 연결하고, 각 수용액의 색깔이 이동하는 방향을 관찰한다.

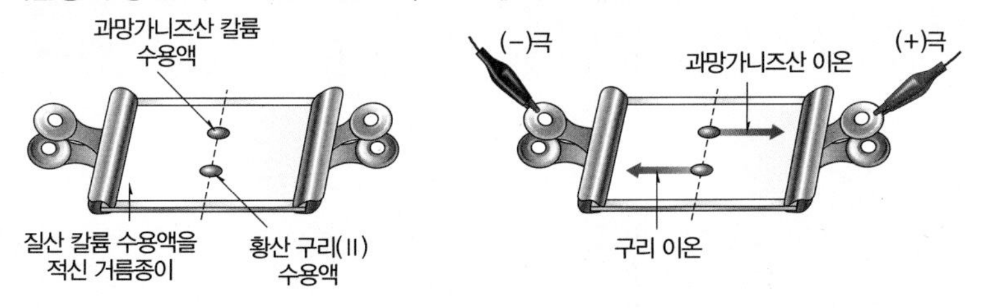

• **탐구 결과**

① 과망가니즈산 칼륨의 보라색이 ⓐ ____ 극 쪽으로 이동한다.
➡ 보라색을 띠는 과망가니즈산 이온(MnO_4^-)이 (+)극 쪽으로 끌려가기 때문이다.

② 황산 구리(Ⅱ)의 푸른색이 ⓑ ____ 극 쪽으로 이동한다.
➡ 푸른색을 띠는 구리 이온(Cu^{2+}) 이 (−)극 쪽으로 끌려가기 때문이다.

③ (+)전하를 띠는 양이온은 ⓒ ____ 극 쪽으로, (−)전하를 띠는 음이온은 ⓓ ____ 극 쪽으로 이동한다.

(−)극으로 이동하는 이온	(+)극으로 이동하는 이온
• 칼륨 이온(K^+) : 무색 • 구리 이온(Cu^{2+}) : 푸른색	• 질산 이온(NO_3^-) : 무색 • 황산 이온(SO_4^{2-}) : 무색 • 과망가니즈산 이온(MnO_4^-) : 보라색

④ 이온이 존재하는 수용액에 전류를 흘려주면 양이온은 (−)극 쪽으로, 음이온은 (+)극 쪽으로 이동하여 전류가 흐른다.

플러스 노트

● **다원자 이온**
여러 개의 원자가 모여서 이루어진 이온을 다원자 이온 또는 원자단 이온이라고 한다. 암모늄 이온(NH_4^+), 질산 이온(NO_3^-), 황산 이온(SO_4^{2-}) 등이 있다.

● **염화 구리(Ⅱ)의 전기 분해**
염화 구리(Ⅱ) 수용액에 탄소 막대를 넣고 전원 장치에 연결한다.

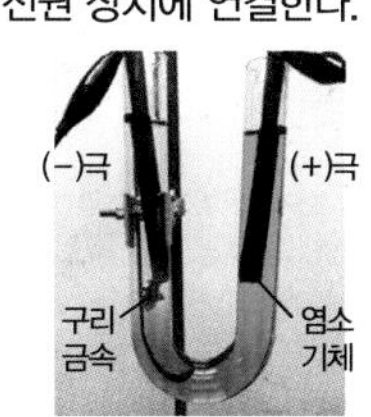

* (+)극 : 탄소 막대에 기포가 발생한다. → 염화 이온(Cl^-)이 (+)극 쪽으로 이동하여 염소 기체(Cl_2)가 되어 기포가 생긴다.
* (−)극 : 탄소 막대에 붉은 물질이 붙는다. → 구리 이온(Cu^{2+})이 (−)극 쪽으로 이동하여 붉은색 구리(Cu) 금속으로 석출되므로 용액이 투명해진다.

(+) ⓟ (−) ⓒ (−) ⓖ (+) ⓔ

플러스 노트

B 이온 사이의 반응

1 앙금 생성 반응

① 앙금 생성 반응 : 이온이 존재하는 수용액을 섞으면 수용액 속의 이온들이 서로 반응하여 물에 녹지 않는 ⓐ ______ 을 생성한다.

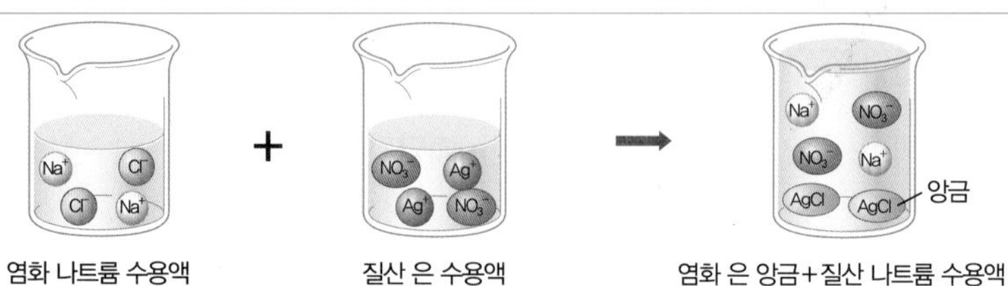

염화 나트륨 수용액 + 질산 은 수용액 → 염화 은 앙금+질산 나트륨 수용액

② 여러 가지 앙금 생성 반응

수용액	이온 반응식	앙금
질산 은 수용액 +염화 나트륨 수용액	Ag^+ + Cl^- → AgCl 은 이온 염화 이온 염화 은	○ 염화 은 ○ 황산 바륨
염화 바륨 수용액 +황산 나트륨 수용액	Ba^{2+} + SO_4^{2-} → $BaSO_4$ 바륨 이온 황산 이온 황산 바륨	
염화 칼슘 수용액 +탄산 나트륨 수용액	Ca^{2+} + CO_3^{2-} → $CaCO_3$ 칼슘 이온 탄산 이온 탄산 칼슘	○ 탄산 칼슘 ○ 아이오딘화 납
질산 납 수용액 + 아이오딘화 칼륨 수용액	Pb^{2+} + $2I^-$ → PbI_2 납 이온 아이오딘화 이온 아이오딘화 납	

● **앙금을 생성하지 않는 이온**

* 나트륨 이온(Na^+), 칼륨 이온(K^+), 질산 이온(NO_3^-), 암모늄 이온(NH_4^+)은 어떤 이온과도 앙금을 생성하지 않는다.
* 앙금을 생성하지 않는 이온들이 존재하는 수용액을 섞으면 아무 변화도 일어나지 않는다.

2 이온의 검출

① 앙금 생성 반응을 이용한 이온의 검출 : 앙금 생성 여부와 앙금의 색으로 이온을 검출한다.

	Cl^-	Br^-	I^-	CO_3^{2-}	SO_4^{2-}	S^{2-}
Ag^+	AgCl(흰색)	AgBr(연노란색)	AgI(노란색)	–	–	–
Ba^{2+}	–	–	–	$BaCO_3$(흰색)	$BaSO_4$(흰색)	–
Ca^{2+}	–	–	–	$CaCO_3$(흰색)	$CaSO_4$(흰색)	–
Pb^{2+}	–	–	PbI_2(노란색)	–	–	PbS(검은색)
Cu^{2+}	–	–	–	–	–	CuS(검은색)
Cd^{2+}	–	–	–	–	–	CdS(노란색)

• 수돗물 속의 염화 이온(Cl^-)의 검출 : ⓑ ______ 이온과 반응하여 흰색의 염화 은(AgCl) 앙금을 생성한다.

• 폐수 속의 중금속 이온(Pb^{2+}, Cu^{2+}, Cd^{2+})의 검출 : ⓒ ______ 이온과 반응하여 앙금을 생성한다.

용어풀이

앙금 : 물에 대한 용해도가 매우 작아 물에 녹지 않고 가라앉는 물질

검출(검사할 檢, 날 出) : 화학 분석에서 시료 속에 어떤 원소나 이온, 화합물의 유무를 알아내는 일

ⓐ 앙금 ⓑ 은 ⓒ 황

② 불꽃 반응을 이용한 이온의 검출 : 앙금 생성 반응으로 확인하기 어려운 금속 양이온을 검출한다.

- 미지의 수용액과 질산 은 수용액 반응 : 흰색 앙금 생성 ➡ ⓐ ______ 이온(Cl^-)
- 미지의 수용액 불꽃 반응 : 노란색 불꽃 ➡ ⓑ ______ 이온(Na^+)

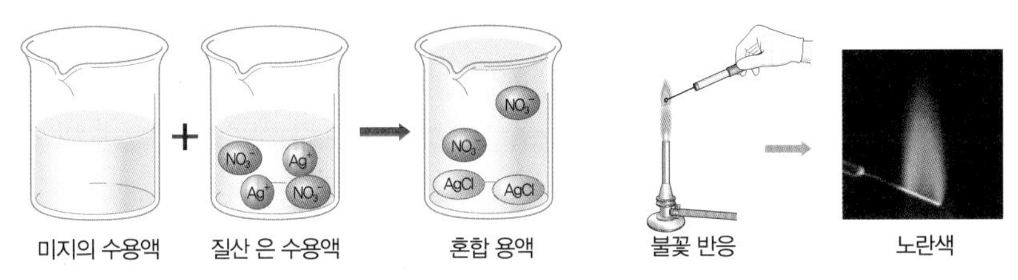

미지의 수용액 질산 은 수용액 혼합 용액 불꽃 반응 노란색

- 미지의 수용액 : ⓒ ______

3 앙금과 관련된 생활 속의 현상

		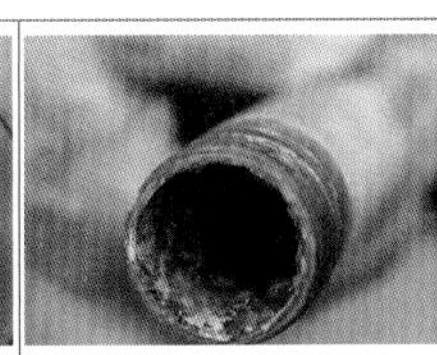	 황화 납
칼슘 이온과 탄산 이온이 만나 생성된 탄산 칼슘이 종유석이나 석순을 만든다.	커피포트에 물을 오랫동안 끓이면 바닥에 흰색의 찌꺼기(탄산 칼슘)가 생긴다.	지하수를 보일러 용수로 사용하면 관 안에 탄산 칼슘이 쌓여 열이 잘 전달되지 않는다.	물감에 이용된 납 이온이 공기 중의 황화 이온과 만나 검은색 황화 납이 되므로 그림의 색이 어두워진다.

C 이온과 우리 생활

1 생명 현상과 관련 있는 이온

① 나트륨 이온(Na^+)과 칼륨 이온(K^+) : 신경을 전달에 관여한다.

② 아이오딘화 이온(I^-) : 우리 몸의 물질 대사에 관여한다.

③ 칼슘 이온(Ca^{2+}) : 뼈와 치아의 주성분이며, 심장 박동에도 관여한다.

④ 철 이온(Fe^{2+}) : 헤모글로빈을 구성하는 이온으로, 산소를 운반한다.

2 우리 주변의 이온

① 배터리 : 스마트폰이나 노트북 배터리를 만들 때 리튬 이온(Li^+)이 사용된다.

② 지하수 : 탄산 이온(CO_3^{2-}), 칼슘 이온(Ca^{2+}), 마그네슘 이온(Mg^{2+}) 등이 들어 있다.

③ 이온 음료 : 우리 몸의 체액에 포함된 나트륨 이온(Na^+)과 염화 이온(Cl^-) 등이 들어 있다.

④ 치약 : 충치를 예방하는 데 효과가 있는 플루오린화 이온(F^-) 이 들어 있다.

플러스 노트

● **커피포트 바닥의 흰색 찌꺼기**
우리나라 수돗물에는 칼슘과 마그네슘 등 미네랄이 아주 조금 들어 있다. 물에 들어 있는 탄산수소 이온(HCO_3^-)에서 이산화 탄소가 빠져나가 생성된 탄산 이온(CO_3^{2-})이 칼슘 이온(Ca^{2+})과 반응하면 탄산 칼슘($CaCO_3$)이 생성되어 바닥에 흰색 찌꺼기가 생긴다. 탄산 칼슘은 산성과 반응하여 녹으므로 식초나 구연산으로 닦으면 제거할 수 있다.

● **앙금 생성 반응으로 어두워진 그림**
* 밝고 선명한 크로뮴 옐로라는 물감의 주성분은 노란색 앙금인 크로뮴산 납이다. 크로뮴산 납의 납 이온(Pb^{2+})이 공기 중의 황화 이온(S^{2-})과 반응하면 검은색의 황화 납(PbS) 앙금이 되므로 노란색이 점점 어두워진다. 고흐의 〈해바라기〉는 현재는 거의 갈색으로 변했다.
* 렘브란트는 납 이온이 들어 있는 황토색, 흰색, 갈색 등의 물감을 많이 사용했다. 〈야경〉은 원래 낮을 그린 그림이었는데 너무 검게 변해서 〈야경〉이라는 제목을 얻었다. 밀레의 〈만종〉도 실제보다 훨씬 어두워진 상태이다.

고흐 〈해바라기〉

밀레 〈만종〉

ⓐ 염화 ⓑ 나트륨
ⓒ 염화 나트륨

Ⅲ 물질의 구성

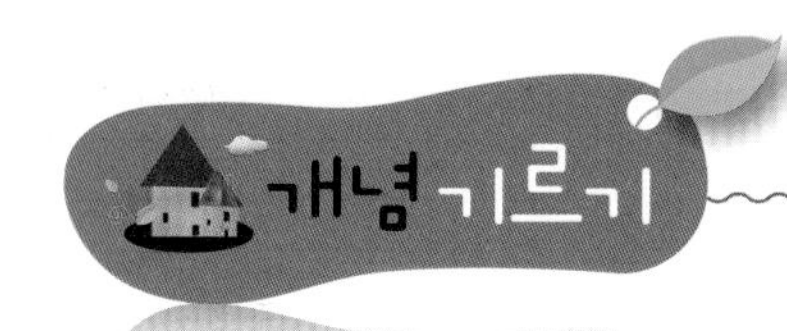

01 다음 중 이온에 대한 설명으로 옳지 않은 것은?

① 이온은 전하를 띠고 있다.
② 원자가 전자를 얻으면 음이온이 된다.
③ 원자가 양성자를 얻으면 양이온이 된다.
④ 금속 원소는 양이온, 비금속 원소는 음이온이 되기 쉽다.
⑤ 원자들이 이온이 되면 비활성 기체와 같은 안정한 전자 배치를 갖는다.

02 다음 중 원자 번호가 16인 황화 이온, S^{2-}에 대한 설명으로 옳지 않은 것은?

① 황은 비금속 원소이다.
② 18개의 전자를 갖는다.
③ 16개의 양성자를 갖는다.
④ 전자를 2개 얻어서 형성된 것이다.
⑤ 이온의 형성 과정은 $S \rightarrow S^{2-} + 2\ominus$로 나타낼 수 있다.

03 다음 표는 몇가지 원자와 이온에서 원자핵의 전하량과 전자의 개수를 나타낸 것이다. 이에 대한 설명으로 옳지 않은 것은?

구분	(가)	(나)	(다)	(라)	(마)
원자핵의 전하량	+3	+8	+9	+10	+11
전자의 개수(개)	2	10	9	10	10

① (가)는 양이온이다.
② (나)는 원자가 전자를 2개 잃어서 생성된다.
③ (다)는 원자이다.
④ (라)는 전기적으로 중성이다.
⑤ (마)는 (+)전하를 띤다.

04 다음 중 이온의 전자 수에 대한 설명으로 옳은 것 2개는?

① Na^{+}와 F^{-}는 전자 수가 같다.
② H^{+}는 He와 전자 수가 같다.
③ N^{3-}는 Ne보다 전자 수가 더 많다.
④ Fe^{2+}는 Fe보다 전자 2개가 더 많다.
⑤ Mg^{2+}는 양성자 수보다 전자 수가 2개 더 적다.

05 다음은 여러 가지 이온을 나타낸 것이다. 이들 중 전자를 가장 많이 잃고 형성된 이온과 그 이름이 바르게 짝지어진 것은?

보기
ㄱ OH^{-}　　ㄴ S^{2-}　　ㄷ CO_3^{2-}
ㄹ H^{+}　　ㅁ Al^{3+}　　ㅂ NH_4^{+}

① ㄱ, 수산화 이온　　② ㄷ, 탄산 이온
③ ㄹ, 수화 이온　　④ ㅁ, 알루미늄 이온
⑤ ㅂ, 암모니아 이온

06 그림과 같이 장치하고 전극을 연결하니 과망가니즈산 칼륨의 보라색은 (+)극 쪽으로, 황산 구리(Ⅱ)의 푸른색은 (−)극 쪽으로 이동하였다. 이에 대한 설명으로 옳지 않은 것은?

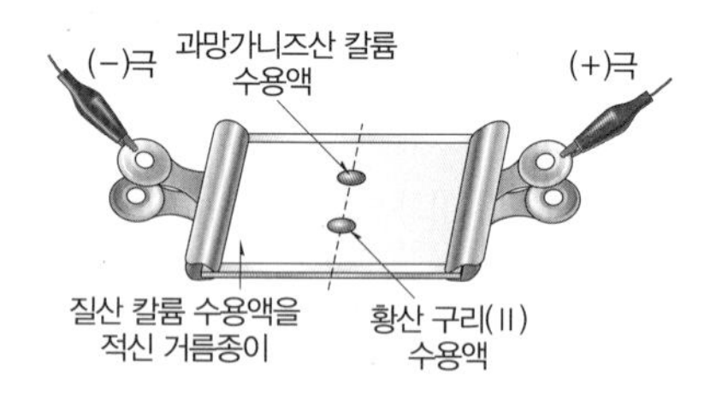

① 푸른색을 띠는 것은 구리 이온이고, 보라색을 띠는 것은 과망가니즈산 이온이다.
② 푸른색은 (−)극 쪽으로 이동하고, 보라색은 (+)극 쪽으로 이동한다.
③ 구리 이온은 양이온, 과망가니즈산 이온은 음이온이다.
④ 칼륨 이온은 (−)극 쪽으로 이동한다.
⑤ 황산 이온은 이동하지 않는다.

07 염화 나트륨 수용액과 질산 은 수용액에 녹아 있는 이온을 모형으로 나타낸 것이다. 두 수용액을 섞은 혼합 용액에 대한 설명으로 옳지 않은 것은?

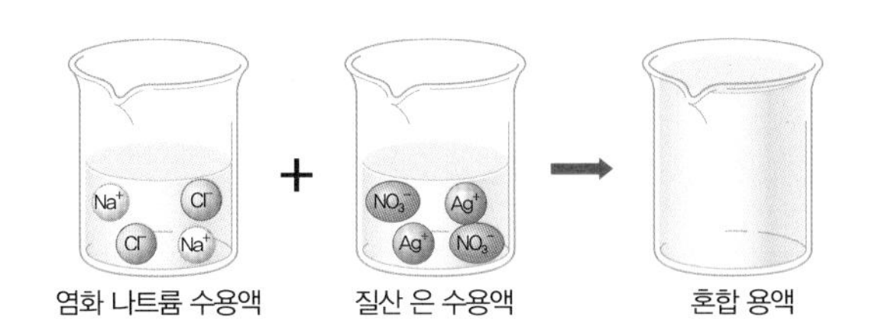

① 흰색 앙금이 생성된다.
② 흰색 앙금은 염화 은이다.
③ 불꽃 반응시 노란색의 불꽃이 나타난다.
④ 염화 이온은 존재하지 않는다.
⑤ 혼합 용액에는 질산 이온과 은 이온이 두 개씩 남아 있다.

08 수돗물에 질산 은($AgNO_3$) 수용액을 떨어뜨렸더니 흰색 앙금이 생성되었다. 이 결과로 볼 때 수돗물에 들어 있으리라고 예상되는 이온은 무엇인가?

① Na^+　② Mg^{2+}
③ Zn^{2+}　④ Cl^-
⑤ NO_3^-

09 두 수용액이 혼합될 때 앙금이 생기지 않는 경우는?

① 탄산 칼륨 수용액+염화 칼슘 수용액
② 염화 암모늄 수용액+탄산 나트륨 수용액
③ 아이오딘화 칼륨 수용액+질산 납 수용액
④ 질산 은 수용액+염화 칼륨 수용액
⑤ 질산 바륨 수용액+황산 구리 수용액

10 앙금 생성 반응으로 검출할 수 없는 이온 2개는?

① NH_4^+　② Ca^{2+}
③ Pb^{2+}　④ S^{2-}
⑤ NO_3^-

11 다음은 어떤 고체 물질 X를 물에 녹인 수용액으로 실험한 결과이다. 실험 결과로 볼 때 물질 X에 해당하는 것은?

- X 수용액에 질산 은 수용액을 2~3방울 떨어뜨렸더니 노란색 앙금이 생성되었다.
- X 수용액을 백금 선에 묻혀 토치의 겉불꽃 속에 넣었더니 보라색이 나타났다.

① NaI　② PbI
③ NaCl　④ KI
⑤ KCl

12 우리 주변의 이온에 대한 설명으로 옳지 않은 것은?

① 땀을 많이 흘리면 우리 몸의 체액에 포함된 나트륨 이온과 염화 이온이 들어 있는 이온 음료를 마신다.
② 스마트폰 배터리를 만들 때 칼륨 이온을 사용한다.
③ 충치 예방을 위해 치약에 플루오린화 이온을 넣는다.
④ 철 이온은 우리 몸에 필요한 산소를 운반한다.
⑤ 물속에 탄산 이온이 있으면 톡 쏘는 맛이 난다.

정답 ◆ 13p ◆

01 다음은 원자가 이온이 되는 과정을 모형으로 나타낸 것이다. 각 모형을 보고 원자가 어떻게 이온이 되는지 서술하고 각각의 경우를 2가지씩 예를 드시오.

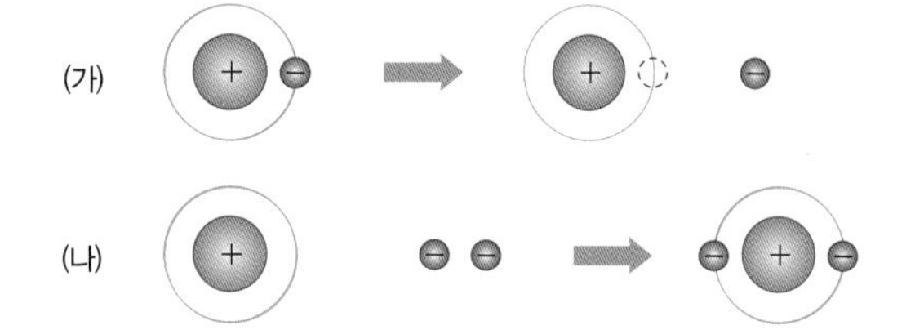

02 다음의 원자들이 각각 이온이 되었을 때의 공통점과 차이점에 대해 서술하시오.

03 중금속이 포함된 폐수를 시험관 A~B에 각각 담은 후, 각 시험관에 종류가 다른 수용액을 떨어뜨렸더니 결과가 다음과 같았다. 폐수에 포함된 이온의 이름을 쓰고, 그렇게 생각한 이유를 서술하시오.

시험관	수용액의 종류	반응 결과
A	Na_2S 수용액	노란색 앙금 생성
B	KI 수용액	변화 없음

논술형

04 탄산음료 속에 들어 있는 탄산 이온을 확인하기 위한 방법을 앙금 생성 반응과 연관지어 서술하시오.

정답 ◆ 13p ◆

STEAM 좋은 물을 찾아서, 초정리 광천수

물에도 맛이 있다. 건강하고 깨끗한 물에는 우리 몸에 필요한 무기질(미네랄) 성분이 들어 있다.
충북 청원군 북일면 초정리에는 '약이 되고 병이 낫는다'는 신비의 물이 있다. 초정 약수는 미국의 샤스터, 영국의 나포리나스와 함께 세계의 3대 광천수(칼슘, 마그네슘, 칼륨 등의 무기질이 함유되어 있는 물, 미네랄 워터)로 꼽히고 있다. 초정 약수에는 유리 탄산, 칼슘 이온, 나트륨 이온, 탄산수소 이온, 칼륨 이온, 마그네슘 이온이 다량 함유되어 있으며, 그밖에도 구리 이온, 철 이온, 망가니즈 이온, 플루오린화 이온, 염화 이온 등이 들어 있다. 초정 약수는 600년 이상의 역사를 지닌 세계적인 광천수로, 조선 세종대왕 26년(1444년) 3월 2일에는 왕이 친히 이곳에 행차하여 60일간 머물면서 눈병을 다스렸으며, 세조도 이곳에서 질병을 치료했다고 한다. '동국여지승람 청주목 산천'에는 '청주에서 동쪽으로 30리에 매운 맛이 나는 물이 있는데, 이 물에 목욕을 하면 피부병이 낫는다'고 하였으며, 이수광의 '지봉유설'에는 우리나라에 많은 탄산수가 있지만 그 중에서도 광주와 청주의 탄산수가 가장 유명하다'고 기록되어 있다. 예로부터 7~8월 한여름에는 탄산수의 약효가 제일 좋다고 하여, 복날과 백중날에 많은 사람들이 이 곳에 찾아와 목욕을 하며 더위를 식혔다.
오늘날 수질 오염이 심각해지면서 정수기를 사용하는 사무실과 가정이 늘어나고 있다. 정수기는 미국 나사(NASA)가 아폴로 계획을 진행하면서 우주비행사들의 식수 문제를 해결하기 위해 개발한 것이다. 광고에서 접하는 정수기의 이온 여과장치, 역삼투 방식들은 '모두 거르는 방식'이다.

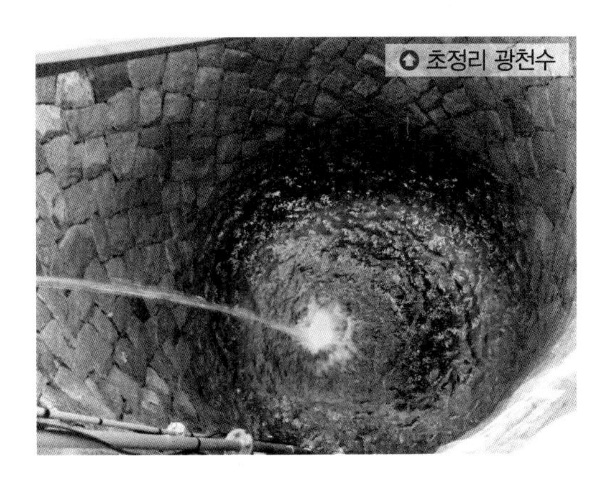
초정리 광천수

01 초정리 광천수에는 여러 가지 무기질(미네랄)이 이온 성분으로 함유되어 있다. 초정리 광천수에 칼슘이 포함되어 있는지 확인하는 실험을 설계하시오.

02

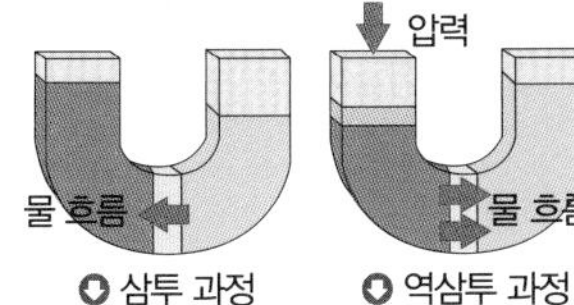

삼투 과정 역삼투 과정

국내 정수기의 대부분은 '역삼투압' 방식으로 불순물을 거른다. 역삼투압 방식으로 거른 물을 정수장을 거쳐 소독된 수돗물과 비교하여 장점과 단점을 각각 서술하시오.

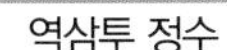

역삼투 정수

정답 ◆ 14p ◆

STEAM 양이온과 음이온이 되는 원소

원소가 양이온과 음이온으로 되는 경향을 알아보자.

[준비물] 원자의 전자 배치 부록(교재 p.145)

실험

① 부록에 원자 번호 1번인 수소부터 20번인 칼슘까지 각 원자핵의 전하량을 쓰고 전자 배치를 그린다.

② 1주기 원소는 가장 바깥 전자 껍질에 전자가 2개, 2주기 이상의 원소는 가장 바깥 전자 껍질에 전자가 8개가 되도록 전자를 빼거나 더한다.

③ 각 원자의 이온식을 적는다.

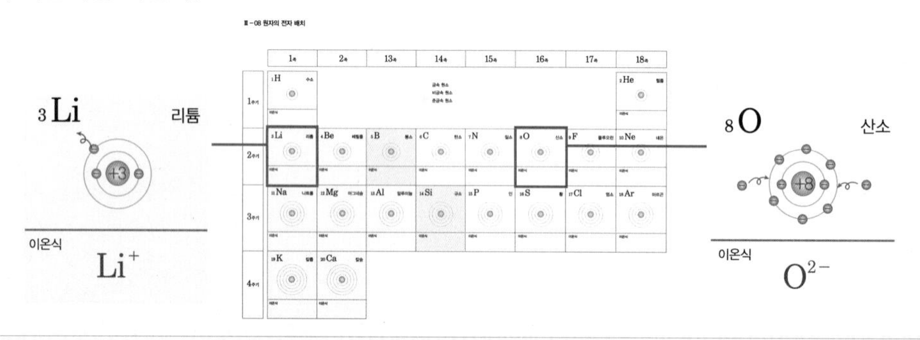

01 각 족에 해당하는 원자의 가장 바깥 전자 껍질에 위치한 전자의 개수를 쓰시오.

족	1족	2족	13족	14족	15족	16족	17족	18족
가장 바깥 전자 껍질의 전자 수								

02 1번~20번 원소 중에서 전자를 잃거나 얻어서 된 양이온과 음이온의 이온식을 쓰시오.

- 양이온 :

- 음이온 :

03 양이온이 되기 쉬운 원소와 음이온이 되기 쉬운 원소의 특징을 서술하시오.

04 이온이 될 수 없는 원소의 특징을 서술하시오.

Ⅳ 물질의 특성

2015 개정 교육과정 교과서

중학교 1~3학년 군 : 중2 6단원 물질의 특성

다른 학년과의 연계

3~4학년 군 : 물질의 성질, 혼합물의 분리
5~6학년 군 : 용해와 용액
중학교 1~3학년 군 : 물질의 상태 변화
화학 Ⅱ : 물질의 세 가지 상태와 용액

물질의 특성으로 구분할 수 있는

09 순물질과 혼합물

플러스 노트

A 물질의 분류

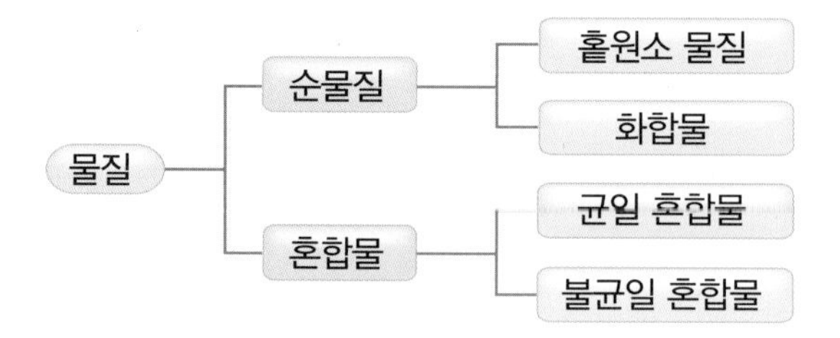

B 순물질과 혼합물

1 순물질 : 한 종류의 물질만으로 이루어진 물질

① **순물질의 특징**

• 다른 물질과 섞여 있지 않고 일정한 성질을 가진다.

• 물질의 어는점, 끓는점, 녹는점, 밀도, 색깔, 냄새, 맛 등이 ⓐ ______ 하다.

• 가열 곡선과 냉각 곡선에서 수평한 구간이 나타난다.

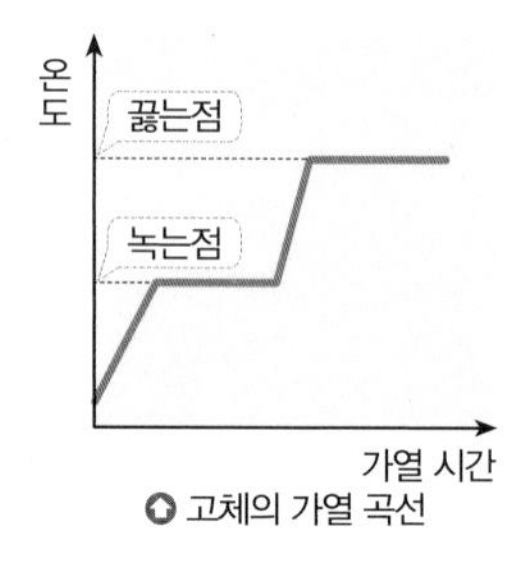

⊙ 고체의 가열 곡선

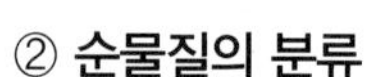

② **순물질의 분류**

구분	홑원소 물질	화합물
정의	ⓑ ______ 종류의 원소로만 이루어진 물질	ⓒ ______ 가지 이상의 원소가 결합하여 이루어진 물질
모형		
예	구리, 금, 알루미늄, 산소, 흑연 등	물, 소금, 설탕, 이산화 탄소 등
성질	물질마다 고유한 성질을 지닌다.	구성 원소와 ⓓ ______ 성질을 지닌다.
분해	화학적 방법으로 분해할 수 없다.	화학적 방법으로 분해할 수 있다.

2 혼합물 : 두 종류 이상의 순물질이 섞여 있는 물질

① **혼합물의 특징**

• 혼합물을 구성하는 물질의 성질을 그대로 가지고 있다.

• 녹는점, 끓는점, 밀도 등이 일정하지 않고, 성분 물질이 섞여 있는 비율에 따라 달라진다.

• 순물질에 비해 끓는점은 높고, 어는점(녹는점)은 낮다.

• 물리적인 방법으로 분리할 수 ⓔ ______ 다.

● **흑연과 다이아몬드**
두 물질은 모두 탄소 원자로 이루어져 있지만, 원자 배열이 다르므로 다른 물질이다.

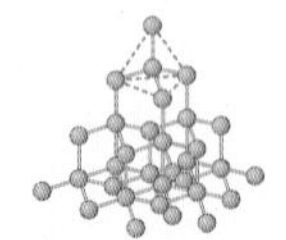
다이아몬드

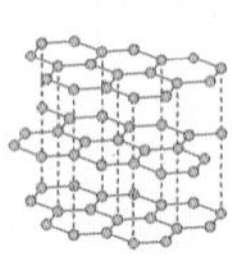
흑연

● **순물질과 혼합물의 구별에 이용되는 물질의 특성**

* 녹는점, 어는점, 끓는점, 밀도 등
* 물질의 양에 따라 크기가 달라지는 질량, 부피, 길이, 넓이와 가열 또는 냉각 과정에서 달라지는 온도는 물질의 특성이 될 수 없다.

용어풀이

균일(고를 均, 한 一) 혼합물 : 성분 물질들이 고르게 분포하는 혼합물

정답

ⓐ 일정 ⓑ 한 ⓒ 두 ⓓ 다른 ⓔ 있

② 혼합물의 분류

구분	균일 혼합물	불균일 혼합물
정의	성분 물질들이 고르게 섞여 있는 혼합물	성분 물질들이 고르지 않게 섞여 있는 혼합물
모형		
예	식초, 공기, 설탕물, 소금물, 합금 등	흙탕물, 암석, 과일 주스, 우유 등

[철가루와 황가루의 혼합물과 화합물]

• **탐구 과정**

① 철가루 7 g과 황가루 4 g을 막자사발에 넣어 잘 섞은 후 시험관 A와 B에 나누어 넣는다.

② 시험관 A는 그대로 두고, 시험관 B는 가열하면서 색깔 변화를 관찰한다.

③ 시험관 A와 B에 자석을 가까이해 보고, 묽은 염산을 가할 때 발생하는 기체를 확인한다.

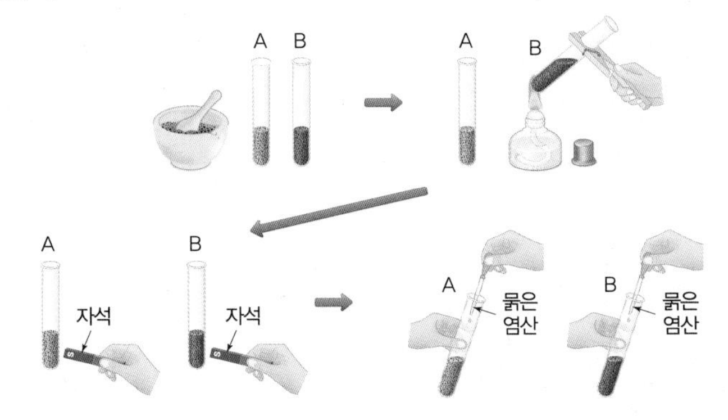

• **탐구 결과 및 해석**

구분	색깔	자석을 가까이할 때	묽은 염산을 가할 때
철가루	짙은 회색	끌려온다.	수소 기체 발생
황가루	노란색	끌려오지 않는다.	반응하지 않는다.
시험관 A	노란색+회색	철가루가 끌려온다.	수소 기체 발생
시험관 B	흑갈색	끌려오지 않는다.	황화 수소 기체 발생

① 시험관 B 속 물질은 철이나 황과는 전혀 다른 새로운 물질인 황화 철이다.

② 철과 황의 ⓐ ______은 철이나 황의 성질을 그대로 지니지만, 철과 황의 ⓑ ______은 철이나 황과는 전혀 다른 성질을 지닌다.

플러스 노트

● **균일 혼합물과 불균일 혼합물의 구분**
액체 상태의 혼합물이 투명하면 균일 혼합물이고, 액체 상태의 혼합물을 가만히 놓아두었을 때 가라앉는 것이 있으면 불균일 혼합물이다.

● **합금이 균일 혼합물인 이유**
고체 혼합물은 아무리 잘 섞어도 균일 혼합물이 될 수 없다. 그러나 합금은 고체 혼합물이지만, 성분 금속을 가열하여 녹인 후 액체 상태에서 고르게 섞어 냉각시킨 것이므로 균일 혼합물이다.

용어풀이

합금(합할 合, 쇠 金) : 한 가지 금속에 다른 금속이나 비금속을 첨가하여 만든 새로운 성질의 금속

ⓐ 혼합물 ⓑ 화합물

플러스 노트

● **소금물의 끓는점 오름**
소금 입자가 물이 끓는 것을 방해하므로 소금물은 100 ℃보다 높은 온도에서 끓기 시작한다. 소금물이 끓는 동안 물이 기화되기 때문에 소금물의 농도는 진해지고, 소금 입자가 물의 기화를 더욱 방해하므로 끓는점은 계속 높아진다.

C 순물질과 혼합물의 가열•냉각 곡선

1 고체와 액체 혼합물의 가열•냉각 곡선

구분	가열 곡선	냉각 곡선
그래프	온도(℃) 106, 104, 102, 100, 98, 96 / 끓기 시작 / 소금물 / 물 / 가열 시간 ● 물과 소금물의 가열 곡선	온도(℃) 4, 0, −4, −8, −12 / 얼기 시작 / 물 / 소금물 / 냉각 시간 ● 물과 소금물의 냉각 곡선
물 (순물질)	• 100 ℃에서 끓기 시작하고, 일정한 온도를 유지함 ➡ 상태 변화(기화)하는 데 열 사용 • 그래프에서 수평한 구간이 나타남	• 0 ℃에서 얼기 시작하고, 일정한 온도를 유지함 ➡ 상태 변화(응고)하면서 열 ⓐ ____ • 그래프에서 수평한 구간이 나타남
소금물 (혼합물)	• 100 ℃ 이상에서 끓기 시작하고, 계속 온도가 ⓑ ____ 함 ➡ 물이 끓을수록 소금물의 농도가 점점 진해지기 때문 • 농도가 진할수록 끓는점은 ⓒ ____ 아짐	• 0 ℃ 이하에서 얼기 시작하고, 계속 온도가 ⓓ ____ 함 ➡ 물이 얼수록 소금물의 농도가 점점 진해지기 때문 • 농도가 진할수록 어는점은 ⓔ ____ 아짐

2 액체와 액체 혼합물의 가열 곡선

① 혼합한 액체의 수만큼 ⓕ ____ 한 구간이 나타난다.

② 끓는점이 낮은 액체가 자신의 끓는점보다 약간 ⓖ ____ 온도에서 먼저 끓기 시작한다. ➡ 끓는점이 높은 액체 물질이 기화를 방해하기 때문이다.

③ 끓는점이 높은 액체가 자신의 끓는점에서 나중에 끓기 시작한다.

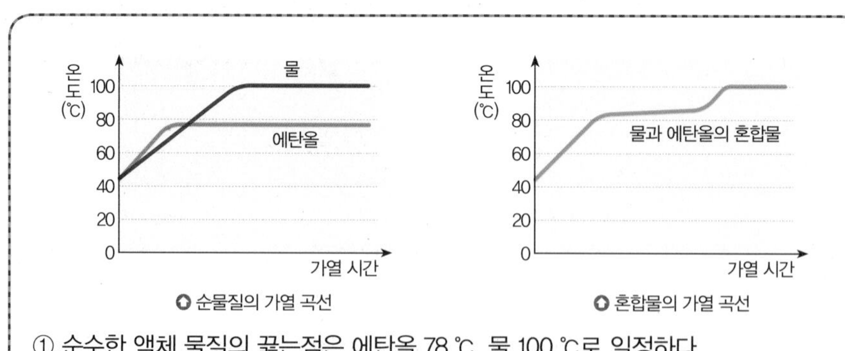

● 순물질의 가열 곡선　　● 혼합물의 가열 곡선

① 순수한 액체 물질의 끓는점은 에탄올 78 ℃, 물 100 ℃로 일정하다.
② 물과 에탄올 혼합물에서 혼합물을 구성하는 순물질이 2개이므로 가열 곡선에서 수평한 구간이 두 군데 나타난다.
③ 물과 에탄올 혼합물은 78 ℃보다 약간 높은 온도에서 에탄올이 먼저 끓기 시작한다.

ⓐ 방출 ⓑ 상승 ⓒ 높
ⓓ 하강 ⓔ 낮 ⓕ 수평
ⓖ 높은

3 고체와 고체 혼합물의 가열 곡선

① 혼합물의 녹는점이 각 성분 물질의 녹는점보다 더 ⓐ ______ 다.

② 혼합물이 녹는 동안 일정한 온도를 유지하지 못한다.

➡ 수평한 구간이 ⓑ ______ 다.

③ 두 물질의 혼합 비율에 따라 녹는점이 달라진다.

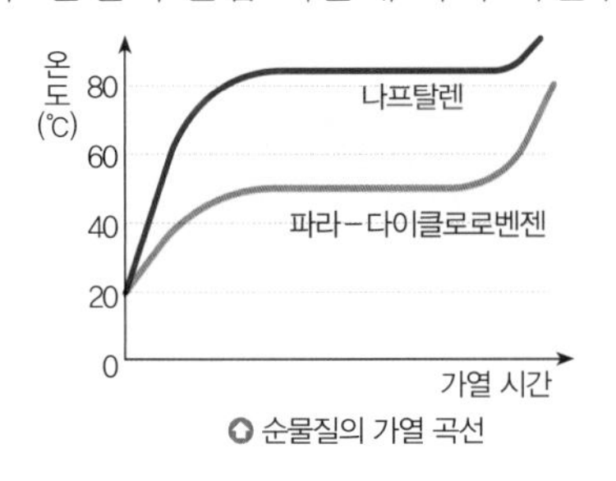

○ 순물질의 가열 곡선

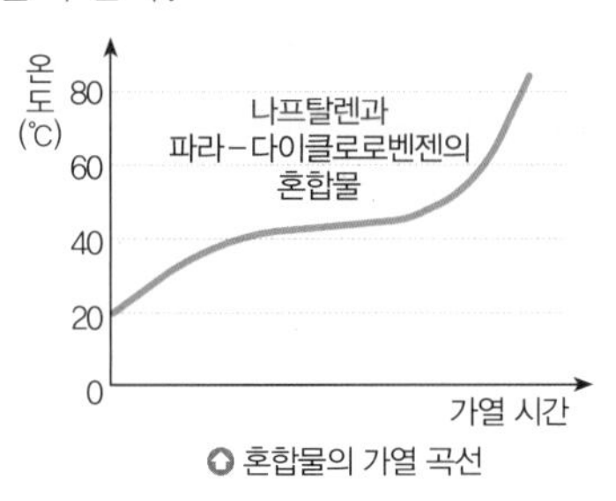

○ 혼합물의 가열 곡선

D 혼합물의 성질과 이용

1 녹는점이 낮아지는 성질

① **땜납** : 납(326 ℃)과 주석(232 ℃)의 혼합물인 땜납은 녹는점이 183 ℃로 낮으므로 금속 용접에 사용한다.

② **퓨즈** : 납(326 ℃), 안티모니(630.7 ℃), 주석(232 ℃) 혼합물은 녹는점이 순물질보다 낮으므로 과전류가 흐르면 녹아서 끊어진다.

2 어는점이 낮아지는 성질

① 눈이 쌓인 길에 염화 칼슘을 뿌려 도로가 어는 것을 방지한다.

② 추운 겨울에 강물은 얼어도 바닷물은 잘 얼지 ⓒ ______ 다.

③ 겨울철 자동차의 냉각수가 얼지 않도록 부동액을 넣는다.

④ 얼음과 ⓓ ______ 을 이용하면 냉장고 없이 음료수를 얼릴 수 있다.

3 끓는점이 높아지는 성질

① 된장찌개는 물보다 ⓔ ______ 온도에서 끓는다.

② 달걀을 삶을 때 물에 소금을 먼저 넣고 삶는다.

③ 라면을 끓일 때 수프를 먼저 넣고 물을 끓인다.

4 금속의 성질 변화

① 스테인레스강(철+크롬+니켈)은 철보다 잘 녹슬지 않는다.

② 금에 구리를 섞어 만든 14K나 18K 금을 이용하면 단단한 장신구를 만들 수 있다.

③ 두랄루민(알루미늄+구리+마그네슘)은 가볍고 단단해 비행기 재료로 이용된다.

플러스 노트

● **고체와 고체 혼합물의 녹는점**
고체 사이의 인력이 불균등하여 순물질일 때보다 쉽게 인력을 끊을 수 있기 때문에 고체 혼합물의 녹는점은 순물질보다 낮다.

● **순물질과 혼합물의 가열 곡선**

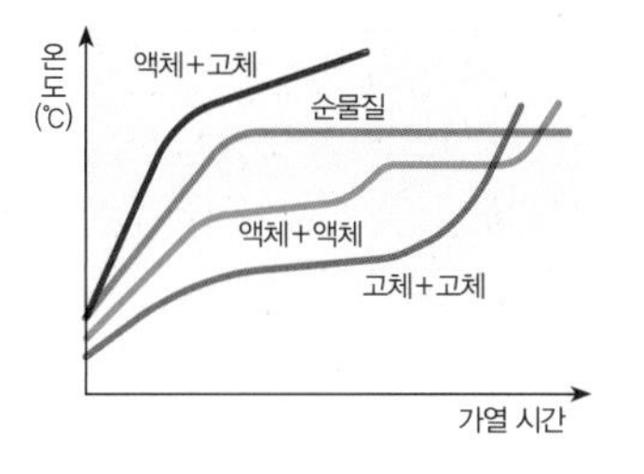

● **부동액**
부동액으로 사용하는 액체의 주성분인 에틸렌 글리콜은 어는점이 −13 ℃이지만, 냉각수와 혼합하면 어는점이 낮아져 −35 ℃에서도 얼지 않는다.

● **14K와 18K 금**
18K 금은 금의 비율이 $\frac{18}{24}$=75 %이고, 14K 금은 금의 비율이 $\frac{14}{24}$=58.5 %이다.

ⓐ 낮 ⓑ 없 ⓒ 않는 ⓓ 소금 ⓔ 높은

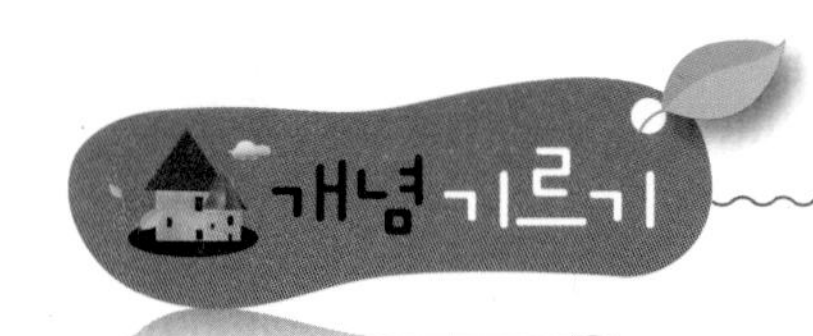

01 다음 중 순물질인 것은?

① 호흡에서 들이마시는 들숨
② 적당한 온도에서 데운 우유
③ 설탕을 물에 완전히 녹여 만든 액체
④ 가열하여 이산화 탄소를 없앤 사이다
⑤ 수소와 산소의 혼합물에 전기를 가하여 만든 물

02 다음 혼합물 중 균일 혼합물인 것은?

① 암석 ② 우유
③ 설탕물 ④ 흙탕물
⑤ 염화 나트륨

03 다음의 측정값이 변하지 않고 항상 일정한 물질은?

보기
녹는점, 어는점, 끓는점, 밀도

① 구리 ② 양은
③ 땜납 ④ 청동
⑤ 스테인리스

중요
04 다음 중 순물질과 혼합물에 대한 설명으로 옳지 않은 것은?

① 혼합물의 끓는점은 농도가 높아짐에 따라 점점 낮아진다.
② 순물질은 끓는점이나 밀도와 같은 물질의 특성이 일정하다.
③ 혼합물의 밀도는 각 성분 물질의 혼합 비율에 따라 달라진다.
④ 혼합물은 성분 물질의 원래 성질을 잃지 않고 그대로 지니고 있다.
⑤ 순물질은 가열 곡선에서 온도가 일정하게 유지되는 구간이 뚜렷하게 나타난다.

05 다음 중 물질의 입자가 다음 그림과 같은 것은?

① 식초 ② 우유
③ 탄산음료 ④ 물
⑤ 구리

06 다음 〈보기〉의 혼합물이 이용한 성질은?

보기
• 추운 겨울날 자동차 냉각수에 부동액을 넣는다.
• 눈이 쌓여서 얼어붙은 도로에 염화 칼슘을 뿌린다.

① 혼합물은 일정한 특성을 갖고 있다.
② 혼합물의 끓는점은 순물질보다 높다.
③ 혼합물의 밀도는 비율에 따라 다르다.
④ 혼합물의 어는점은 순수한 물질보다 낮다.
⑤ 혼합물의 가열 곡선에는 수평한 구간이 나타나지 않는다.

07 다음 중 혼합물이 되었을 때 변하는 성질과 성질을 실생활에서 이용하는 경우에 대한 설명으로 옳지 않은 것은?

① 혼합물은 어는점이 낮아지므로 추운 날씨에 강물은 얼어도 바닷물은 잘 얼지 않는다.
② 혼합물은 끓는점이 높아지므로 라면을 끓일 때 수프를 먼저 넣으면 더 빨리 익는다.
③ 고체+액체 혼합물은 얼기 시작하는 온도가 낮아지므로 겨울철 도로에 염화 칼슘을 뿌려 눈이 어는 것을 막는다.
④ 순금에 구리를 섞으면 단단해지므로 14K나 18K 금으로 단단한 장신구를 만든다.
⑤ 고체+고체 혼합물은 녹는점이 높아지므로 납+안티모니+주석 혼합물로 퓨즈를 만들어 과전류가 흐르면 쉽게 끊어지도록 하여 과열 사고를 막는다.

08 다음 중 혼합물에 대한 설명으로 옳은 것은?

① 끓는점과 녹는점이 일정하다.
② 소금물의 끓는점은 100 ℃보다 낮다.
③ 가열 곡선에서 수평한 부분이 나타난다.
④ 설탕물이나 사이다는 균일 혼합물이 아니다.
⑤ 혼합물을 구성하는 각각의 성분은 본래의 성질을 지니고 있다.

09 다음 그래프는 순수한 물과 소금물의 냉각 곡선이다. 이 현상과 관련이 적은 것은?

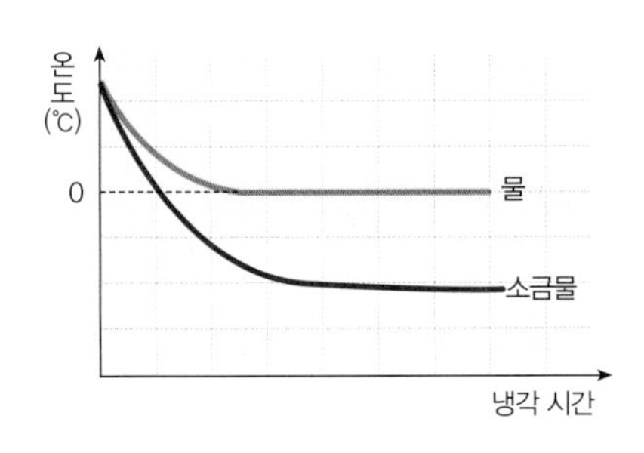

① 겨울에 빙판이 생기면 염화 칼슘을 뿌린다.
② 추운 겨울철에도 바닷물은 잘 얼지 않는다.
③ 겨울에 자동차의 냉각수에 부동액을 넣는다.
④ 추운 겨울철 호수는 표면부터 얼기 시작한다.
⑤ 설탕물을 냉각시켰더니 0 ℃에서 얼지 않고 더 낮은 온도에서 얼기 시작했다.

10 오른쪽 그래프는 어떤 액체 혼합물의 가열 곡선이다. 이 혼합물은 최소 몇 가지 순수한 액체가 섞여 있다고 할 수 있는가?

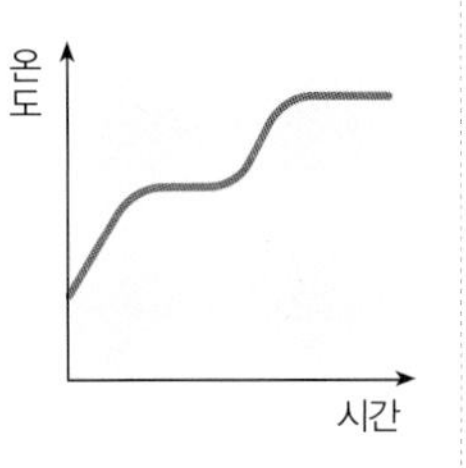

① 1가지
② 2가지
③ 3가지
④ 4가지
⑤ 5가지

11 다음 중 순수한 액체 물질의 가열 곡선을 옳게 나타낸 그래프는?

①
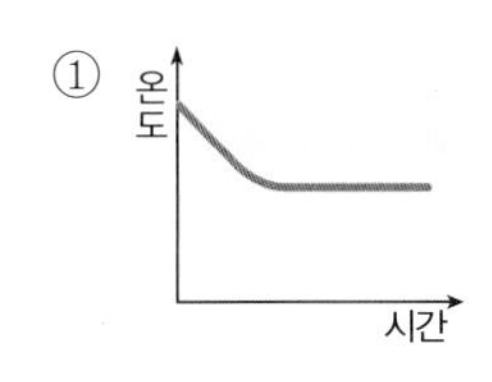

②
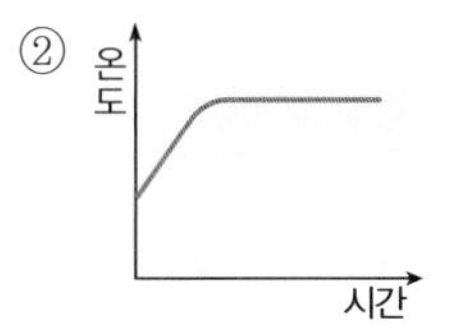

③
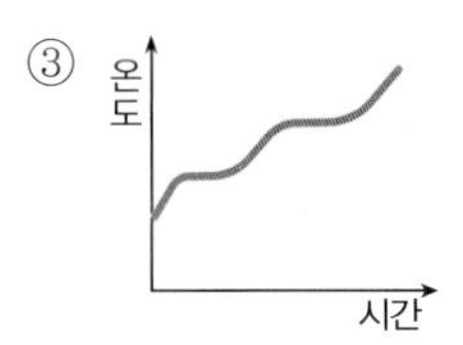

④
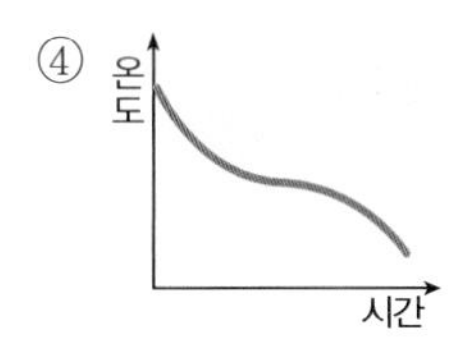

⑤
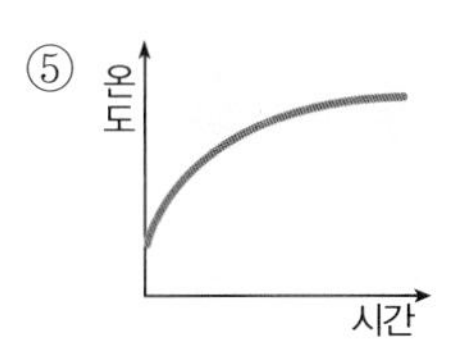

12 다음은 몇 가지 액체 물질의 냉각 곡선이다. 물질 A~D에 대한 설명으로 옳은 것은?

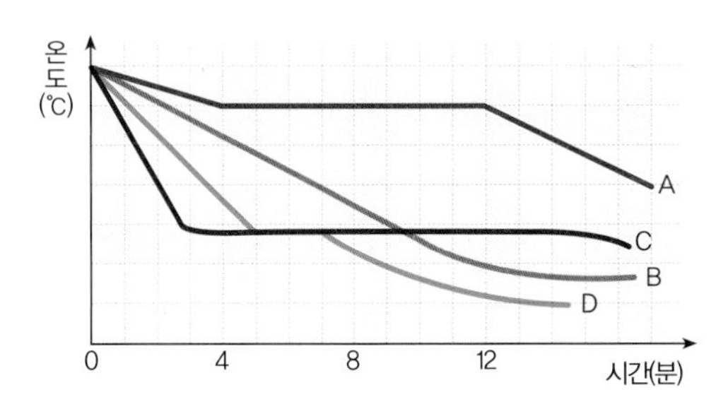

① B는 혼합물이다.
② A와 C만 순수한 물질이다.
③ A~D는 모두 다른 물질이다.
④ A~D는 모두 순수한 물질이다.
⑤ C와 D가 섞인 혼합물은 끓는점의 차이를 이용하여 쉽게 분리할 수 있다.

정답 ◆ 15p ◆

01 여러 가지 물질을 다음과 같이 (가)와 (나) 두 종류로 분류하였다. 이와 같이 물질을 분류할 수 있는 기준을 3가지 서술하시오.

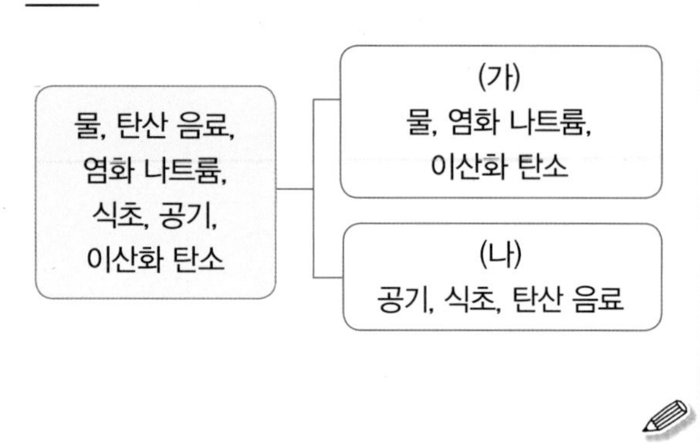

02 다음은 철과 황으로 이루어진 두 물질에 자석을 대거나 염산을 떨어뜨렸을 때 반응을 정리한 것이다.

구분	자석을 대었을 때	염산을 넣었을 때
A	끌려온다.	기체가 발생한다.
B	끌려오지 않는다.	기체가 발생한다.

A와 B를 각각 화합물과 혼합물로 구분하고, 그렇게 생각한 이유를 서술하시오.

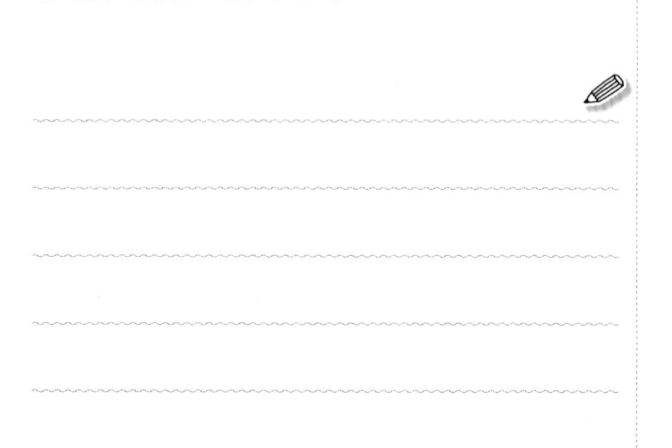

03 다음은 어떤 액체 물질의 가열 곡선이다. 이 물질이 순물질인지 혼합물인지 그래프를 보고 판단하고, 그렇게 생각한 이유를 서술하시오.

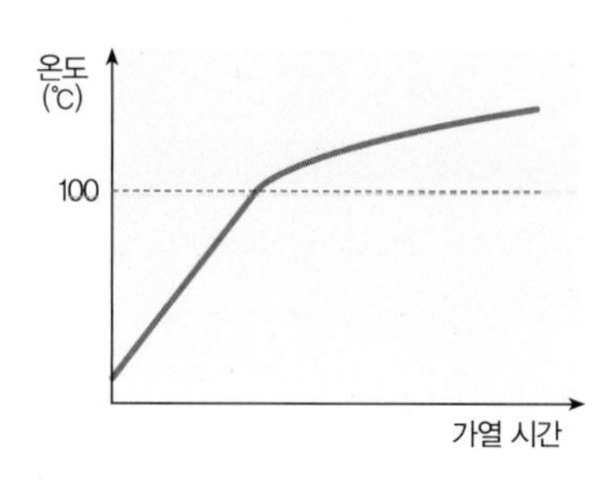

논술형

04 다음은 퓨즈에 대한 설명이다.

> 퓨즈는 납, 안티모니, 주석의 혼합물로, 전선에 규정값 이상의 과도한 전류가 흐르지 못하게 자동으로 차단한다. 회로에 과전류가 흐르면 전류에 의해 발생하는 열로 퓨즈가 녹아 끊어진다.

퓨즈에 이용된 혼합물의 성질을 서술하시오.

융합사고력 키우기

정답 ◆ 16p ◆

STEAM 세제에 넣으니 뽀글뽀글 녹아 버리는 10원짜리 동전

한국은행은 지난 2006년 12월부터 기존 동전보다 크기가 작은 새 10원짜리 동전을 발행하고 있다. 구형 10원 동전은 황동 65 %, 아연 35 %를 합금해서 만들었는데, 금속 가격이 오르면서 10원 동전에 함유된 금속 가격이 10원을 넘는 상황이 됐고, 일부에서 10원 동전을 녹여서 금속을 추출하는 일이 생겼기 때문이다. 한국은행은 세계 최초로 10원 동전의 재질을 황동에서 구리씌움 알루미늄으로 바꾸고 크기와 무게를 대폭 줄였다. 이에 따라 구 10원 동전의 소재 가치는 32.7원인데 비해 새 10원 동전의 소재 가치는 8.2원으로, 주화를 녹여 판매하려는 시도를 차단하는 효과를 봤다.

그러나 최근 새 10원 동전은 세제에 담그거나 장기간 물에 접촉하면 부식되는 문제가 생겼다. 실제로 세계 각 나라의 동전이 들어 있는 인천공항 분수대를 가서 봤더니 유독 한국의 신형 10원 주화만 주변에서 기포가 올라오면서 부식되고 있었다. 부식이 될 경우 겉표면에 붙어 있는 구리가 쉽게 떨어져 나가 돈으로 쓸 수 없게 된다.

한국 은행은 "새 10원 동전은 알루미늄 소재의 양 겉면에 구리판을 덧씌운 것으로 품질면에서 황동 합금인 구 10원 동전보다 취약한데, 일반적인 화폐 사용 환경에서 이용하는 데는 불편이 크지 않다. 다만 특정 세제에 담그거나 장기간 물에 접촉했을 경우 부식이 가능하고, 부식으로 인해 덧씌운 층이 분리되는 현상이 있을 수 있다"고 설명했다. 덧붙여 "앞으로 국민들이 새 10원 동전 이용에 따른 불편 사항을 점검하고 한국조폐공사와 함께 여러 가지 실험을 거쳐 제조비가 저렴하면서도 고품질의 10원 동전을 공급할 수 있도록 노력하겠다"고 밝혔다.

새 10원 동전

01 동전은 구리, 주석, 아연, 니켈, 알루미늄처럼 비교적 값이 싼 금속으로 만드는 경우가 대부분이다. 전통적으로 동전을 만들 때는 순수한 구리 대신 황동(구리+아연, 구 10원 동전)이나 백동(구리+니켈, 100원 동전, 500원 동전) 등 구리 합금을 사용하였다. 그 이유를 추리하여 서술하시오.

논술형

02 물이나 특정 세제에 쉽게 부식되는 10원짜리 동전을 보완할 수 있는 방법을 서술하시오.

IV 물질의 특성

물질만의 고유한 성질– 밀도

10 물질의 특성(1)

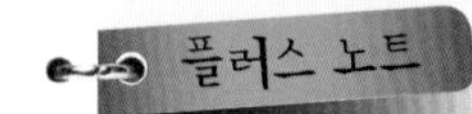

● **겉보기 성질의 한계**
사람의 감각은 상대적이고 부정확하므로 겉보기 성질만으로 물질을 정확하게 구별하지 못할 수도 있다.
예 구리와 아연의 합금인 황동과 금은 모두 노란색으로 겉보기 성질로 구별하기 힘들다.

● **물질의 특성이 될 수 없는 것**
* **크기 성질 :** 질량, 부피, 온도, 상태, 길이, 넓이 등
* **온도, 농도, 압력 :** 물질의 양에 관계없이 일정한 값을 가지므로 세기 성질이지만, 같은 종류의 물질이라도 다를 수 있고 다른 물질이라도 같은 값을 가질 수 있으므로 물질의 특성이 아니다.

A 크기 성질과 세기 성질

1 ⓐ______ **성질 :** 눈, 코, 입 등의 감각 기관이나 간단한 도구를 통해 구별할 수 있는 물질의 성질 예 색깔, 맛, 냄새, 촉감, 굳기, 결정 모양 등

2 크기 성질과 세기 성질

크기 성질	세기 성질
물질의 양에 따라 크기가 달라지는 성질 예 질량, 부피, 길이, 에너지, 전기 저항 등	물질의 양과 관계없이 항상 ⓑ______하게 유지되는 성질로 그 물질을 대표하는 물질의 특성 예 밀도, 끓는점, 녹는점, 어는점, 용해도, 비열, 온도, 농도, 압력 등

더 알아보기

[크기 성질과 세기 성질]

① **크기 성질 :** 물질의 양을 고려한 성질로, 전체 값은 부분의 합과 같다.
예 소금 10 g에 설탕 10 g을 섞으면 혼합물의 총 질량은 20 g이 된다.

② **세기 성질 :** 물질의 양과 관계없는 성질로, 전체 값은 부분의 값과 같다.
예 밀도가 1 g/mL인 물 100 g과 밀도가 1 g/mL인 물 100 g을 섞으면 크기 성질인 질량은 200 g이 되지만 세기 성질인 밀도는 여전히 1 g/mL이다.

3 물질의 ⓒ______ : 다른 물질과 구분되는 그 물질만의 고유한 성질로 물질을 구별하는 데 이용한다.
예 겉보기 성질, 녹는점, 어는점, 끓는점, 용해도, 밀도 등

B 크기 성질

1 ⓓ______ : 물질이 차지하고 있는 공간의 크기

① 단위 : cm^3, mL, L
- $1\ cm^3 = 1\ mL = 1\ cc$
- $1\ L = 1{,}000\ mL = 1{,}000\ cc = 1{,}000\ cm^3$
- $1\ m^3 = 100\ cm \times 100\ cm \times 100\ cm = 1{,}000{,}000\ cm^3 =$ ⓔ______ L

② 액체 물질의 부피 측정 방법 : 피펫, 눈금실린더, 부피 플라스크 등 눈금이 새겨져 있는 기구들을 이용하여 부피를 측정한다.

▲ 피펫 ▲ 눈금실린더 ▲ 부피 플라스크

ⓐ 겉보기 ⓑ 일정 ⓒ 특성
ⓓ 부피 ⓔ 1,000

③ 고체 물질의 부피 측정 방법

- 모양이 규칙적인 고체 : 가로, 세로, 높이를 측정하여 부피를 계산한다.
- 모양이 불규칙한 고체
  - 부피를 측정하고자 하는 고체를 녹이지 않는 액체 속에 넣어 늘어난 액체의 ⓐ ______ 를 측정한다.
  - 액체보다 가벼운 고체는 가는 철사로 눌러서 완전히 액체 속에 넣은 후 늘어난 부피를 측정한다.

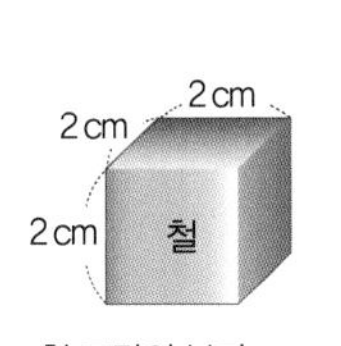

철 조각의 부피
=가로×세로×높이
=2 cm×2 cm×2 cm
=8 cm³

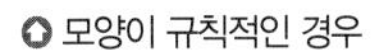

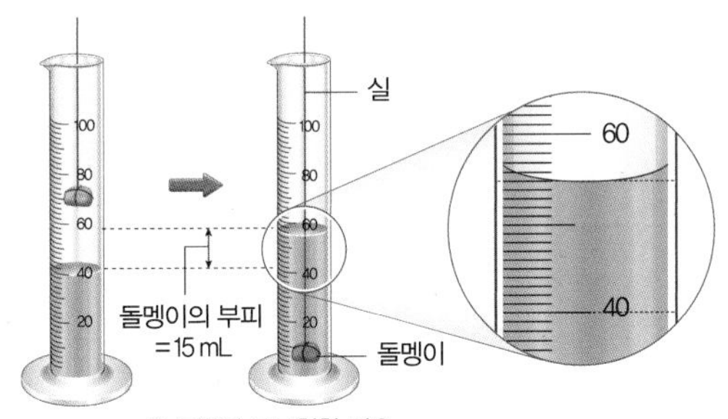

모양이 불규칙한 경우

④ 기체 물질의 부피 측정 방법 : 기체가 담겨 있는 용기의 부피가 그 기체의 부피이다. 용기의 부피를 모를 경우에는 용기에 물을 가득 부어 담긴 물의 부피를 측정한다.

2 질량 : 표준으로 정한 분동이나 추와 비교하여 나타낸 값으로, 장소가 달라져도 변하지 ⓑ ______ 물질의 고유한 양

① 단위 : mg, g, kg

- 1 kg=1,000 g=1,000,000 mg

② 측정 기구 : 윗접시저울, 양팔저울, 전자저울 등

더 알아보기

[윗접시저울 사용법]

① **물체의 질량 측정 :** 저울을 수평인 곳에 놓고, 영점 조절 나사를 돌려 수평을 맞춘다. 왼쪽 접시에 물체를 올리고, 오른쪽 접시에 수평이 될 때까지 무거운 분동부터 올린다. 저울이 수평이 되면 올려놓은 분동의 질량을 합한다.

② **일정량의 약품 측정 :** 저울을 수평인 곳에 놓고, 양쪽 접시에 약포지를 놓은 후 수평을 맞춘다. 왼쪽 접시에 필요한 약품의 질량에 해당되는 분동을 올리고, 오른쪽 접시에 수평이 될 때까지 약수저로 약품을 올린다.

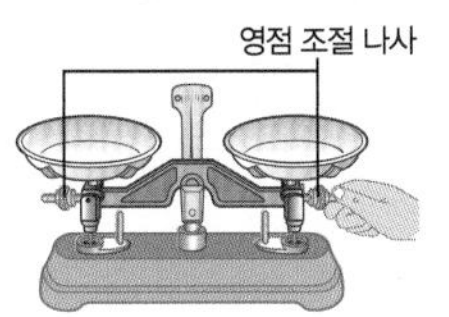

영점 조절

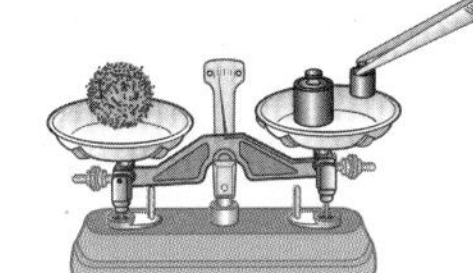

물체의 질량 측정

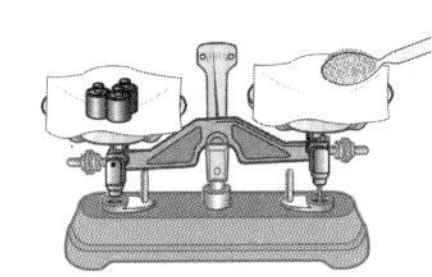

일정량의 약품 측정

플러스 노트

● **눈금실린더 읽는 방법**

* 눈의 높이가 액체의 표면과 수평이 되도록 한 다음, 최소 눈금의 1/10까지 어림하여 읽는다.
* 물과 같이 표면이 오목한 경우는 아랫부분을 읽고, 수은과 같이 표면이 볼록한 경우는 윗부분을 읽는다.

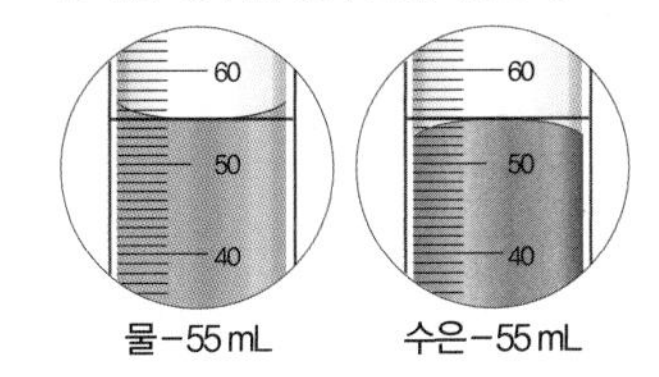

물-55 mL　　수은-55 mL

● **질량과 무게(=중량)**

* 질량은 측정하는 장소에 관계없이 항상 일정하지만, 무게는 물체에 작용하는 중력의 크기이므로 중력의 크기가 달라지면 그 값이 달라진다.
* 달에서의 질량=지구에서의 질량
* 달의 중력=지구의 중력×$\frac{1}{6}$
* 달에서의 무게=지구에서의 무게×$\frac{1}{6}$

● **전자 저울**

전자 저울은 무게를 측정하는 도구이지만, 우리가 사용하는 전자 저울은 무게와 질량의 값이 같도록 조절된 것이므로 질량을 측정하는 데에도 이용한다.

ⓐ 부피 ⓑ 않는

Ⅳ 물질의 특성

C 밀도-세기 성질

1 ⓐ______ : 단위 부피에 대한 물체의 질량

$$밀도 = \frac{질량}{부피} \quad (단위 : g/mL,\ g/cm^3,\ kg/m^3)$$

2 질량-부피 그래프 해석

① 그래프의 기울기 $= \frac{질량}{부피} =$ 밀도

② 기울기가 같으면 밀도가 같으므로 ⓑ______ 물질이다.

③ 기울기가 클수록 밀도가 ⓒ______ 다.

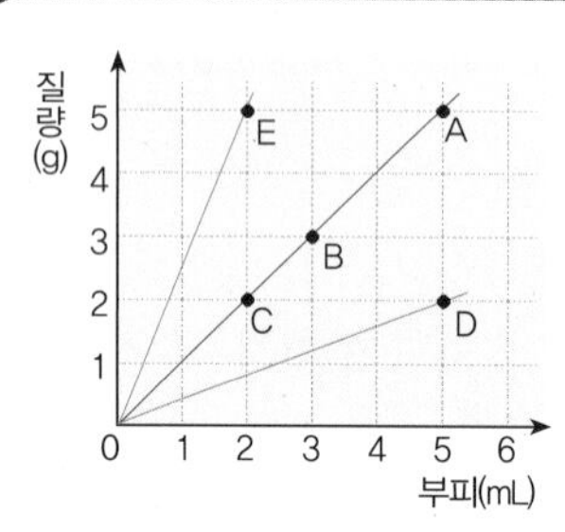

A : $\frac{5\,g}{5\,mL} = 1\,g/mL$　　B : $\frac{3\,g}{3\,mL} = 1\,g/mL$

C : $\frac{2\,g}{2\,mL} = 1\,g/mL$　　D : $\frac{2\,g}{5\,mL} = 0.4\,g/mL$

E : $\frac{5\,g}{2\,mL} = 2.5\,g/mL$

- 질량 : C = D < B < A = E
- 부피 : C = E < B < A = D
- 밀도 : D < A = B = C < E
- A, B, C는 밀도가 같으므로 ⓓ______ 물질이다.
- A~E 중 물질의 종류는 ⓔ______ 가지이다.
- 물(1 g/mL)에 넣으면 D는 뜨고, E는 가라앉는다.

3 밀도의 특징

① 물질의 양에 관계없이 ⓕ______ 하다.

② 물질의 종류에 따라 다르므로 물질을 구별할 수 있는 물질의 특성이다.

➡ 물질을 이루는 입자의 종류와 입자의 배열 상태가 다르기 때문이다.

4 밀도의 변화

① 온도와 압력에 따른 변화 : 기체의 밀도는 온도와 압력을 함께 나타낸다.

구분	고체	액체	기체
온도	온도가 높아지면 부피가 약간 증가한다. ➡ 밀도 약간 감소		온도가 높아지면 부피가 크게 증가한다. ➡ 밀도 ⓖ______
압력	압력에 의한 부피 변화가 거의 없다. ➡ 밀도 변화 없음		압력이 커지면 부피가 크게 감소한다. ➡ 밀도 ⓗ______

플러스 노트

● 여러 가지 물질의 밀도

물질	밀도(g/cm^3)
철	7.8
얼음(0 ℃)	0.92
물(4 ℃)	1.0
식용유	0.93
공기	0.0012
메테인(25 ℃, 1기압)	0.000665
프로페인(25 ℃, 1기압)	0.00183
산소(25 ℃, 1기압)	0.00008
수소(25 ℃, 1기압)	0.0014

용어풀이

밀도(빽빽할 密, 법도 度) : 물질의 질량을 부피로 나눈 값

정답

ⓐ 밀도 ⓑ 같은 ⓒ 크 ⓓ 같은
ⓔ 3 ⓕ 일정 ⓖ 감소 ⓗ 증가

② 상태에 따른 비교

구분	부피	밀도
대부분 물질	ⓐ ____ < 액체 ≪ 기체	기체 ≪ 액체 < ⓑ ____
물	ⓒ ____ < 얼음 ≪ 수증기	수증기 ≪ 얼음 < ⓓ ____
	예 얼음을 물에 넣으면 밀도가 작은 얼음이 물에 뜬다.	

5 밀도의 비교

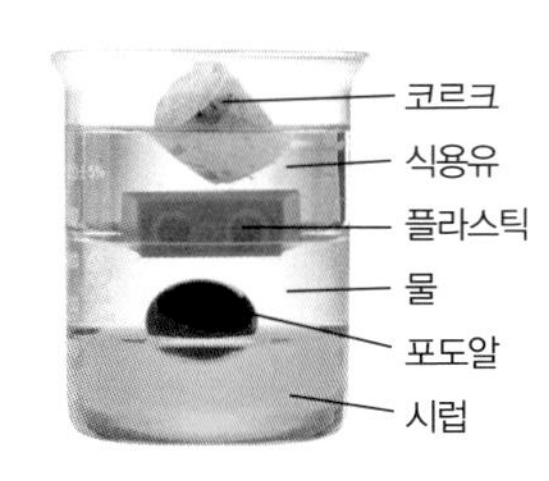

① 밀도가 작은 물질은 위로 뜨고, 밀도가 큰 물질은 아래로 가라앉는다.

② 밀도 비교 : 코르크<식용유<플라스틱<물<포도알<시럽

6 밀도와 관련된 현상의 예

① 사해에서는 사람이 물 위에 잘 뜬다.

② 헬륨이 든 풍선은 위로 떠오른다.

③ 드라이아이스를 사용하면 흰 연기가 바닥으로 퍼진다.

④ 가스누출경보기를 설치할 때 도시가스(LNG, 메테인)는 천장에 가깝도록, 액화석유가스(LPG, 프로페인과 뷰테인)는 바닥에 가깝도록 설치한다.

⑤ 에어컨은 위쪽에, 온풍기는 아래쪽에 설치한다.

⑥ 열기구 내부의 공기를 가열하면 열기구가 점점 하늘 높이 떠오른다.

더 알아보기

[아르키메데스의 유레카]

고대 그리스의 한 왕이 아르키메데스에게 자신의 왕관이 순금으로 만들어졌는지 아니면 다른 물질이 섞여 있는지 확인하라는 과제를 제시하였다. 아르키메데스는 왕관과 왕관과 같은 질량의 순금 덩어리를 각각 물이 가득 든 그릇에 넣어 넘친 물의 양이 다른 것을 보고 왕관이 순금이 아닌 것을 밝혀냈다.

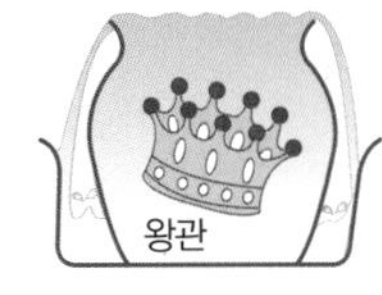

① 넘친 물의 부피 : 순금<왕관

➡ 질량이 같을 때 넘친 물의 양이 많을수록 부피가 크므로 밀도는 작다. 따라서 왕관은 순금보다 밀도가 작다.

② 왕관의 밀도가 순금보다 작으므로, 왕관에 순금보다 밀도가 작은 물질(은)이 섞여 있음을 알 수 있다.

③ 만약 왕관이 순금이라면 넘친 물의 양이 같아야 한다.

플러스 노트

● **물의 온도에 따른 부피와 밀도 변화**

* 4 ℃일 때 물의 부피가 가장 작으므로 밀도가 가장 크다.
* 0 ℃ 이하로 내려가 얼음이 되면 부피가 증가하기 때문에 얼음이 물보다 밀도가 작아져서 물 위에 뜬다.

● **가스누출경보기**

LPG 가스누출경보기는 바닥에서 30 cm 위로 설치해야 하고, LNG 가스누출경보기는 천장에서 30 cm 아래로 설치해야 한다.

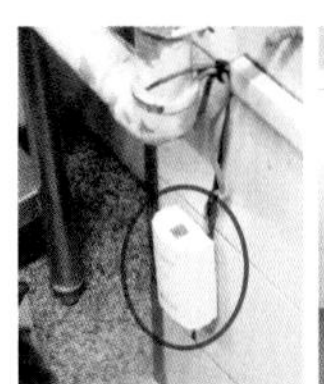

▲ 급식실 바닥의 LPG 가스누출경보기

▲ 주방 천장의 LNG 가스누출경보기

정답

ⓐ 고체 ⓑ 고체 ⓒ 물
ⓓ 물

01 다음 중 크기 성질에 해당하는 것 2개는?

① 길이 ② 밀도
③ 질량 ④ 온도
⑤ 용해도

중요

02 다음 중 크기 성질과 세기 성질에 대한 설명으로 옳지 않은 것은?

① 물질의 양에 따라 측정한 값이 달라지는 성질은 크기 성질이다.
② 물질의 양에 관계없이 측정한 값이 일정한 성질은 세기 성질이다.
③ 부피와 에너지는 크기 성질이고, 끓는점과 비열은 세기 성질이다.
④ 대부분의 크기 성질은 물질의 특성이 될 수 있다.
⑤ 세기 성질 중 밀도와 용해도는 물질의 특성이다.

03 다음 중 물질의 특성에 대한 설명으로 옳지 않은 것은?

① 물질의 종류를 구별할 수 있다.
② 물질의 양에 관계없이 일정하다.
③ 그 물질만이 가지는 고유한 성질이다.
④ 밀도, 녹는점, 끓는점, 용해도 등이 있다.
⑤ 온도는 물질의 고유한 양으로 물질의 특성이 된다.

04 다음 〈보기〉 중 질량과 부피에 관한 설명으로 옳은 것을 모두 고른 것은?

보기
ㄱ 질량의 단위에는 mg, g, kg 등이 있다.
ㄴ 질량은 윗접시저울로 측정한다.
ㄷ 부피의 단위에는 mL, L 등이 있다.
ㄹ 부피는 눈금실린더로 측정한다.

① ㄱ, ㄷ ② ㄴ, ㄹ
③ ㄱ, ㄴ, ㄷ ④ ㄴ, ㄷ, ㄹ
⑤ ㄱ, ㄴ, ㄷ, ㄹ

05 다음 중 부피와 부피 측정에 대한 설명으로 옳지 않은 것은?

① 부피는 물체가 차지하는 공간의 크기이다.
② 소금의 부피는 물이 든 눈금실린더에 넣었을 때 늘어난 물의 부피이다.
③ 직육면체 모양인 물체의 부피는 자로 길이를 측정하여 부피를 계산한다.
④ 에탄올과 같은 액체는 눈금실린더를 이용하여 부피를 측정한다.
⑤ 모양이 불규칙한 물체의 부피는 물에 넣어 늘어난 물의 부피로 구한다.

06 다음 중 밀도에 대한 설명으로 옳지 않은 것은?

① 단위는 g/cm^2이다.
② 기체의 밀도는 액체보다 작다.
③ 물질의 질량을 부피로 나눈 값이다.
④ 부피가 같을 때 무거울수록 밀도가 크다.
⑤ 기체의 밀도는 온도와 압력의 영향을 받는다.

07 다음 표는 여러 가지 물질의 밀도를 나타낸 것이다. 가로, 세로, 높이가 각각 1 cm, 2 cm, 2 cm인 어떤 물질의 질량이 35.6 g이였다. A~E 중 이 물질은?

물질	A	B	C	D	E
밀도(g/cm^3)	7.9	8.9	10.5	19.3	23.1

① A ② B ③ C
④ D ④ E

08 다음 표는 여러 물질의 부피와 질량을 측정한 값이다. 물에 넣었을 때 가라앉는 것끼리 묶은 것은? (단, 물의 밀도는 1 g/cm^{3}이다.)

물질	질량(g)	부피(cm^3)
A	85.0	100
B	75	5.0
C	75	50.0
D	6.5	10.0

① B, C ② B, D
③ A, B ④ C, D
⑤ A, D

09 다음은 일상생활에서 흔히 볼 수 있는 현상들이다. 바다 위에 떠 있는 빙산의 원리와 관계 없는 것은?

① 간장 위에 참기름이 뜬다.
② 강물은 표면에서부터 언다.
③ 프로페인 가스가 바닥에 가라앉는다.
④ 같은 부피의 물은 얼음보다 질량이 크다.
⑤ 높은 산에서 밥을 할 때는 냄비 위에 돌을 얹는다.

10 다음 그래프는 물질 (가)~(라)의 질량과 부피를 측정하여 얻은 결과를 그래프로 나타낸 것이다.

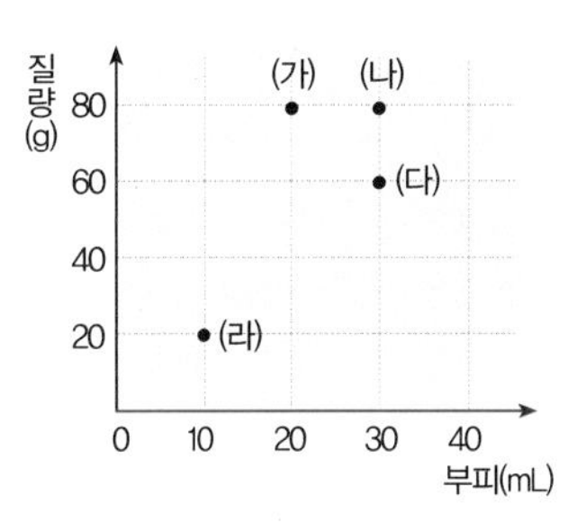

위 결과에 대한 설명으로 옳은 것은?

① (가)의 밀도가 (나)보다 작다.
② (나)의 밀도가 (다)보다 작다.
③ (가)와 (나)는 같은 물질이며 (나)의 크기가 더 크다.
④ (나)와 (다)는 같은 물질이며 (나)의 크기가 더 크다.
⑤ (다)와 (라)는 같은 물질이며 (다)의 크기가 더 크다.

11 다음 그래프는 온도에 따른 물의 밀도 변화를 나타낸 것이다. 이에 대한 설명으로 옳지 않은 것은?

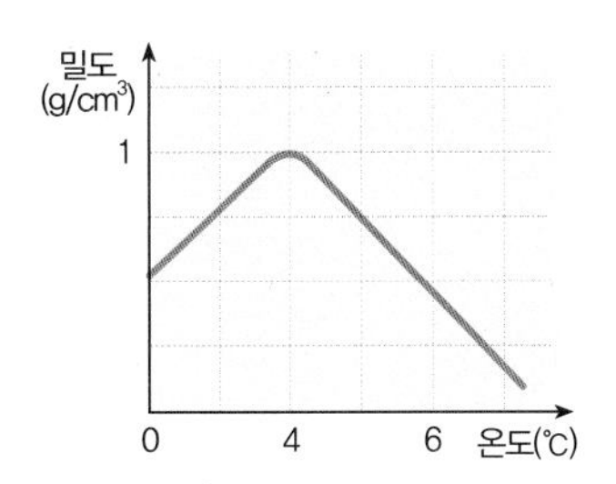

① 얼음이 융해될 때 부피가 증가한다.
② 같은 질량의 물은 4 ℃에서 부피가 가장 작다.
③ 4 ℃의 물이 얼어 얼음이 되면 부피가 증가한다.
④ 호수의 물이 위에서부터 어는 것을 설명할 수 있다.
⑤ 4 ℃ 물의 윗부분을 점차 냉각시키면 차가워진 물은 그릇의 위쪽으로 이동한다.

서술형으로 다지기

정답 ◆ 16p ◆

01 다음 〈보기〉는 물질의 여러 가지 성질을 나열한 것이다. 〈보기〉의 성질들을 물질의 양에 따라 변하는 성질과 물질의 양에 따라 변하지 않는 성질로 분류하시오.

> **보기**
>
> 질량, 밀도, 부피, 녹는점, 용해도,
> 비열, 끓는점, 길이, 전기 저항

02 다음 그림은 수조 안에 길이가 서로 다른 양초를 넣은 다음, 불을 붙이고 드라이아이스를 넣어 둔 모습이다. 양초가 꺼지는 순서를 이유와 함께 서술하시오.

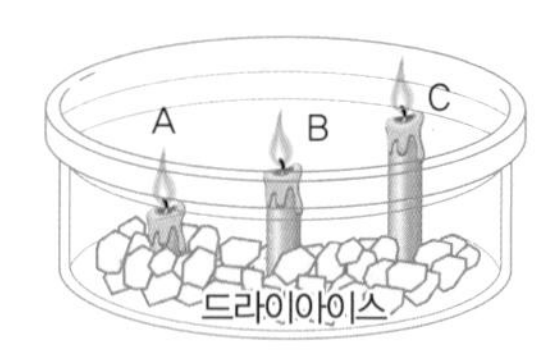

03 다음은 여러 가지 물질의 부피와 질량을 나타낸 그래프이다. A~E 중 같은 물질을 찾고, 그렇게 생각한 이유를 서술하시오.

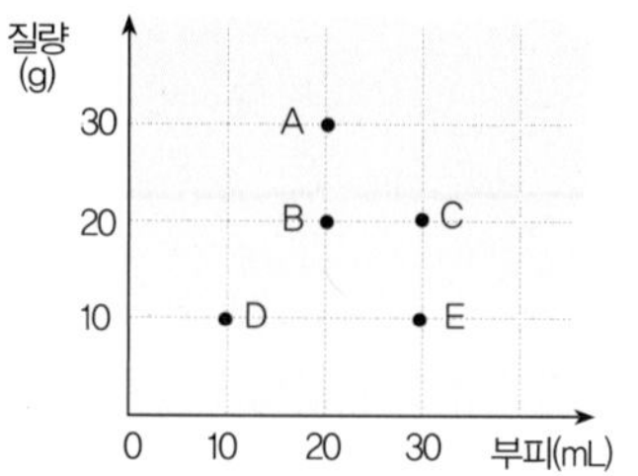

논술형

04 다음 그림은 아르키메데스가 왕관과 같은 질량의 순금과 순은을 준비한 후 물이 가득 든 항아리에 각각을 넣었을 때 넘친 물의 부피를 나타낸 것이다. 왕관이 순금인지 아닌지, 이유와 함께 서술하시오.

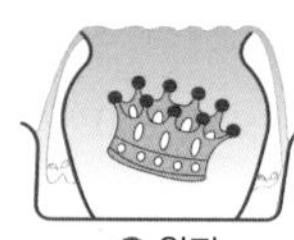
왕관

순금

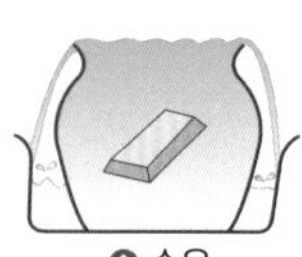
순은

정답 ◆ 17p ◆

STEAM 다양한 얼음 결정 구조

뜨거운 여름, 물 위에 둥둥 띄운 얼음과 함께 마시는 냉수는 한여름 무더위를 한 방에 날려줄 정도로 시원하다. 그런데 '얼음이 물에 뜬다'는 당연한 사실이 자연에서는 아주 특이한 현상이다. 대부분의 물질은 고체가 액체보다 무거워 가라앉기 때문이다.

물은 얼면서 부피가 9 % 늘어난다. 물 분자의 결정 구조가 육각형으로 바뀌면서 물보다 분자들 사이의 거리가 멀어져 밀도가 낮아지므로 물에 뜬다. 자연에서 볼 수 있는 얼음의 결정 구조는 육각형뿐이다. 그런데 실험실이나 특수한 상황에서는 다양한 결정 구조를 가진 얼음을 만들 수 있다. 지금까지 발견한 얼음의 결정 구조는 20가지나 된다. 이들 중에는 오각형 결정 구조의 얼음처럼 밀도가 물보다 높아 가라앉는 얼음도 있다.

빙하는 육지 넓이의 11 %를 덮고 있으며, 육지에 존재하는 물 부피의 70 %를 차지한다. 전체 빙하 중 89.7 %는 남극 대륙에, 9.8 %는 그린란드와 북극 지역에 있다. 북극 바다는 평균 2~3 m 두께의 바다 얼음으로 덮여 있고, 면적은 약 1,400만 m^2로 지구 바다의 3 %를 차지한다.

1970년대부터 인공위성을 통해 관측된 북극 바다의 얼음은 10년마다 3 %씩 줄어들고 있고, 33년 만에 북극해 얼음이 절반 이상 녹았다는 조사 결과가 나왔다. 지금 같은 상태가 계속 이어질 경우 앞으로 약 100년 안에 북극에서 얼음이 완전히 사라질 수 있다는 연구 결과가 나온 바 있다.

북극 얼음은 태양열을 반사시키는 얼음 모자 역할을 한다. 따라서 북극 얼음이 줄면 그만큼 태양열이 바다로 흡수돼 바닷물의 온도가 올라간다. 북극 얼음이 줄어들면서 이상 고온 현상이나 홍수 등 기상이변이 지구촌 곳곳에서 일어나고 있다.

◎ 1979년 북극 빙하

◎ 2005년 북극 빙하

01

왼쪽 그림처럼 물에 떠 있는 얼음이 모두 녹아도 물의 양은 변하지 않는다. 그러나 빙하가 녹으면 해수면이 상승한다. 그 이유를 서술하시오.

02

왼쪽 사진은 독한 술에 얼음을 넣은 모습이다. 얼음이 가라앉는 이유를 술과 얼음의 밀도를 바탕으로 서술하시오.

가라앉는 얼음

Ⅳ 물질의 특성

물질만의 고유한 성질– 녹는점, 어는점, 끓는점, 용해도

11 물질의 특성(2)

플러스 노트

A 녹는점과 어는점–세기 성질

1 녹는점과 어는점

녹는점	어는점
고체가 가열되어 액체로 변하는 온도	액체가 냉각되어 고체로 변하는 온도
온도 / 녹는점 / 고체 / 고체+액체 / 액체 / 가열 시간	온도 / 어는점 / 액체 / 액체+고체 / 고체 / 냉각 시간
• 고체의 가열 곡선에서 일정하게 유지되는 온도를 녹는점이라고 한다. • 고체 상태와 액체 상태가 같이 존재한다. • 녹는 동안 흡수한 열은 모두 ⓐ ____ 변화(=융해)하는 데 쓰이기 때문에 녹는점에서는 온도가 일정하다.	• 액체의 냉각 곡선에서 일정하게 유지되는 온도를 어는점이라고 한다. • 액체 상태와 고체 상태가 같이 존재한다. • 어는 동안 응고열이 ⓑ ____ 되기 때문에 어는점에서는 온도가 일정하다.

● 여러 가지 물질의 녹는점

물질	녹는점(℃)
산소	−128.4
에탄올	−117.3
수은	−38.9
물	0
구리	1085
철	1535

2 녹는점과 어는점 특징

① 녹는점과 어는점에서는 고체 상태와 액체 상태가 함께 존재한다.

② 물질의 종류에 따라 녹는점과 어는점이 다르다.

③ 같은 종류의 순물질은 녹는점과 어는점이 항상 ⓒ ____ 다.

④ 물질의 양과 관계없이 그 값이 일정한 ⓓ ____ 성질로, 물질의 특성이다.

물질의 양과 녹는점과 어는점	물질의 종류와 녹는점

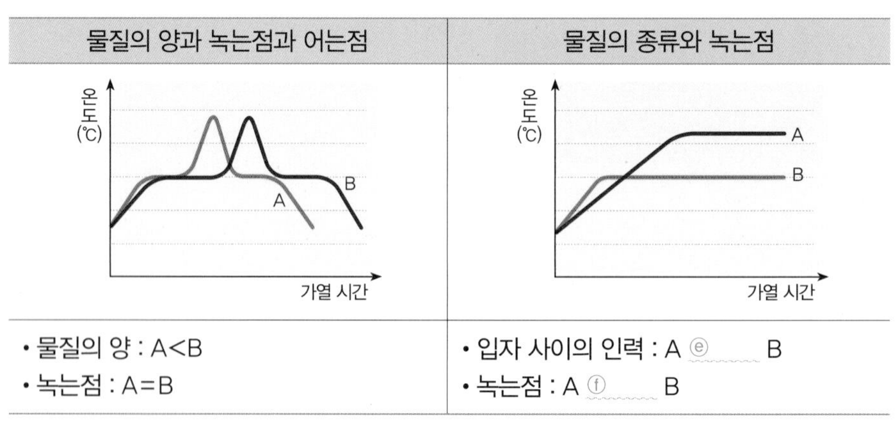

물질의 양과 녹는점과 어는점	물질의 종류와 녹는점
• 물질의 양 : A<B • 녹는점 : A=B	• 입자 사이의 인력 : A ⓔ ____ B • 녹는점 : A ⓕ ____ B

● 혼합물의 어는점

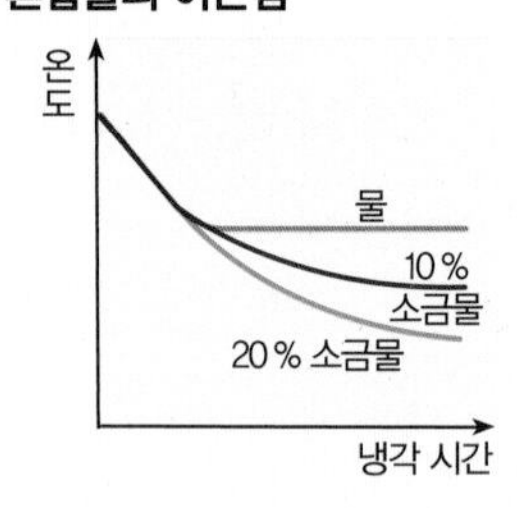

혼합물의 농도가 진할수록 어는점이 낮아진다.

3 생활 속에서 녹는점을 이용하는 예

① 녹는점이 높아야 하는 경우 : 조리 기구, 우주 왕복선, 소방관 방화복 등

② 녹는점이 낮아야 하는 경우 : 퓨즈, 땜납, 플라스틱의 재활용 등

정답

ⓐ 상태 ⓑ 방출 ⓒ 같 ⓓ 세기 ⓔ > ⓕ >

B 끓는점-세기 성질

1 끓는점

① 끓는점 : 액체가 가열되어 액체 내부에서 기체로 변하는 온도

② 액체의 가열 곡선에서 일정하게 유지되는 온도를 끓는점이라고 한다.

③ 액체와 기체가 같이 존재한다.

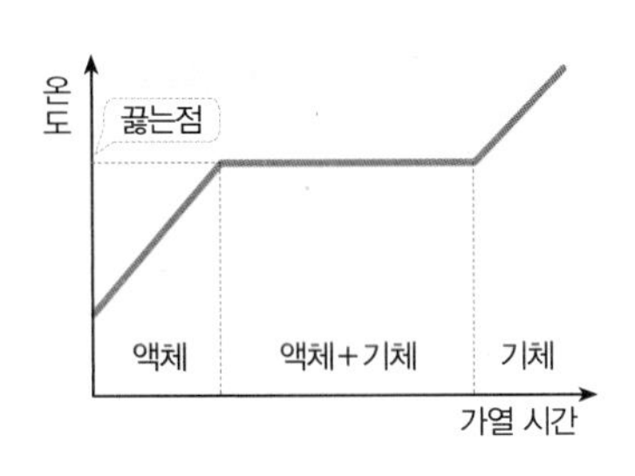

2 끓는점 특징

① 끓는 동안 흡수한 열은 모두 ⓐ ______ 변화(=기화)하는 데 쓰이기 때문에 끓는점에서는 온도가 일정하다.

② 물질의 양과 관계없이 그 값이 일정한 ⓑ ______ 성질로, 물질의 특성이다.

③ 물질을 이루는 입자 사이의 인력이 강할수록 끓는점이 높다.

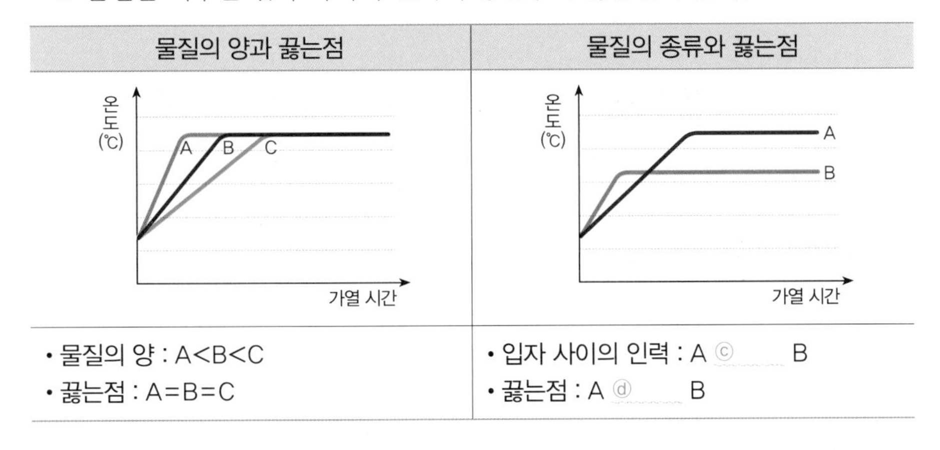

물질의 양과 끓는점	물질의 종류와 끓는점
• 물질의 양 : A<B<C • 끓는점 : A=B=C	• 입자 사이의 인력 : A ⓒ ______ B • 끓는점 : A ⓓ ______ B

3 압력에 따른 끓는점

① 외부 압력이 높아지면 끓는점이 ⓔ ______ 진다.

예 압력 밥솥에 밥을 지으면 밥이 더 빨리 된다.

② 외부 압력이 낮아지면 끓는점이 ⓕ ______ 진다.

예 높은 산에서 밥을 지으면 밥이 설익는다.

C 온도와 물질의 상태

1 상온(20~25 ℃)에서 물질의 상태 : 녹는점(어는점)과 끓는점에 의해서 결정된다.

2 물질의 상태

① 고체 : 상온<녹는점<끓는점

② 액체 : 녹는점<상온<끓는점

③ 기체 : 녹는점<끓는점<상온

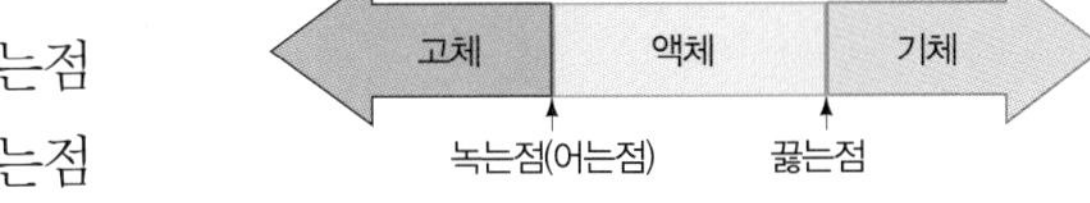

플러스 노트

● **여러 가지 물질의 끓는점(1기압)**

물질	끓는점(℃)
산소	-183
뷰테인	-0.5
에탄올	78.2
물	100
구리	2562
금	2856

● **혼합물의 끓는점**

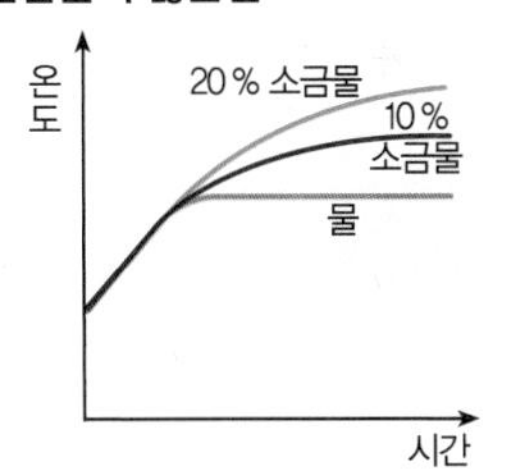

혼합물의 농도가 진할수록 끓는점이 높아진다.

● **압력에 의한 끓는점 변화**

둥근 바닥 플라스크에 물을 넣고 끓인 후, 잠시 식힌 다음 마개를 막고 플라스크를 뒤집어 윗부분에 찬물을 부으면 100 ℃보다 낮은 온도에서 물이 다시 끓기 시작한다. 수증기가 액화되면서 플라스크 내부의 압력이 낮아져 물의 끓는점이 낮아지기 때문이다.

찬물

ⓐ 상태 ⓑ 세기 ⓒ > ⓓ > ⓔ 높아 ⓕ 낮아

D 용해와 용액

1 용해와 용액

① ⓐ ______ : 다른 물질에 녹는 물질

② ⓑ ______ : 다른 물질을 녹이는 물질

③ ⓒ ______ : 한 물질이 다른 물질에 녹아 균일하게 섞이는 현상

④ ⓓ ______ : 용매와 용질이 균일하게 섞여 있는 물질, 균일 혼합물

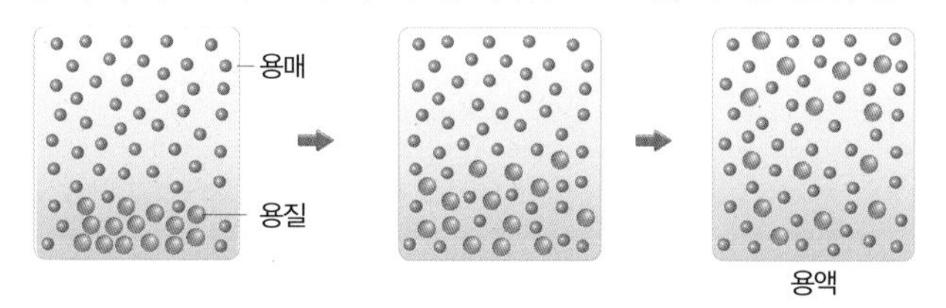

2 용해될 때 부피와 질량의 변화

부피	질량
큰 입자들 사이로 작은 입자가 채워지기 때문에 용액의 부피는 ⓔ ______ 한다.	입자 전체 개수는 변하지 않으므로 용액의 질량은 ⓕ ______ 하다.

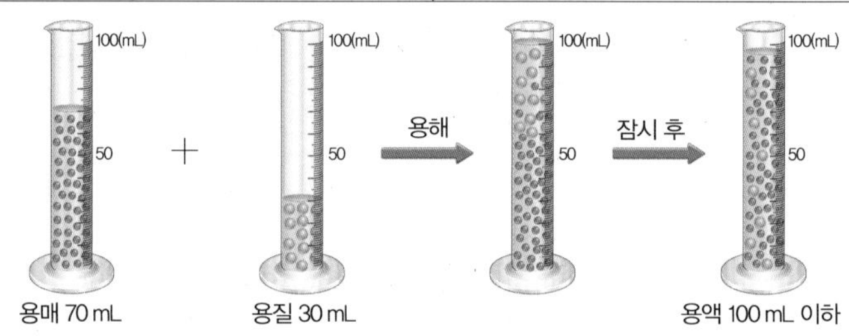

3 고체의 용해 속도를 빠르게 하는 방법

① 저어주거나 흔들어 준다.

② 용질의 표면적을 늘린다.

③ 용매의 온도를 높인다. ➡ 용매와 입자의 운동이 활발해져 잘 섞인다.

4 농도

① 농도 : 용액의 묽고 진한 정도로, 용액 속에 녹아 있는 용질의 양을 나타내며, 농도에 따라 맛, 색깔, 밀도, 녹는점, 끓는점 등이 달라진다.

② 퍼센트 농도(%) : 용액 100 g 속에 녹아 있는 용질의 g수를 백분율로 나타낸 값

$$\text{퍼센트 농도(\%)} = \frac{\text{용질의 질량(g)}}{\text{용액의 질량(g)}} \times 100$$

$$= \frac{\text{용질의 질량(g)}}{\text{용매의 질량(g)} + \text{용질의 질량(g)}} \times 100$$

플러스 노트

● **용액의 성질**

* 균일하게 섞여 있으므로 어느 부분을 취해도 용액의 성질은 같다.
* 대부분의 용액은 무색 투명하지만 색깔이 있는 투명한 용액도 있다.
* 오랫동안 놓아두어도 가라앉는 것이 없다.
* 용질 입자가 보이지 않고 거름종이로 걸러도 걸러지는 것이 없다.

용어풀이

용해(녹을 溶, 풀 解) : 녹거나 녹임

농도(짙을 濃, 법도 度) : 혼합 용액의 진하고 묽은 정도

ⓐ 용질 ⓑ 용매 ⓒ 용해
ⓓ 용액 ⓔ 감소 ⓕ 일정

E 용해도-세기 성질

1 용해도

① ⓐ ____ : 용매 100 g에 최대로 녹을 수 있는 용질의 g수

② 용해도는 일정한 온도, 같은 용매에서 물질의 종류마다 다르기 때문에 물질의 ⓑ ____ 이 될 수 있다.

2 용해도 곡선 : 온도에 따른 용해도 변화를 나타낸 그래프

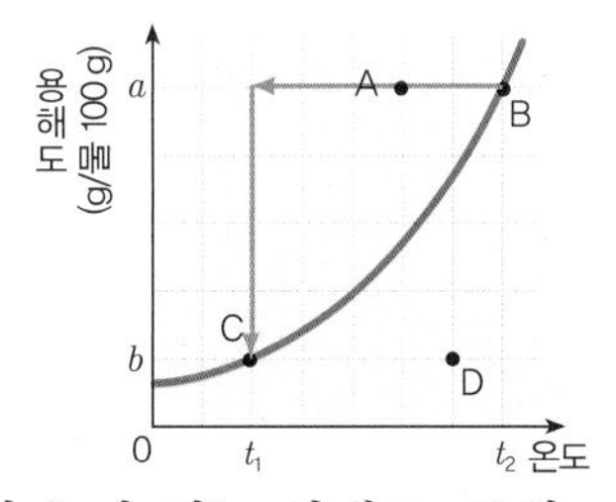

① B, C(ⓒ ____ 상태) : 용매에 용질이 최대한 녹아 있는 상태로 더 이상 용질이 녹을 수 없다.

② A(과포화 상태) : 용매에 용질이 포화 상태보다 많이 녹아 있는 상태로 매우 불안정하므로 자연 상태에서 존재하기 어렵다.

③ D(불포화 상태) : 용매에 용질이 포화 상태보다 덜 녹아 있는 상태로, 포화 상태까지 용질을 더 녹일 수 있다.

④ 냉각할 때 석출되는 용질의 양=처음 온도에서 녹아 있던 용질의 양
−냉각한 온도에서 최대로 녹을 수 있는 용질의 양

예 t_2의 포화 용액을 t_1으로 냉각할 때 석출되는 양$=a-b$

⑤ 용해도 곡선의 기울기가 급할수록 온도 변화에 따른 용해도 차이가 크다.
➡ 냉각할 때 석출되는 용질의 양이 ⓓ ____ 다.

3 고체의 용해도 : 일반적으로 온도가 증가하면 용해도가 ⓔ ____ 하고, 압력에는 거의 영향을 받지 않는다.

4 기체의 용해도 : 반드시 온도와 압력을 함께 표시해야 한다.

온도의 영향	압력의 영향
온도가 낮을수록 기체의 용해도 ⓕ ____	압력이 높을수록 기체의 용해도 ⓖ ____
A B 사이다 / 얼음물 · C D 실온의 물 · E F 50 ℃의 물	
• 기포 발생량 : A<C<E • 용해도 : A>C>E	• 기포 발생량 : A>B, C>D, E>F • 용해도 : A<B, C<D, E<F
• 더운 여름철에 물고기가 수면 위로 입을 내밀고 뻐끔거린다. • 수돗물을 끓이면 소독약 냄새가 없어진다.	• 탄산음료의 뚜껑을 따면 하얀 거품이 생긴다. • 심해에서 오랫동안 잠수한 후 갑자기 수면 위로 올라오면 잠수병에 걸릴 수 있다.

플러스 노트

● 고체 물질의 용해도 곡선

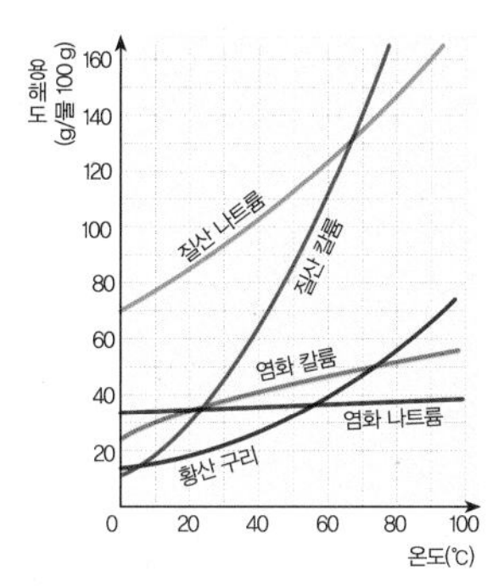

● 기체의 용해도 (g/물 100 g, 20 ℃, 1기압)

물질	용해도
수소	0.00016
산소	0.0043
이산화 탄소	0.169
암모니아	34.0
염화 수소	67.3

용어풀이

용해도(녹을 溶, 풀 解, 법도 度) : 용매 100 g에 녹을 수 있는 용질의 최대 g수

정답

ⓐ 용해도 ⓑ 특성 ⓒ 포화
ⓓ 많 ⓔ 증가 ⓕ 증가 ⓖ 증가

Ⅳ 물질의 특성

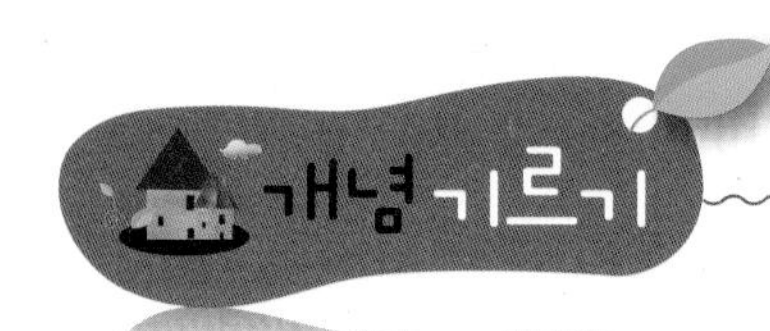

01 다음 중 순수한 어떤 물질의 녹는점, 어는점, 끓는점에 대한 설명으로 옳은 것은?

① 물질마다 끓는점이 같다.
② 고체의 양이 많을수록 녹는점이 높아진다.
③ 순물질의 어는점과 끓는점은 온도가 같다.
④ 액체를 냉각할 때 수평하게 나타나는 부분의 온도는 어는점이다.
⑤ 고체의 가열 곡선에서 온도가 일정하게 유지될 때의 온도를 끓는점이라고 한다.

02 다음 중 끓는점이 가장 낮은 물질은?

① 산소 ② 철
③ 구리 ④ 수은
⑤ 금

03 높은 산에서 밥을 하면 설익는 경우가 많다. 그 이유와 가장 관계 깊은 것은?

① 액체의 부피 ② 액체의 질량
③ 대기의 압력 ④ 가열 시간
⑤ 불꽃의 세기

04 금속 갈륨을 손바닥 위에 올려놓았더니 녹기 시작하였다. 이 현상을 통해 알 수 있는 갈륨의 특성은?

① 갈륨은 금속이 아니다.
② 상온에서 액체 상태이다.
③ 녹는점이 체온 정도로 낮다.
④ 갈륨 입자의 인력은 매우 크다.
⑤ 갈륨은 녹으면서 열을 방출한다.

중요

05 다음은 고체 파라-다이클로로벤젠의 가열·냉각 곡선이다. 이에 대한 설명으로 옳지 않은 것은?

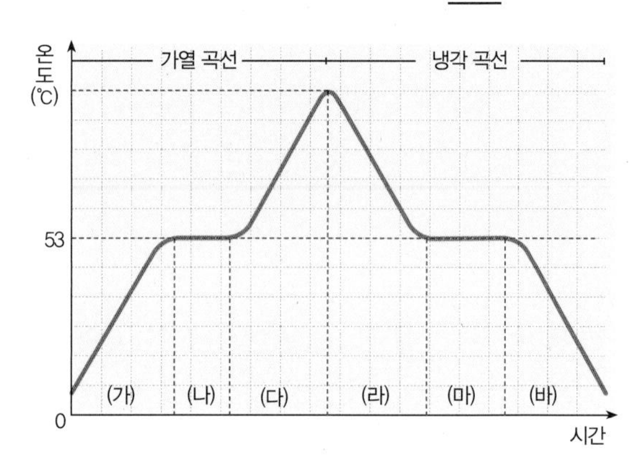

① 파라-다이클로로벤젠의 녹는점은 53 ℃이다.
② 파라-다이클로로벤젠은 순물질임을 알 수 있다.
③ 파라-다이클로로벤젠의 녹는점과 어는점은 같다.
④ 파라-다이클로로벤젠 입자가 가장 활발하게 움직이는 곳은 (다) 구간이다.
⑤ 가열·냉각 곡선에서 일정한 구간이 나타난 이유는 가열을 중단했기 때문이다.

06 다음 중 액체 A~D의 가열 곡선에 대한 설명으로 옳지 않은 것은?

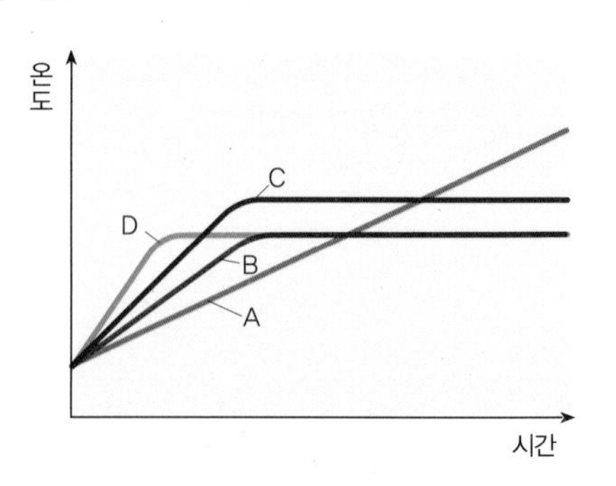

① B와 C는 다른 물질이다.
② B와 D는 같은 물질이다.
③ B는 D보다 질량이 크다.
④ A는 B보다 끓는점이 낮다.
⑤ 가장 먼저 끓기 시작하는 것은 D이다.

07 다음 중 용액에 대한 설명으로 옳은 것은?

① 용질의 형태가 보인다.
② 무색 투명하며 맛이 없다.
③ 오랫동안 놓아두면 용질이 가라앉는다.
④ 골고루 섞이지 않은 불균일 혼합물이다.
⑤ 한 용액에서는 어느 부분이나 성질이 같다.

08 물 150 g에 설탕 50 g이 녹아 있다. 이 용액의 % 농도는?

① 5 %　　② 10 %
③ 15 %　　④ 20 %
⑤ 25 %

09 시험관에 사이다를 넣고 아래 그림과 같이 장치하였을 때 기포의 양이 가장 많은 시험관과 가장 작은 시험관을 바르게 짝지은 것은?

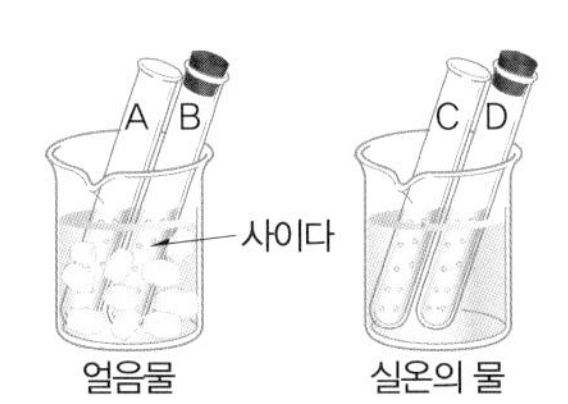

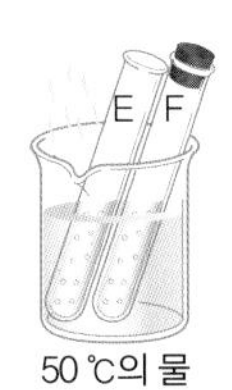

① E−B　　② A−F
③ B−D　　④ E−A
⑤ F−A

10 다음 그래프는 어떤 고체 물질의 용해도 곡선을 나타낸 것이다. 그래프의 A~D의 상태에 있는 용액 중 포화 상태인 것끼리 바르게 짝지은 것은?

① A, B
② A, C
③ A, D
④ B, C
⑤ B, D

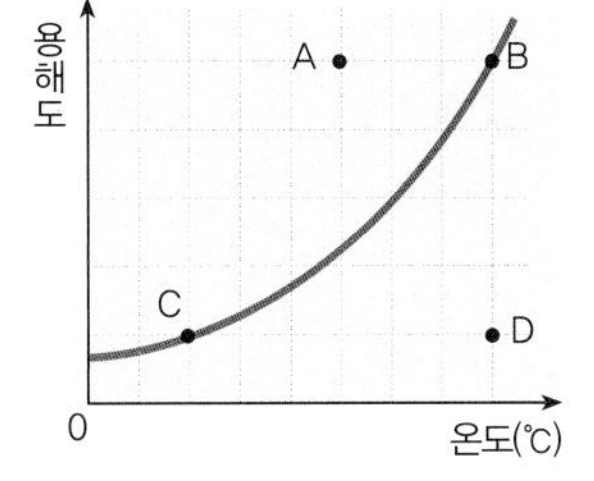

중요

11 다음은 여러 가지 물질의 용해도 곡선을 나타낸 것이다. 그래프에 대한 설명으로 옳지 <u>않은</u> 것은?

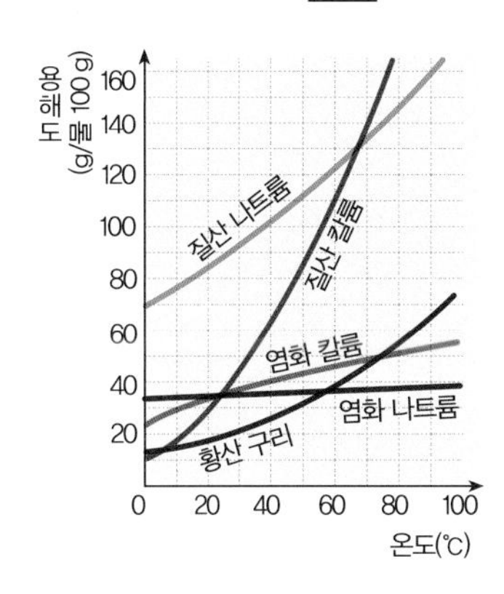

① 곡선 위의 모든 점은 포화 상태이다.
② 일반적으로 온도가 높아지면 고체의 용해도가 증가한다.
③ 60 ℃에서 포화 상태인 질산 칼륨 수용액의 질량은 110 g이다.
④ 60 ℃에서 농도가 가장 진한 포화 용액은 질산나트륨 포화 수용액이다.
⑤ 각 수용액을 80 ℃에서 20 ℃로 낮추었을 때 가장 많이 석출되는 물질은 질산 칼륨이다.

12 다음은 어떤 물질의 온도와 압력에 따른 용해도 변화를 나타낸 것이다.

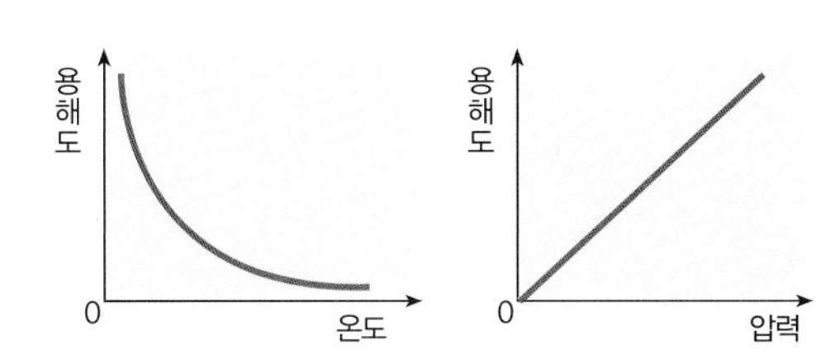

위 그래프와 같은 결과가 나타나는 물질은?

① 설탕　　② 철
③ 산소　　④ 알코올
⑤ 물

서술형으로 다지기

정답 ◆ 18p ◆

01 다음은 액체 물질 A~C를 같은 세기의 불꽃으로 가열하여 얻은 결과이다. 이 중 같은 물질로 예상되는 것을 고르고, 그렇게 생각한 이유를 서술하시오.

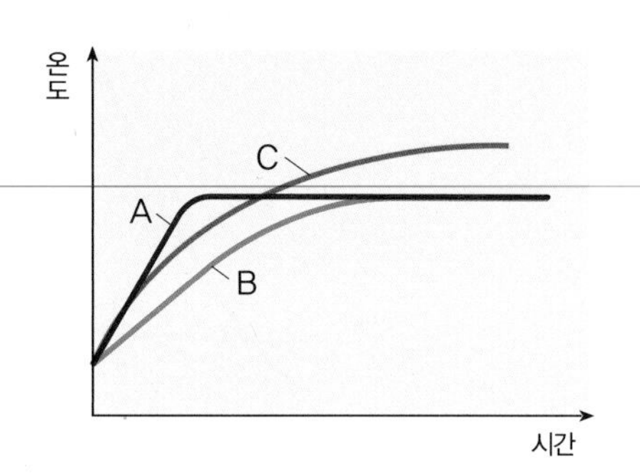

02 탄산음료의 톡 쏘는 맛은 이산화 탄소가 용해되어 있기 때문이다. 탄산음료 속에 이산화 탄소를 많이 녹일 수 있는 방법을 서술하시오.

03 다음은 온도에 따른 질산 칼륨의 용해도를 나타낸 것이다.

온도(℃)	20	40	60	80	100
용해도	32	64	110	169	246

60 ℃의 물 100 g에 질산 칼륨 100 g을 완전히 녹인 후 이 용액을 40 ℃로 냉각했을 때 석출되는 질산 칼륨의 양을 풀이 과정과 함께 서술하시오.

논술형

04 압력 밥솥으로 밥을 지으면 일반 밥솥이나 냄비에 밥을 짓는 것보다 쌀이 빨리 익는다. 그 이유를 서술하시오.

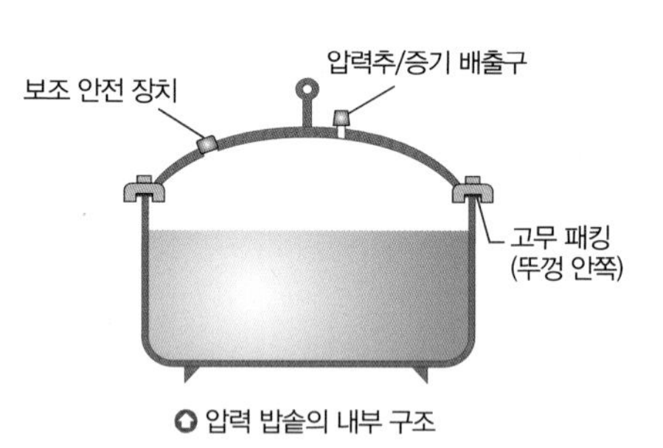

⊙ 압력 밥솥의 내부 구조

융합사고력 키우기

정답 ◆ 18p ◆

STEAM 잠수사를 위협하는 잠수병, 원인은?

2010년 3월 30일 천안함의 실종 승조원 구조 작업에 투입된 해군 UDT 소속 한주호 준위가 구조 작업 중 실신해 끝내 순직했다. 사망 원인은 잠수병이였다.
잠수에는 취미 생활로 즐기는 레저 잠수와 깊은 바다에서 오랫동안 작업을 해야 하는 산업 잠수가 있다. 깊은 바다 속에서 수색이나 시설물의 설치 및 보수 등의 작업을 해야 하는 잠수부들은 공기통을 통해 공기를 마신다. 이들이 마시는 공기의 성분은 주로 질소와 산소로 구성된 혼합 기체다. 일정량의 공기 중에 산소 약 21 %, 질소 약 79 %가 들어 있으며, 잠수병을 일으키는 가장 큰 원인은 질소이다.
호흡에 의해 인체로 공급된 공기 가운데 산소는 혈액을 따라 조직에 공급되어 신진대사에 사용된다. 그러나 질소는 에너지 대사에 관여하지 않기 때문에 다시 호흡에 의해 몸 밖으로 배출된다. 그러나 깊이 잠수하면 압력이 높아져 더 많은 질소가 체내의 조직으로 녹아 들어가고, 수심이 깊어지고 잠수 시간이 길어질수록 더욱 많은 양의 질소가 체내에 축적되어 과포화 상태가 된다. 이렇게 축적된 질소가 제대로 배출된다면 전혀 문제가 없다. 하지만 깊은 수심에서 장시간 잠수한 후에 빠른 속도로 상승하면 질소가 원활하게 배출되지 못하면서 신체 조직 내에서 기포가 형성되고, 이 기포들이 잠수병의 원인이 된다. 잠수병을 예방하려면 계획적인 잠수를 해서 체내에 녹아 있는 질소를 잘 배출해야 한다. 전문 잠수사의 경우, 분당 9 m의 속도로 천천히 상승하는 것을 습관화하고 있다.

01 장시간 잠수한 후에 빠른 속도로 상승을 하게 되면 잠수병이 나타나는 원인을 서술하시오.

잠수병

02

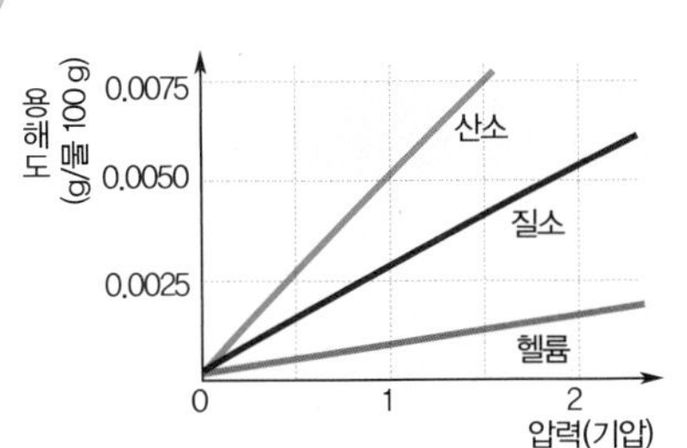

잠수부들은 잠수병과 함께 질소 마취도 고려해야 한다. 물속 깊이 잠수해 내려갈수록 질소가 인체에 마취 작용을 일으켜, 정신이 흐려지며 올바른 판단을 내릴 수 없게 된다. 일반적으로 수심 30 m 이하에서 질소 마취가 시작되므로, 질소 마취에 걸리면 30 m 이내 수심으로 올라와야 한다. 왼쪽 그래프를 바탕으로 질소 마취를 줄일 수 있는 방법을 추리하시오.

밀도와 끓는점 차를 이용한

12 혼합물의 분리(1)

플러스 노트

● 거름 장치

● 볍씨 고르기
15 % 정도의 소금물에 볍씨를 넣고 저어주면 쭉정이가 떠오른다. 만약 소금물의 농도가 15 %보다 크다면 속이 꽉 찬 좋은 볍씨도 함께 떠오른다.

● 오래된 달걀이 소금물에 뜨는 이유
달걀 안에는 미세한 구멍이 있고 이 구멍을 통해 수분이 증발한다. 오래된 달걀일수록 내부의 수분이 많이 증발하여 달걀 내부의 공기집이 커져 밀도가 작아지므로 소금물 위에 뜬다.

용어풀이

사금(모래 沙, 쇠 金) : 자연 금의 한 형태로 금이 풍화 침식되어 미세한 작은 입자로 되어 있는 것

ⓐ 거름 ⓑ 중간 ⓒ 녹이지

A 혼합물의 분리

1 혼합물의 분리 : 물질의 특성을 이용하여 각 성분 물질을 분리한다.

2 혼합물 분리에 이용되는 물질의 특성
: 입자의 크기, 밀도, 용해도, 끓는점, 용매에 대한 이동 속도 차이 등

B 입자 크기 차를 이용한 혼합물의 분리

1 체 : 크기가 다른 고체 알갱이가 섞인 혼합물이나 액체에 녹지 않고 섞여 있는 고체를 분리한다.

2 ⓐ ______ 장치 : 액체 중에 앙금 상태로 있는 고체 혼합물인 경우 거름종이로 액체를 여과시켜 고체 혼합물만 분리한다.

C 밀도 차를 이용한 혼합물의 분리

1 고체 혼합물의 분리 : 두 성분 물질의 ⓑ ______ 정도의 밀도를 가지면서 성분 물질들을 ⓒ ______ 않는 액체에 넣어 분리한다.

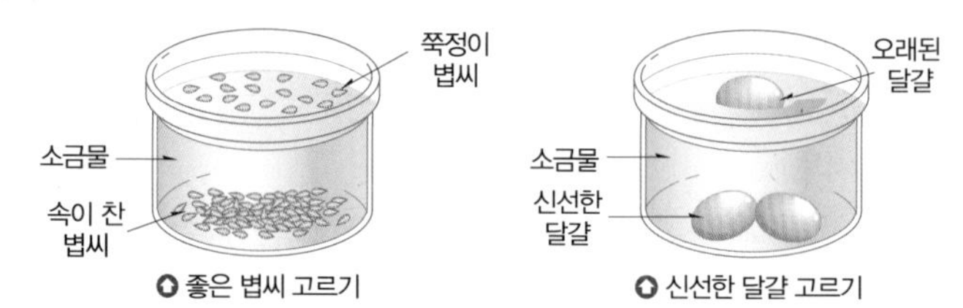

⊙ 좋은 볍씨 고르기　⊙ 신선한 달걀 고르기

① **좋은 볍씨 고르기** : 볍씨를 소금물에 넣으면 속이 빈 쭉정이는 물 위로 뜨고, 속이 찬 볍씨는 가라앉는다. ➡ 밀도 : 쭉정이<소금물<좋은 볍씨

② **신선한 달걀 고르기** : 달걀을 소금물에 넣으면 오래된 달걀은 물 위로 뜨고, 신선한 달걀은 아래로 가라앉는다.
➡ 밀도 : 오래된 달걀<소금물<신선한 달걀

③ **플라스틱 조각의 분리** : 플라스틱 조각 혼합물을 에탄올 수용액에 넣으면 밀도가 다른 물질들이 각각 분리된다.
➡ 밀도 : 밀도가 작은 플라스틱<에탄올 수용액<밀도가 큰 플라스틱

④ **쌀에서 돌 고르기** : 쌀을 물에 넣고 흔들면 돌은 아래로 가라앉고, 쌀은 물 위로 뜨기 때문에 조리질로 분리할 수 있다. ➡ 쌀<돌

⑤ **모래 속의 사금 채취** : 사금이 섞인 모래를 쟁반에 담아 물속에서 흔들면 금은 가라앉고 모래는 씻겨 나간다. ➡ 밀도 : 모래<금

⑥ **풍구** : 풍구 위쪽에 곡물을 넣고 바람을 일으키면 쭉정이는 날아가고, 알곡은 밑으로 분리된다. ➡ 밀도 : 쭉정이<알곡

2 액체 혼합물의 분리 : 두 액체가 서로 섞이지 않고 밀도가 다른 경우 분리

➡ 밀도가 ⓐ ______ 액체는 아래로 가라앉고, 밀도가 ⓑ ______ 액체는 위로 뜬다.

① ⓒ ______________ : 액체의 양이 많을 때 사용하며, 아래층의 액체를 먼저 분리한다.

혼합물	물과 식용유	물과 에테르	물과 수은	물과 사염화 탄소	간장과 참기름
위층	식용유	에테르	물	물	참기름
아래층	물	물	수은	사염화 탄소	간장

② 스포이트 : 액체의 양이 적을 때 사용하며, 위층의 액체를 먼저 분리한다.

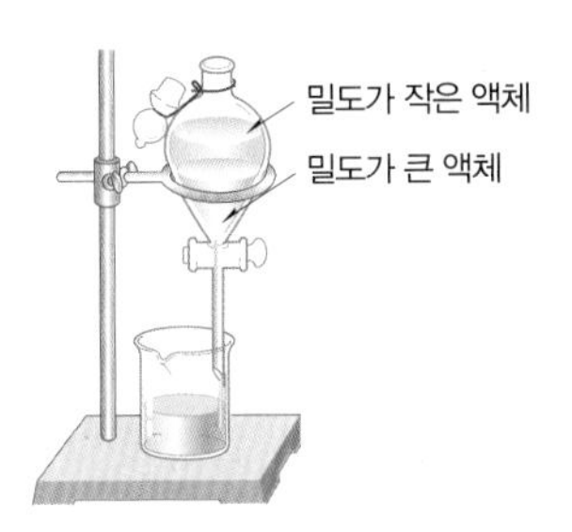

○ 분별 깔때기를 이용한 분리

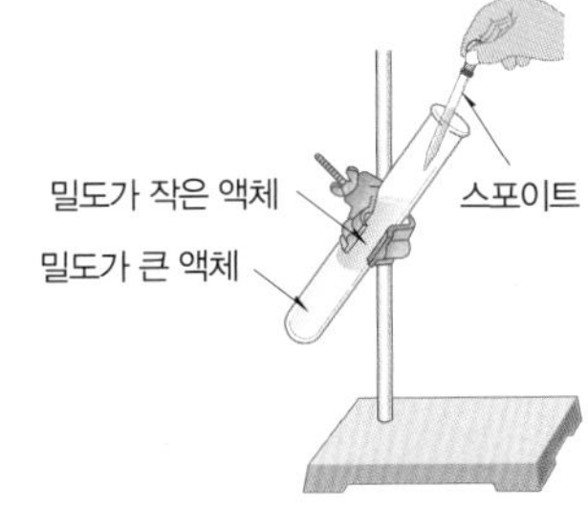

○ 스포이트를 이용한 분리

더 알아보기

[분별 깔때기 사용법]

① 분별 깔때기의 콕을 막고 마개를 열어 혼합 용액을 넣은 후 마개를 닫고 마개 쪽을 아래로 하여 흔든다.
② 스탠드의 링에 걸어 두 층으로 나누어질 때까지 가만히 둔다.
③ 두 층으로 나누어지면 마개를 연 다음, 콕을 돌려 아래층의 액체를 비커에 받는다.
④ 경계면 부근의 액체는 다른 비커에 받는다.
⑤ 위층의 액체는 또 다른 비커에 분별 깔때기의 윗부분으로 따라낸다.

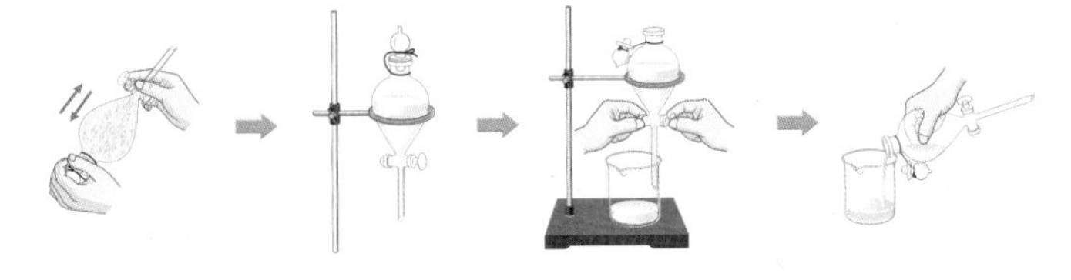

3 밀도 차를 이용한 분리의 예

① 바다에 유출된 기름 제거 : 오일 펜스를 설치하여 기름이 퍼져 나가지 않도록 한 다음, 기름 흡착제로 물 위에 뜬 기름을 제거한다.
② 고깃국 기름 : 고깃국을 끓일 때 나오는 기름을 국자로 떠낸다.
③ 쓰레기 분리 : 재활용 쓰레기를 컨베이어 벨트 위로 통과시키면, 밀도가 큰 유리는 바로 밑으로 떨어지고, 밀도가 작은 플라스틱은 멀리 떨어진다.

플러스 노트

● **여러 가지 액체의 밀도**

물질	밀도(g/mL)
에테르	0.71
석유	0.78~0.95
물	1.00
사염화 탄소	1.54
수은	13.6

● **분별 깔때기 사용 시 주의 사항**

* 혼합물을 분별 깔때기에 넣고 흔들 때 가끔씩 마개를 열어 준다. 혼합물이 섞이면서 내부 압력이 높아져 터질 위험이 있기 때문이다.
* 혼합물을 분리할 때 마개를 열어 준다. 마개를 열면 외부 압력과 같아져 혼합물이 분리된다.
* 분별 깔때기 아랫부분의 긴 끝을 비커 벽면에 바짝 붙인다. 혼합물을 분리할 때 물질이 튈 수 있기 때문이다.

ⓐ 큰 ⓑ 작은 ⓒ 분별 깔때기

플러스 노트

● **소줏고리**
곡물을 발효시킨 술(탁주)을 끓이면, 끓는점이 낮은 에탄올이 먼저 끓어 나오다가 찬물에 의해 냉각되어 맑은 술(소주)이 되어 모인다. 에탄올이 끓어 나올 때 물이 증발하여 함께 나오므로, 이때 얻은 술은 순수한 에탄올이 아니다.

● **증류와 분별 증류 차이점**
* 증류는 대체로 순수한 물질 한 종류를 얻어내고자 할 때 이용하고, 분별 증류는 두 가지 이상의 여러 물질을 각각 얻고자 할 때 이용한다.
* 끓는점 차이가 크게 나는 액체 혼합물은 증류를 통해 성분 물질을 쉽게 분리할 수 있다. 하지만 끓는점의 차이가 크지 않을 때는 두 물질이 섞여서 끓어 나오는 경우가 있기 때문에 일반적인 증류 방법으로 분리하기 어렵다. 따라서 증류하는 과정을 여러 번 반복하여 순수한 물질로 분리하는 데 이러한 방법을 분별 증류라고 한다.

용어풀이

분별 증류(나눌 分, 나눌 別, 찔 蒸, 떨어질 溜) : 액체 혼합물의 끓는점이 다른 점을 이용하여 각 성분 물질로 분리하는 방법

정답
ⓐ 기체 ⓑ 끓는점 ⓒ 아래 ⓓ 위

D 끓는점 차를 이용한 혼합물의 분리

1 증류 : 불순물이 섞인 용액을 가열할 때 나오는 ⓐ ____를 다시 냉각시켜 순수한 액체를 얻는 방법

① 바닷물에서 식수 얻기 : 해안 지역이나 섬에서는 온실에 바닷물을 가둔 다음 태양열에 의해 증발된 수증기가 차가운 유리 지붕에 닿아 다시 액화된 물을 받아 식수를 만든다.

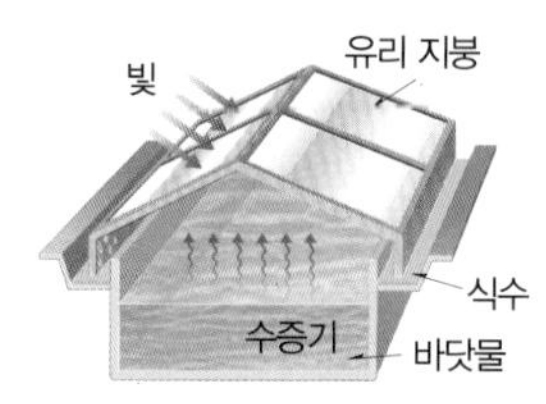

② 탁주에서 소주 얻기 : 소줏고리를 이용하여 곡물을 발효시킨 술(탁주)에서 맑은 술(소주)를 얻는다.

㉠ 탁주가 들어 있는 소줏고리의 아래쪽을 가열한다.
㉡ 끓는점이 낮은 알코올이 먼저 끓어 기체가 된다.
㉢ 기체 알코올이 찬물이 담긴 그릇에 닿아 액화된다.
㉣ 액화된 알코올이 옆에 달린 고리로 흘러나온다.

2 분별 증류 : 서로 잘 섞이는 액체 혼합물을 가열하여 각 액체의 ⓑ ____에 따라 끓어 나오는 기체를 액화시켜 각각 분리한다.

① 분별 증류 장치

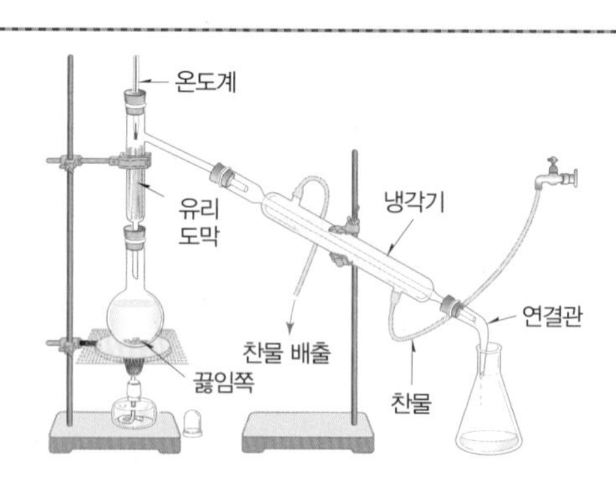

㉠ 온도계의 위치 : 기화된 물질의 온도를 측정해야 하므로 온도계 끝이 시험관의 가지 부분에 오도록 한다.
㉡ 유리 도막 : 끓는점이 높은 물질은 다시 액화되고, 끓는점이 낮은 물질만 분리되어 나오므로 여러 번 증류하는 효과가 있다.
㉢ 끓임쪽 : 액체가 갑자기 끓어 넘치는 것을 방지한다.
㉣ 냉각기 : 유리관 외부에 찬물이 흐르도록 하여 유리관을 통과하는 기체를 액화시킨다. 찬물이 ⓒ ____ 쪽에서 들어가 ⓓ ____ 쪽으로 나오도록 장치하여 냉각기에 찬물이 꽉 차게 해야 냉각 효과가 크다.
㉤ 삼각플라스크 : 끓어 나오는 물질이 냉각되어 액체로 모인다.

② 물과 에탄올 혼합물의 분리 : 끓는점이 ⓐ ___ 에탄올이 먼저 끓어 나오고, 끓는점이 ⓑ ___ 물이 나중에 끓어 나온다.

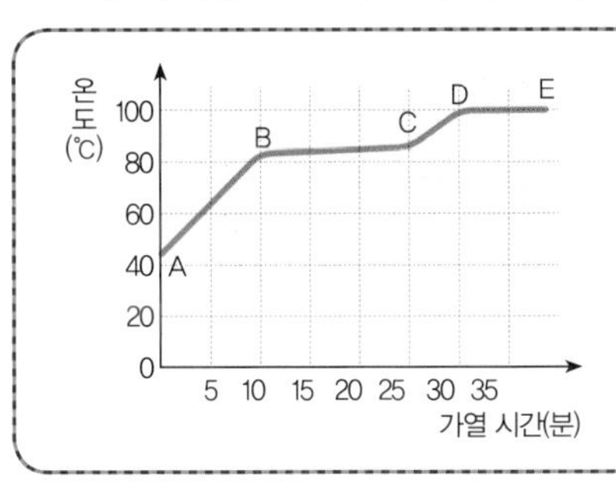

㉠ A~B 구간 : 액체 혼합물의 온도가 올라간다.
㉡ B~C 구간 : 순물질의 끓는점보다 약간 높은 온도에서 ⓒ ___ 이 주로 끓어 나온다.
㉢ C~D 구간 : 물의 온도가 올라간다.
㉣ D~E 구간 : ⓓ ___ 이 끓어 나온다.

③ 원유의 분리

- 증류탑 안에서 증류가 여러 번 일어난다.
- 원유를 가열하여 증류탑으로 보내면 증류탑의 위쪽에서부터 끓는점이 ⓔ ___ 은 성분이 먼저 분리된다.
- 많은 양의 원유를 한꺼번에 분리할 수 있다.
- 끓는점 : 석유 가스 < 나프타 < 등유 < 경유 < 중유 < 아스팔트 찌꺼기

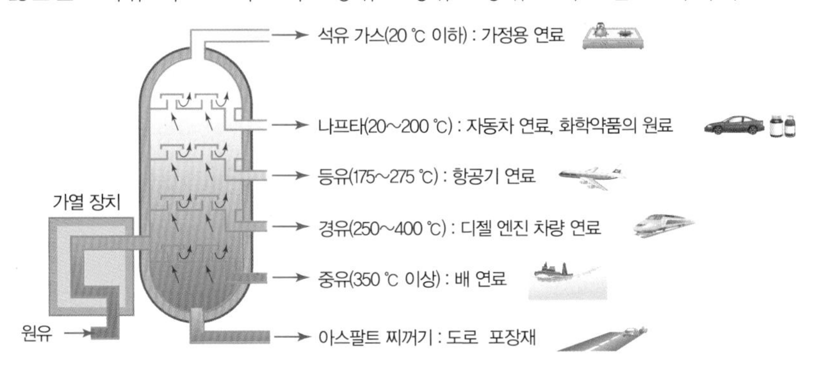

3 기체 혼합물의 분리

① 끓는점 차가 큰 기체 혼합물 : 두 기체의 끓는점의 중간 온도로 냉각시키면, 끓는점이 ⓕ ___ 은 물질이 먼저 액화하여 분리된다.

예 프로페인(끓는점 : −42.1 ℃)과 뷰테인(끓는점 : −0.5 ℃)의 분리

② 끓는점 차가 작은 기체 혼합물 : 높은 압력에서 냉각시켜 혼합물을 액체로 만든 후 가열하면, 끓는점이 ⓖ ___ 은 기체가 먼저 기화하여 기체로 분리된다.

예 공기 분리

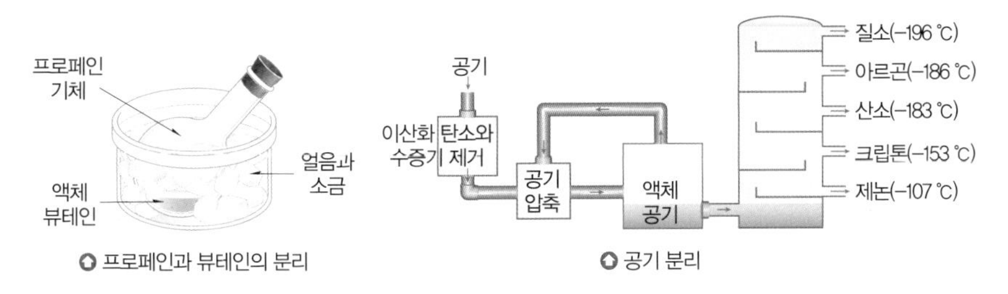

프로페인과 뷰테인의 분리 　　 공기 분리

플러스 노트

● 증류탑에서 분리된 성분 물질
증류탑에서 분리된 성분 물질은 끓는점이 일정하지 않으므로 순물질이 아니라 혼합물이다. 순물질이라면 끓는점이 일정해야 한다.

● 얼음과 소금의 혼합물(냉매)
얼음에 소금을 뿌리면 얼음의 녹는점이 낮아져 얼음이 녹고, 얼음이 녹으면서 주위의 열을 흡수하여 −21 ℃까지 낮아지므로 다른 물질의 온도를 낮추는 냉매로 사용할 수 있다.

용어풀이

원유(근원 原, 기름 油) : 땅속에서 퍼 올린 그대로 정제하지 않은 기름

ⓐ 낮은 ⓑ 높은 ⓒ 에탄올
ⓓ 물 ⓔ 낮 ⓕ 높 ⓖ 낮

Ⅳ 물질의 특성

01 다음 중 혼합물의 분리에 대한 설명으로 옳은 것은?

① 분리 방법은 물질의 특성과 관계없다.
② 분리 순서를 바꾸어도 물질이 분리되는 순서는 같다.
③ 한 번 사용한 방법은 다시 사용해서는 안 된다.
④ 여러 가지 분리 방법이 차례로 사용되기도 한다.
⑤ 한 가지 방법으로 안 되면 다른 방법으로도 분리할 수 없다.

02 다음 〈보기〉의 혼합물을 분리하려고 할 때 이용해야 하는 물질의 특성은?

보기
- 쌀과 돌
- 스타이로폼 가루와 모래
- 신선한 달걀과 오래된 달걀

① 질량 차 ② 용해도 차
③ 부피 차 ④ 끓는점 차
⑤ 밀도 차

03 오른쪽 기구의 이름과 혼합물을 분리하는 원리로 바르게 짝지은 것은?

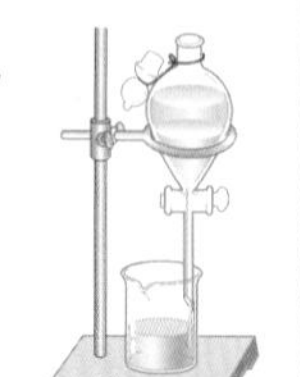

① 분별 깔때기, 밀도 차
② 분별 깔때기, 끓는점 차
③ 분별 깔때기, 용해도 차
④ 분별 증류 장치, 밀도 차
⑤ 분별 증류 장치, 끓는점 차

04 다음 중 분별 깔때기에 대한 설명으로 옳지 않은 것은?

① 밀도가 큰 물질이 아래쪽에 위치한다.
② 에탄올과 물의 혼합물을 분리할 수 있다.
③ 밀도 차에 의해 혼합물을 분리하는 방법이다.
④ 서로 섞이지 않는 액체 혼합물을 분리할 때 사용한다.
⑤ 분별 깔때기에 넣은 혼합물이 두 층으로 나눠지면 마개를 연 후 콕을 돌려 아래층의 액체를 분리한다.

중요

05 다음 중 밀도 차를 이용한 혼합물 분리 방법에 대한 설명으로 옳은 것은?

① 달걀 중 오래된 것은 달걀 안쪽에 공기가 많이 있기 때문에 밀도가 커진다.
② 알찬 볍씨와 쭉정이를 분리하려면 소금물보다 물에 하는 것이 더 효과적이다.
③ 쌀에 돌이 섞여 있을 때 물에 넣고 흔들면 밀도가 작은 돌이 뜨므로 쉽게 분리할 수 있다.
④ 금과 모래가 섞여 있는 혼합물을 분리할 때 금이 모래보다 밀도가 작은 원리를 이용한다.
⑤ 모래와 스타이로폼 혼합물을 물에 넣어 분리할 때 물의 밀도는 모래와 스타이로폼의 중간 정도이다.

06 다음은 물과 에탄올 혼합물을 분리하기 위한 실험 장치이다. 이 분리 방법의 이름은?

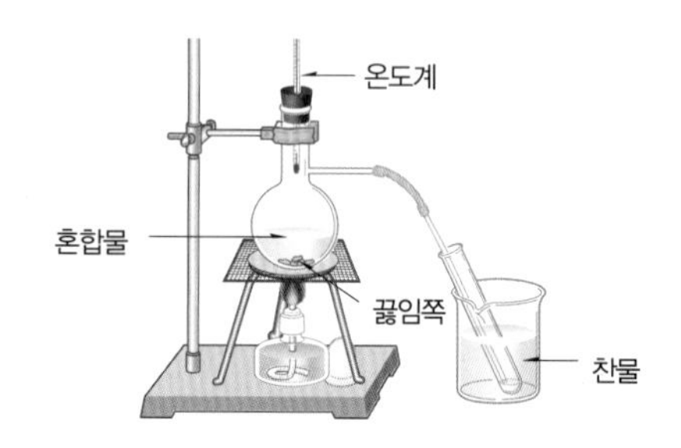

① 거름 ② 추출
③ 분별 증류 ④ 재결정
⑤ 크로마토그래피

07 물과 에탄올처럼 서로 잘 섞이는 액체 혼합물을 분리할 때 이용하는 물질의 특성은?

① 끓는점 차　② 녹는점 차
③ 용해도 차　④ 밀도 차
⑤ 용매에 의한 이동 속도의 차

08 다음 그림은 액체 혼합물을 분리하는 장치이다. 이에 대한 설명으로 옳지 않은 것은?

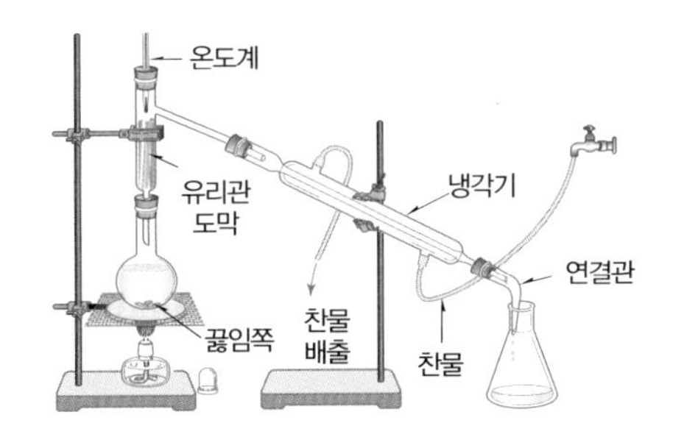

① 액체 혼합물에 끓임쪽을 넣는다.
② 끓는점이 낮은 액체가 먼저 분리된다.
③ 혼합물의 양이 너무 많지 않도록 한다.
④ 냉각기의 물이 위쪽에서 아래쪽으로 흐르도록 한다.
⑤ 온도계는 시험관의 가지 부분에 오도록 한다.

09 다음은 물과 메탄올이 1 : 1로 섞여 있는 혼합 용액의 가열 곡선이다. 이에 대한 설명으로 옳은 것은?

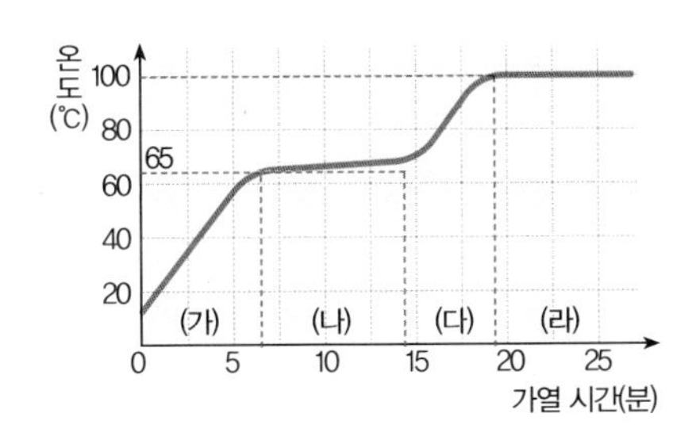

① (가) 구간에서는 메탄올이 끓어 나온다.
② (나) 구간에서는 메탄올과 물이 함께 끓어 나온다.
③ (나) 구간에서는 혼합물이 끓으므로 온도가 계속 올라간다.
④ (다) 구간에서는 물이 끓어 나온다.
⑤ (라) 구간에서는 기화열 때문에 온도가 일정하게 유지된다.

10 다음은 원유를 분리하는 증류탑을 나타낸 것이다. 이에 대한 설명으로 옳지 않은 것은?

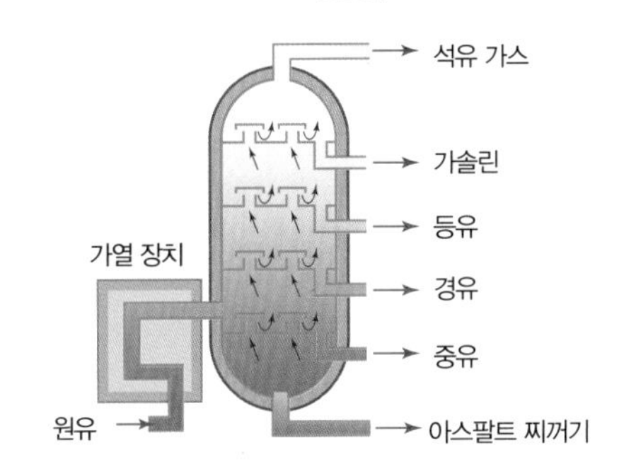

① 증류 과정이 반복된다.
② 분별 증류 장치이다.
③ 석유 가스의 끓는점이 가장 높다.
④ 많은 양의 혼합물을 분리할 수 있다.
⑤ 물질의 끓는점 차를 이용한다.

11 다음은 뷰테인과 프로페인의 혼합 기체를 분리하는 장치이다. 이에 대한 설명으로 옳지 않은 것은? (단, 뷰테인의 끓는점은 −0.5 ℃, 프로페인의 끓는점은 −42.1 ℃이다.)

① 두 기체는 끓는점 차이를 이용해서 분리한다.
② 온도를 −42 ℃∼−0.5 ℃로 냉각시켜서 분리한다.
③ −20 ℃에서 뷰테인은 기체, 프로페인은 액체 상태이다.
④ 얼음에 소금을 섞으면 얼음의 온도가 0 ℃이하로 낮아진다.
⑤ 끓는점이 높은 물질이 먼저 액화하여 분리된다.

Ⅳ 물질의 특성

정답 ◆ 19p ◆

01 다음은 고체 물질 A와 B의 혼합물을 밀도 차에 의해 분리한 방법을 그림으로 나타낸 것이다. 이때 사용한 액체의 특징을 2가지 쓰시오.

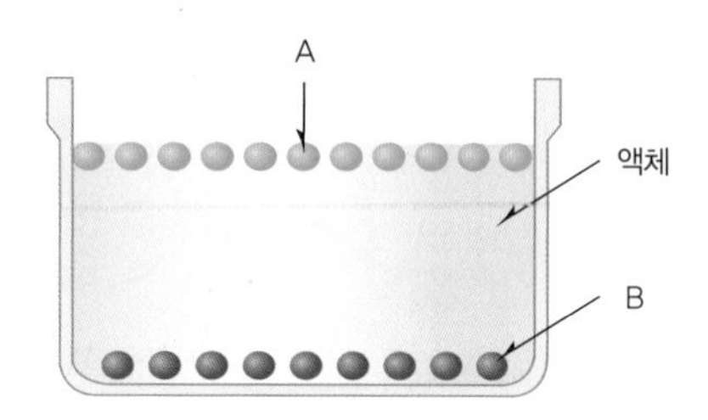

02 다음은 여러 가지 물질의 특성을 정리한 표이다.

물질	끓는점 (℃)	녹는점 (℃)	밀도 (g/mL)	물에 섞이는 정도
물	100	0	1.0	–
사염화 탄소	76.74	–23	1.63	섞이지 않음
벤젠	80	5.5	0.88	섞이지 않음
나프탈렌	218	80.3	0.97	섞이지 않음

위 물질 중 두 가지를 섞어 혼합물을 만들었을 때 상온에서 분별 깔때기로 분리할 수 있는 혼합물을 고르고, 그 이유를 서술하시오.

03 다음은 우리 조상들이 소줏고리를 이용하여 탁주를 소주로 만드는 모습을 나타낸 것이다. 소줏고리를 이용하여 소주를 만들 수 있는 원리를 서술하시오.

04 다음 그림과 같은 장치를 이용하여 분리할 수 있는 혼합물을 한 가지 쓰고, 그 원리를 서술하시오.

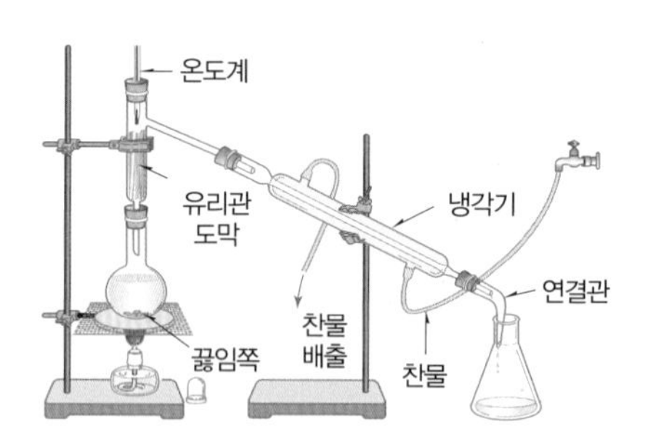

정답 ◆ 19p ◆

STEAM 오염된 실내 공기를 깨끗하게 정화하는 공기 청정기의 원리

건강하게 살기 위해서는 좋은 음식을 먹고 좋은 물과 좋은 공기를 마시는 것이 중요하다. 사람이 하루에 섭취하는 물질 중 80 %가 공기이고 하루에 80 % 이상의 시간을 실내에서 생활하고 있으므로, 실내 공기의 오염은 건물병증후군과 같은 이상 증상을 일으킬 수 있다. 이 때문에 환경부는 미세 먼지, 포름 알데히드, 부유 세균 등 5개 오염 물질에 대해 실내 공기질 유지 기준을 설정하여 준수하도록 하고 있다.

공기 중에는 건강에 해로운 세균이나 바이러스, 곰팡이, 미세 먼지, 유해 기체, 악취를 풍기는 냄새 성분과 같이 여러 가지 오염 물질이 있을 수 있다. 공기 청정기는 이러한 오염 물질을 제거하기 위해 사용한다. 공기 중의 오염 물질을 제거하는 데는 필터를 사용하여 여과·흡착하여 걸러내는 방식과 전기로 오염 물질을 제거하는 방식이 있다.

실내 공기 오염이 날로 심각해지고 건강에 대한 관심도 증가하고 있어, 새로운 기술을 이용한 공기 청정기들이 속속 등장하고 있다. 성능이 뛰어난 공기 청정기도 좋지만, 우리가 할 수 있는 가장 손쉬운 공기 정화 방식인 실내를 자주 환기시키는 일을 잊지 말아야겠다.

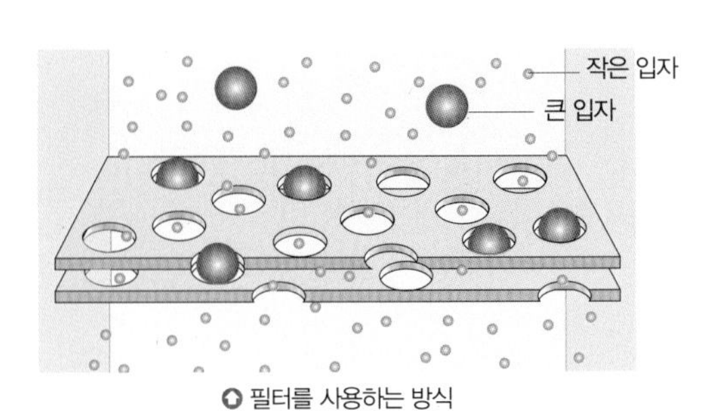

○ 필터를 사용하는 방식

불순물이 제거된 공기
집진판에 부착된 입자
양으로 대전된 집진극
집진판에서 제거된 입자
음이온을 띠게 된 입자
음으로 대전된 전극
불순물이 있는 공기

○ 전기적으로 오염 물질을 제거하는 방식

01

○ 무질서하게 엉켜있는 섬유층

공기 중에 분포하는 고체 입자는 0.001 ㎛~500 ㎛(1 ㎛=10^{-6} m)로 눈에 보이는 것부터 보이지 않는 것까지 다양한데, 이 가운데 10 ㎛ 이하를 미세 먼지라고 한다. 미세 먼지를 제거하기 위해 보통 섬유 필터를 사용한다. 섬유 필터에서 미세 먼지가 제거되는 원리를 서술하시오.

논술형

02

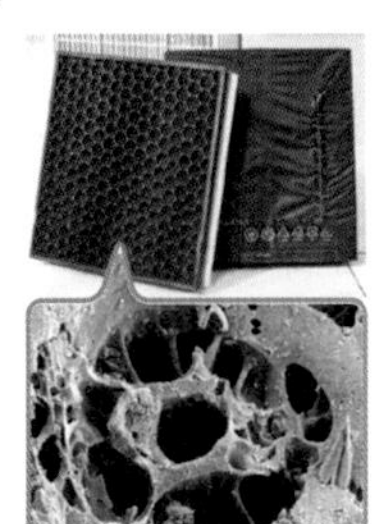

○ 활성탄 필터

먼지 외의 각종 냄새의 원인을 제거할 때는 활성탄 필터를 사용한다. 활성탄 필터가 냄새를 제거하는 원리를 서술하시오.

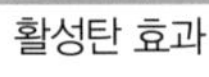

활성탄 효과

13 용해도 차를 이용한 혼합물의 분리(2)

플러스 노트

A 용해도 차를 이용한 혼합물의 분리

1 용해도 차에 의한 혼합물의 분리

① 특정한 ⓐ ______ 에 녹는 정도를 이용하여 혼합물을 분리한다.

② 거름, 추출, 재결정, 분별 결정 등의 방법이 있다.

2 용매에 대한 용해도 차를 이용한 혼합물의 분리

① 거름 : 거름 장치를 이용하여 용매에 잘 녹지 않는 혼합물을 분리한다.

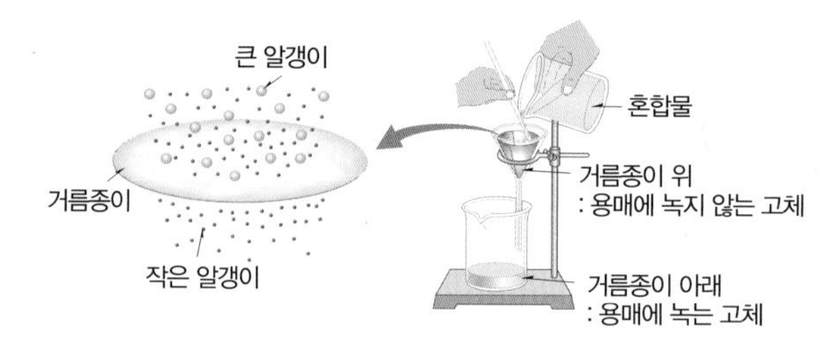

- 소금과 모래의 혼합물 : 혼합물을 물에 녹인 후 거르면, 모래는 거름종이 위에 남고 소금은 물에 녹아 거름종이를 통과하여 분리된다.
- 소금과 나프탈렌의 혼합물
  - 물에 녹인 후 거르면, ⓑ ______ 은 거름종이 위에 남고 소금은 물에 녹아 통과된다. 물을 증발시켜 소금을 얻는다.
  - 에탄올에 녹인 후 거르면, ⓒ ______ 은 거름종이 위에 남고 나프탈렌은 에탄올에 녹아 통과된다. 에탄올을 증발시켜 나프탈렌을 얻는다.

② 추출 : 특정 물질만 녹이는 용매를 사용하여 혼합물을 분리한다.

- 식초의 아세트산 분리 : 식초를 에테르에 넣고 흔들면 식초 속의 아세트산만 에테르에 녹아 두 층을 형성한다.

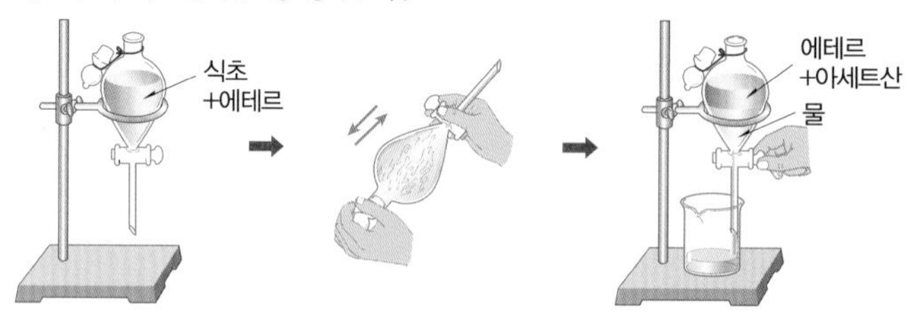

- 콩 속의 지방 분리 : 에테르로 콩 속의 지방을 녹인 후 걸러서 분리한다.

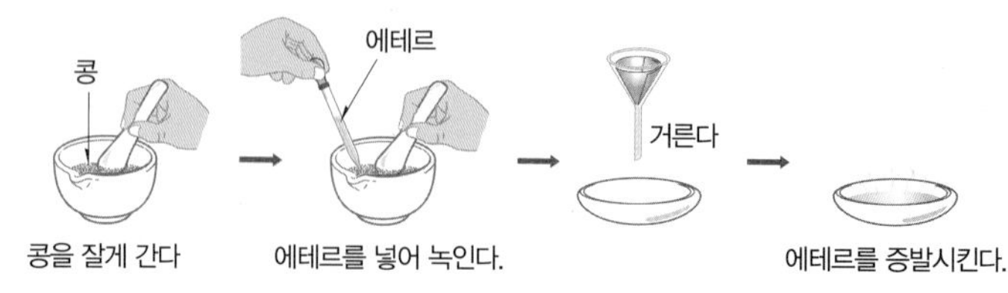

- 한약 성분의 추출 : 한약을 물과 함께 끓이면 한약 성분이 물에 녹아 나온다.
- 녹차 : 물에 녹차 잎을 담가 놓으면 녹차 속의 물질이 물에 녹아 나온다.

● 거름
거름 장치를 이용한 혼합물의 분리 방법은 용매에 녹는 물질은 거름종이를 통과하고, 녹지 않는 물질은 거름종이를 통과하지 못하는 것을 이용한 것이므로 용해도 차이와 알갱이의 크기 차이를 이용하여 혼합물을 분리한다.

● 소금과 나프탈렌의 용해도
소금은 물에 녹지만 에탄올에는 녹지 않고, 나프탈렌은 에탄올에는 녹지만 소금에는 녹지 않는다.

● 콩기름을 만드는 방법
콩을 부수고 가열한 후 큰 힘을 가하여 기름 성분을 짜내는 압착법은 재료의 기름 성분이 3~6 % 정도가 남는다. 따라서 대량 생산을 하는 공장에서는 압착법 대신 추출법을 이용한다. 헥세인이나 에테르로 콩 속의 지방을 녹인 후 가열하여 헥세인이나 에테르를 증발시키면 기름만 남는다.

ⓐ 용매 ⓑ 나프탈렌 ⓒ 소금

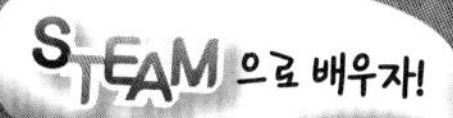

③ 기체 혼합물의 분리 : 특정 용매에 잘 녹는 기체와 잘 녹지 않는 기체의 혼합물을 용매에 통과시켜 분리한다.

- 암모니아와 공기의 혼합물 : 물이 흐르는 유리관에 통과시키면, 암모니아는 물에 녹아 아래로 나오고 공기는 물에 녹지 않으므로 위로 분리된다.
- 염소와 염화 수소의 혼합물 : 물에 통과시키면, 염화 수소는 물에 녹고 염소는 물에 녹지 않으므로 위로 분리된다.

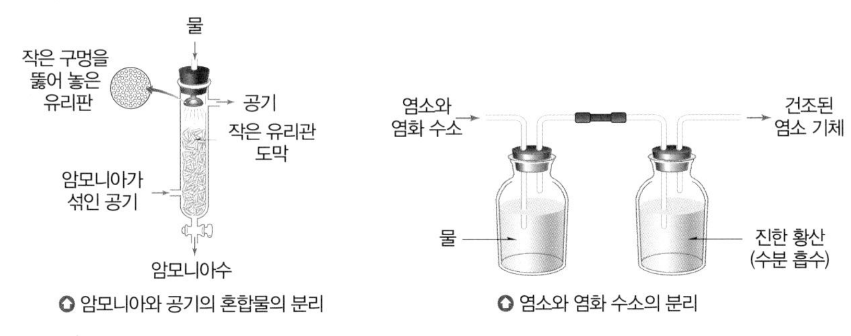

○ 암모니아와 공기의 혼합물의 분리　　○ 염소와 염화 수소의 분리

3 온도에 대한 용해도 차를 이용한 혼합물의 분리

① ⓐ ______ : 소량의 불순물이 포함된 고체 혼합물을 높은 온도의 용매에 녹인 후, 냉각시켜 순수한 고체 결정을 얻는다.

- 소금 속의 불순물 제거 : 불순물이 섞인 소금을 물에 녹인 후 서서히 증발시키면 소금이 다시 결정을 이뤄 분리된다.

② ⓑ ______ : 온도에 따른 용해도 차이가 큰 고체와 작은 고체 혼합물을 높은 온도에서 녹인 후 냉각시켜 각각의 성분을 결정으로 분리한다.

➡ 용해도 차이가 ⓒ ______ 고체가 먼저 석출된다.

[분별 결정을 통한 염화 나트륨과 붕산의 분리]

혼합물	염화나트륨 35 g	붕산 35 g
100 ℃ 물 100 g에 용해	(용해도 : 39.8 g/물 100 g, 100 ℃) 모두 용해	(용해도 : 40.3 g/물 100 g, 100 ℃) 모두 용해
물 100 g을 0 ℃까지 냉각	(용해도 : 35.7 g/물 100 g, 0 ℃) 모두 용해	(용해도 : 2.8 g/물 100 g, 0 ℃) 32.2 g 석출 (35 − 2.8 = 32.2)
거름 장치로 거름		32.2 g 얻음
걸러진 용액 증발시킴	35 g	2.8 g
100 ℃ 물 10 g에 용해	(용해도 : 3.98 g/물 10 g, 100 ℃) 3.98 g 용해, 31.02 g 용해되지 않음	(용해도 : 4.03 g/물 10 g, 100 ℃) 모두 용해
거름 장치로 거름	31.02 g 얻음	
걸러진 용액	3.98 g 용해	2.8 g 용해
물의 양을 줄여가며 위 과정을 여러 번 반복한다.		

플러스 노트

● 여러 기체의 물에 대한 용해도

* **물에 잘 녹는 기체** : 암모니아, 염화 수소, 이산화 황, 이산화 질소 등
* **물에 잘 녹지 않는 기체** : 공기, 질소, 산소, 이산화 탄소 등

● 재결정과 분별 결정

* **재결정** : 주로 소량의 불순물이 섞인 물질의 순도를 높이는데 쓰인다.

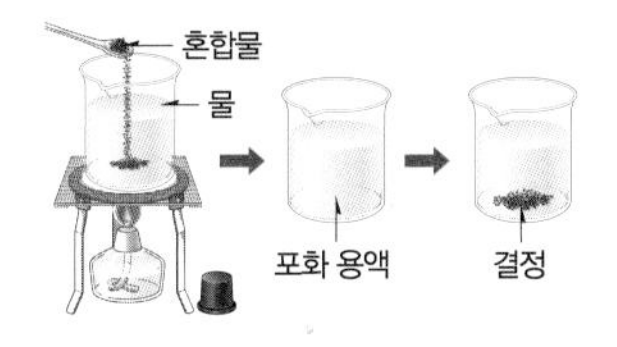

* **분별 결정** : 혼합물의 성분 고체를 모두 얻을 수 있다.

● 염화 나트륨과 붕산의 용해도 곡선

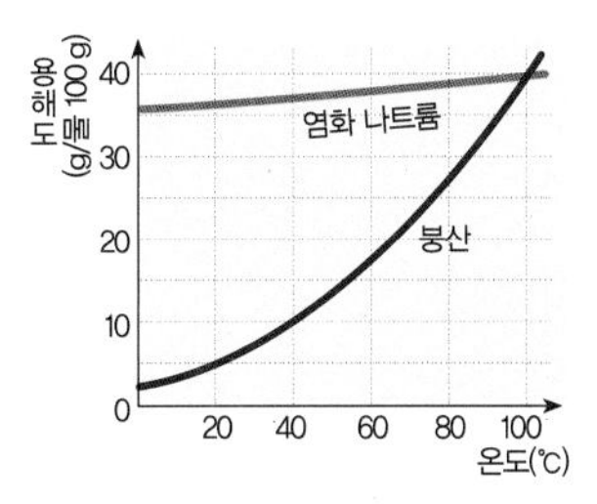

ⓐ 재결정 ⓑ 분별 결정 ⓒ 큰

플러스 노트

● **전개율(R_f)**

* 성분 물질이 이동한 높이와 용매가 이동한 높이의 비

$R_f = \dfrac{\text{성분 물질이 이동한 높이}}{\text{용매가 이동한 높이}}$

* 물질에 따라 전개율 값이 일정하므로 전개율이 같으면 같은 물질이다.

● **크로마토그래피와 용매**

* 크로마토그래피에서 용매는 항상 물일 필요는 없다. 성분 물질을 녹일 수 있는 용매를 선택하여 사용한다.
* 용매가 바뀌면 성분의 수 또는 전개율이 달라진다.

용어풀이

크로마토그래피(chromatography) : 라틴어로 색깔을 뜻하는 chroma와 기록을 의미하는 graphy가 결합된 용어

정답

ⓐ 속도 ⓑ 같 ⓒ A, C, E
ⓓ B, D, F ⓔ B, F ⓕ B, D, F
ⓖ D, F

B 크로마토그래피

1 방법 : 혼합물을 용매에 녹였을 때 각 성분이 용매를 따라 이동하면서 각 성분 물질로 분리된다.

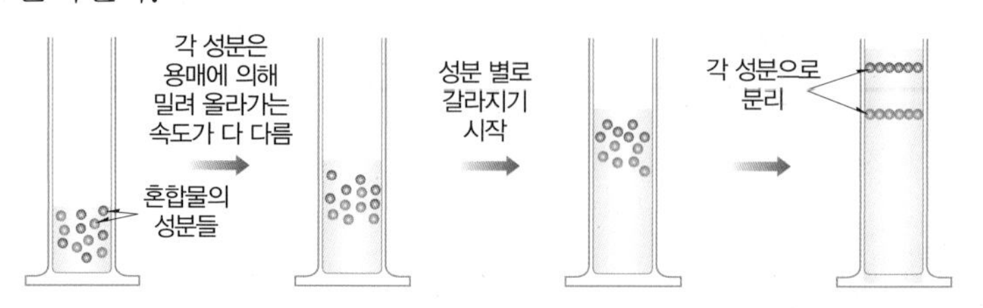

2 원리 : 용매를 따라 이동하는 ⓐ ______ 차이를 이용한다.

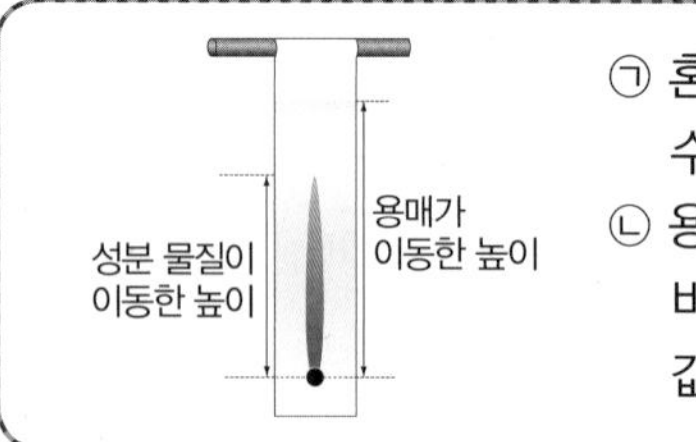

㉠ 혼합물을 이루는 성분의 수와 분리되어 나타나는 색의 수는 ⓑ ______ 다.

㉡ 용매가 이동한 높이에 대한 성분 물질이 이동한 높이의 비는 성분 물질과 사용한 용매의 종류에 따라 일정한 값을 가지기 때문에 성분 물질을 확인할 수 있다.

3 결과 분석

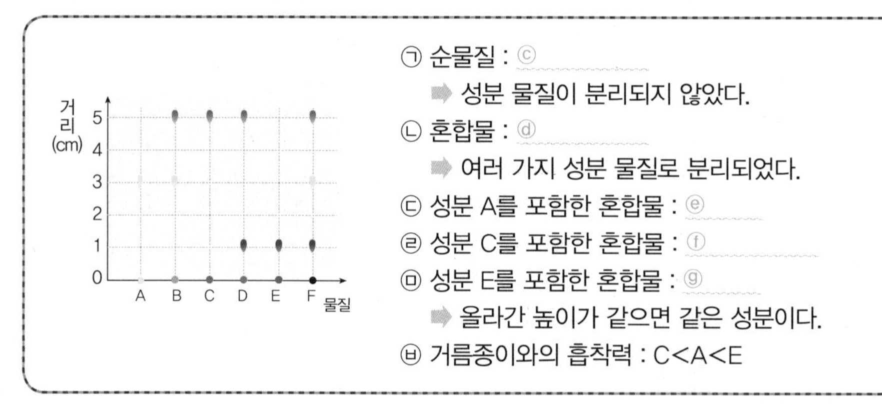

㉠ 순물질 : ⓒ ______

➡ 성분 물질이 분리되지 않았다.

㉡ 혼합물 : ⓓ ______

➡ 여러 가지 성분 물질로 분리되었다.

㉢ 성분 A를 포함한 혼합물 : ⓔ ______

㉣ 성분 C를 포함한 혼합물 : ⓕ ______

㉤ 성분 E를 포함한 혼합물 : ⓖ ______

➡ 올라간 높이가 같으면 같은 성분이다.

㉥ 거름종이와의 흡착력 : C<A<E

4 특징

① 매우 적은 양의 혼합물도 분리할 수 있다.

② 성분이 매우 비슷한 혼합물도 분리할 수 있다.

③ 복잡한 혼합물도 각 성분 물질로 분리할 수 있다.

④ 분리 조작이 매우 간단하고, 단시간에 분리할 수 있다.

5 이용

① 사인펜 잉크의 색소 분리

② 꽃잎의 색소 분리, 식물의 엽록소 분리

③ 위조 수표의 감별을 위한 잉크 분석

④ 혈액이나 소변의 성분 분석 ➡ 도핑테스트, 건강 수치 파악

더 알아보기

[크로마토그래피 실험 장치 시 유의사항]

• 색소점은 작고 진하게 여러 번 찍는다.
• 색소점이 용매에 잠기지 않도록 약간 위쪽에 찍는다.
• 입구를 비닐 랩이나 고무마개로 막아 용매가 증발되지 않도록 한다.
• 거름종이는 휘거나 용기의 벽에 닿지 않도록 한다.
• 거름종이 끝까지 용매가 올라가기 전에 실험을 멈춘다.

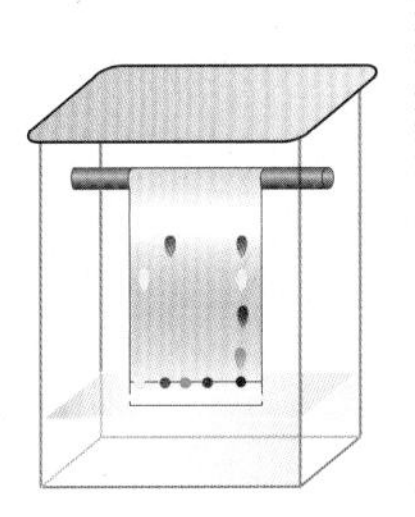

플러스 노트

C 여러 가지 혼합물의 분리

1 여러 가지 혼합물의 분리

혼합물 속에 포함되어 있는 각 성분 물질의 ⓐ ____ 을 파악한 후 밀도, 용해도, 끓는점 등을 이용하여 성분 물질을 분리한다.

구분	밀도	끓는점	용해도	
			용매	온도
혼합물 분리 방법	• 액체 물질로 고체 혼합물 분리 • 분별 깔때기로 액체 혼합물 분리	• 증발 • 증류 • 분별 증류	• 거름 • 추출 • 기체 혼합물	• 재결정 • 분별 결정

[물, 에탄올, 아세트산, 염화 나트륨 혼합물의 분리 과정]

물, 에탄올, 아세트산, 염화 나트륨의 혼합물
→ ① 단계 : ⓑ ____ → 에탄올 / 물, 아세트산, 염화 나트륨의 혼합물
물, 아세트산, 염화 나트륨의 혼합물 → ② 단계 : ⓒ ____ / 에테르 사용 → 위층: 아세트산, 에테르 / 아래층: 물, 염화 나트륨
아세트산, 에테르 → ③ 단계 : ⓓ ____ → 아세트산
물, 염화 나트륨 → ④ 단계 : ⓔ ____ → 염화 나트륨, 물

㉠ 1단계 : 증류 ➡ 에탄올의 끓는점이 가장 낮다.
㉡ 2단계 : 추출 ➡ 아세트산이 물보다 에테르에 더 잘 녹고, 에테르의 밀도가 물보다 작다.
㉢ 3단계 : 증발 ➡ 에테르가 입자 사이의 인력이 작아서 아세트산보다 증발이 잘 된다.
㉣ 4단계 : 증류 ➡ 물의 끓는점이 염화 나트륨보다 낮다.

● **생활 속 혼합물 분리**
* **휴대용 정수기 :** 굵은 자갈과 모래는 이물질을 걸러주고, 숯은 물속에 포함된 화학 물질이나 냄새를 없앤다.
* **방울토마토 선별 작업 :** 크기가 다른 구멍이 뚫려 있는 곳에 방울토마토를 이동시키면 크기별로 분리된다.
* **우유로 치즈 만들기 :** 우유에 식초를 넣어 단백질을 응고시켜 추출한다.
* **도시 광산 :** 폐가전제품을 분리하여 금이나 은 등 광물을 얻는다.

휴대용 정수기 / 방울토마토 선별기

우유로 치즈 만들기

도시 광산

정답

ⓐ 특성 ⓑ 증류 ⓒ 추출 ⓓ 증발 ⓔ 증류

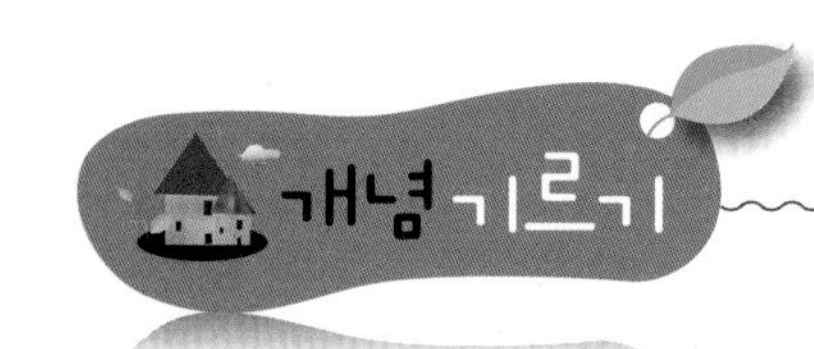

01 물에 용해시킨 후 거름 장치를 사용하여 용해되지 않은 물질을 분리하는 방법으로 혼합물 분리를 하려고 한다. 적합한 혼합물은?

① 물과 에테르 ② 물과 수은
③ 나프탈렌과 아이오딘 ④ 소금과 나프탈렌
⑤ 염화나트륨과 설탕

02 다음 중 혼합물 분리 방법에서 용해도 차를 이용한 것이 아닌 것은?

① 증류 ② 거름
③ 추출 ④ 재결정
⑤ 분별 결정

03 소금과 나프탈렌 혼합물을 분리하는 방법에 대한 설명으로 옳지 않은 것은?

① 용해도 차를 이용해 분리할 수 있다.
② 거름 장치를 이용하여 분리할 수 있다.
③ 에탄올을 용매로 사용하면 나프탈렌이 녹는다.
④ 물을 용매로 사용하면 거름종이 위에 나프탈렌이 남는다.
⑤ 물에 녹인 후 거름 장치에 거른 용액을 증발시키면 나트탈렌을 얻을 수 있다.

04 다음 표는 10 ℃, 1 기압에서 몇 가지 기체의 물에 대한 용해도이다.

기체	A	B	C	D	E
용해도	231.0	200.0	0.0015	0.0010	0.0009

기체 A~E 중 두 가지 기체가 섞여 있을 때 물을 뿌려 분리할 수 있는 기체 혼합물은?

① A, B ② B, C
③ C, D ④ C, E
⑤ D, E

05 다음 그림은 암모니아가 섞인 공기를 물이 흐르는 유리관에 통과시켜 분리하는 장치이다. 이 실험에 대한 설명으로 옳지 않은 것은?

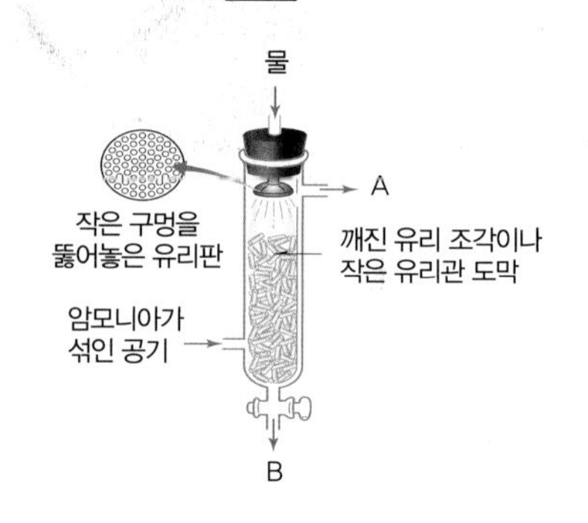

① 암모니아는 물에 잘 녹는 기체이다.
② 물에 대한 기체 용해도 차에 의한 분리이다.
③ 같은 원리로 대기 오염 물질을 제거할 수 있다.
④ 공기는 A로, 암모니아는 B로 빠져 나온다.
⑤ 공기는 B로, 암모니아는 A로 빠져 나온다.

06 다음 중 두 혼합물을 분리하는 원리가 다른 것은?

① 모래와 소금의 분리
 – 소금과 나프탈렌의 분리
② 암모니아와 공기의 분리
 – 염소와 염화 수소의 분리
③ 운동선수의 도핑테스트 시 소변 분리
 – 꽃의 추출액에서 색소 분리
④ 원유에서 여러 가지 연료 분리
 – 사인펜 잉크의 색소 분리
⑤ 콩가루에서 지방 성분 분리
 – 뜨거운 물에 녹차 우려내기

07 불순물이 섞인 굵은 소금에서 순수한 소금을 분리하기 위해 다음과 같이 실험하였다.

보기
(가) 물에 녹여 거름 장치를 통과시킨다.
(나) 걸러진 용액을 증발 접시에서 가열한다.

실험에 이용한 분리 방법의 원리로 옳은 것 2개는?

① 끓는점 차
② 밀도 차
③ 물질의 겉보기 성질 차
④ 용매에 따른 용해도 차
⑤ 온도에 따른 용해도 차

08 다음 그래프는 염화 나트륨과 붕산의 용해도 곡선이다.

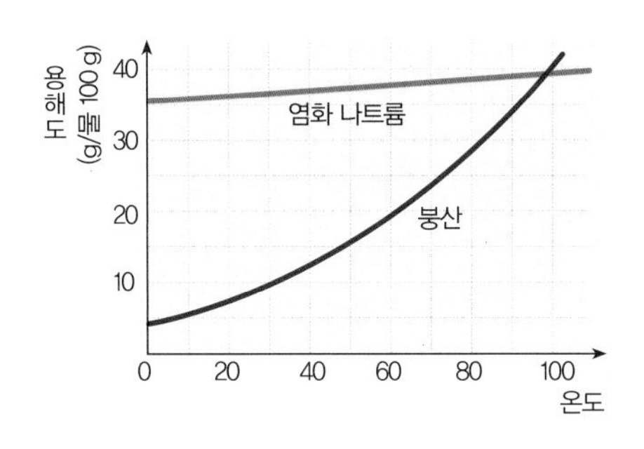

염화 나트륨과 붕산이 각각 30 g씩 섞여 있는 혼합물을 100 ℃의 끓는물 100 g에 녹인 후 20 ℃로 냉각시켜 분리하려고 한다. 이에 대한 설명으로 옳지 않은 것은?

① 온도에 따른 용해도의 차이가 큰 물질은 붕산이다.
② 이 혼합물을 100 ℃의 물 100 g에 녹이면 모두 녹는다.
③ 20 ℃로 냉각시키면, 붕산이 석출된다.
④ 물의 양을 줄여가며 이 과정을 반복하면 염화 나트륨과 붕산을 분리할 수 있다.
⑤ 이 분리법은 고체 혼합물을 이루고 있는 성분 물질의 용해도 곡선이 비슷할수록 효과적이다.

09 다음 혼합물 중 분별 결정으로 분리할 때 가장 효과적인 혼합물은?

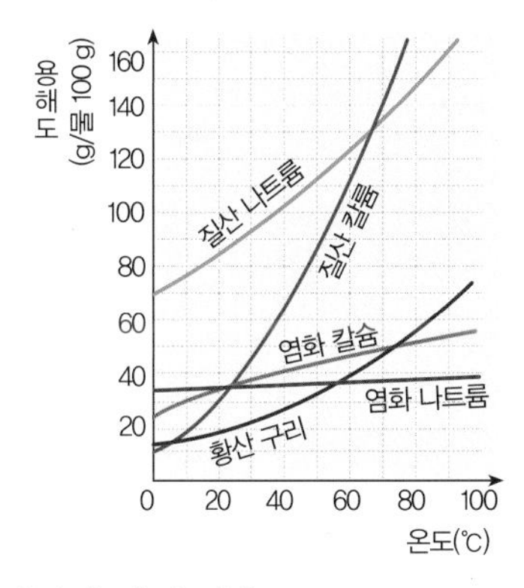

① 질산 칼륨과 염화 칼슘
② 염화 칼슘과 황산 구리
③ 질산 칼륨과 염화 나트륨
④ 질산 나트륨과 질산 칼륨
⑤ 염화 나트륨과 염화 칼슘

10 다음 중 크로마토그래피에 대한 설명으로 옳지 않은 것은?

① 용매는 물질을 녹일 수 있어야 한다.
② 성분 물질이 미량이어도 분리할 수 있다.
③ 색소 분리나 혈액 검사에 널리 쓰인다.
④ 용매의 양은 점이 찍힌 위치까지 오도록 해야 한다.
⑤ 거름종이 외에 분필을 사용할 수 있다.

11 거름종이에 검은색 잉크로 점을 찍고 물을 스며들게 하였더니 오른쪽 그림과 같이 결과가 나왔다. 이와 같은 결과가 나온 이유로 옳은 것은?

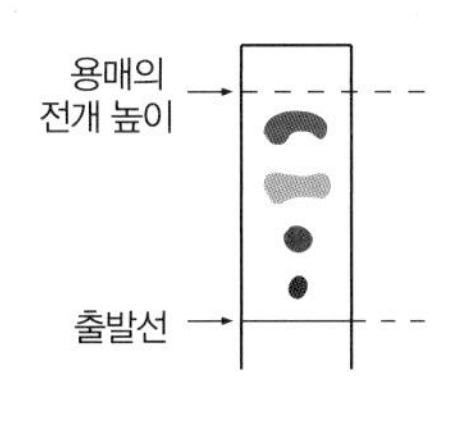

① 색소마다 밀도가 다르기 때문이다.
② 색소마다 농도가 다르기 때문이다.
③ 색소마다 끓는점이 다르기 때문이다.
④ 색소마다 물에 대한 용해도가 다르기 때문이다.
⑤ 색소마다 물을 따라 올라가는 속도가 다르기 때문이다.

01 다음은 에테르를 이용하여 식초 속 아세트산을 분리하는 과정이다.

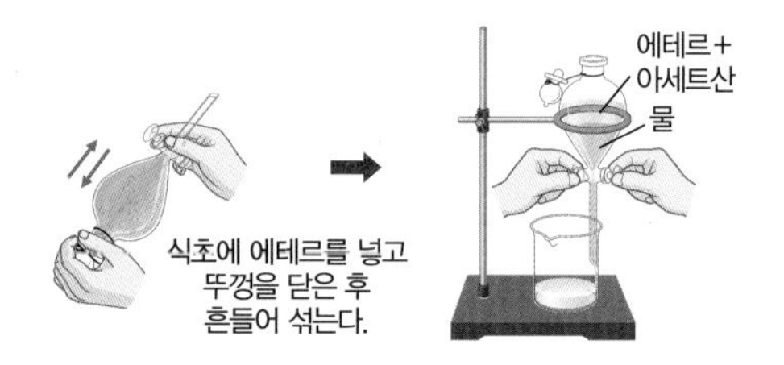

이와 같은 방법으로 식초 속 아세트산을 분리할 때 이용된 혼합물 분리 방법을 모두 서술하시오.

02 어떤 혼합물을 그림 (가)와 같은 방법으로 분리하려고 한다. 그래프 (나)를 보고, 여러 가지 물질 중 (가)와 같은 방법으로 분리하기 가장 어려운 물질을 고르고, 그 이유를 서술하시오.

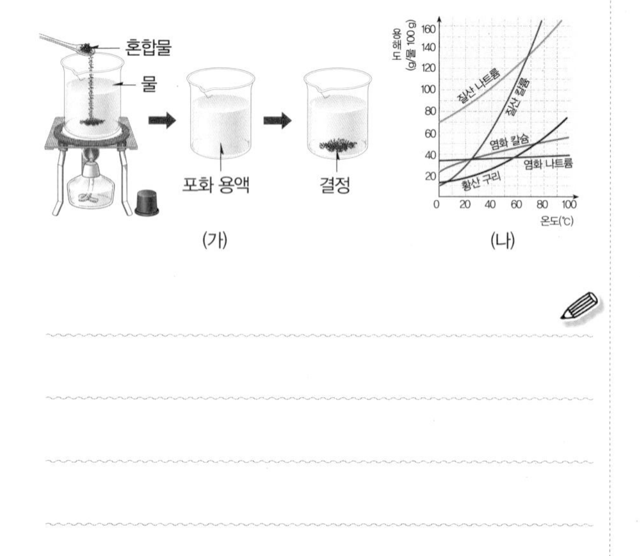

03 다음과 같은 혼합물 분리 방법은 혼합물이 종이에 스며들어 용매에 의해 밀려 올라가면서 각 성분 물질이 분리된다. 이와 같이 혼합물을 분리하는 방법의 장점을 2가지 서술하시오.

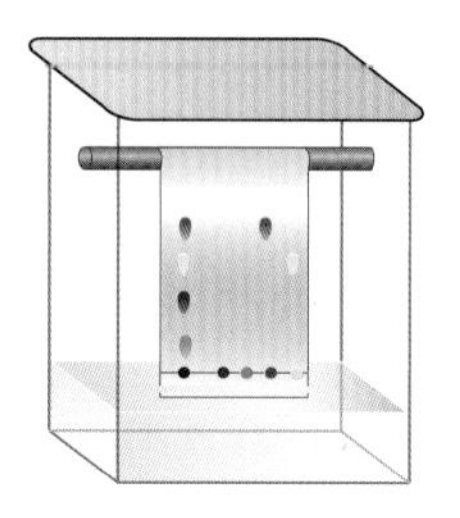

논술형

04 다음 각 혼합물을 분리하는 적절한 방법을 〈보기〉에서 고르고, 혼합물을 분리하는 원리를 서술하시오.

(가) 거름 (나) 추출 (다) 분별 깔때기
(라) 분별 결정 (마) 크로마토그래피

(1) 소금과 모래의 혼합물의 분리

(2) 물과 식용유의 분리

(3) 콩 속의 지방 분리

(4) 식물의 엽록소 분리

(5) 염화 나트륨과 붕산의 혼합물 분리

정답 ◆21p ◆

STEAM 향기로운 에너지, 유채꽃 바이오디젤

휘발유 가격이 치솟으면서 지구상에서 고갈되어 가는 석유를 대신할 만한 자원을 찾기 위해 각 나라가 노력하고 있다. 요즘 바이오에탄올이 세계적으로 큰 인기를 누리고 있다. 바이오에탄올로 친환경과 가격, 두 마리 토끼를 다 잡을 수 있기 때문이다. 바이오에탄올은 사탕수수, 밀, 옥수수, 보리, 고구마와 같은 작물에서 포도당을 얻은 후 이를 발효시켜 얻는다.

바이오에탄올과 함께 최근 각광 받고 있는 연료 중 하나는 바이오디젤이다. 바이오디젤은 식물성 기름, 동물성 지방, 식용유 등을 메탄올과 반응시켜 얻는 기름으로, 석유에서 얻는 경유(디젤)와 성질이 매우 비슷하다. 바이오디젤은 경유와 달리 연료의 연소를 돕는 산소 원자를 포함하고 있기 때문에 경유보다 산화력이 좋고, 그만큼 배기가스 방출량도 줄어든다. 따라서 바이오디젤은 경유를 대체하거나 경유와 혼합하여 디젤 엔진에 사용할 수 있는 친환경 연료로 각광 받고 있다. 바이오디젤은 재생 가능한 식물이나 동물 자원에서 생산되므로 고갈 염려가 없는 우수한 에너지이며, 자원의 재활용이라는 측면에서도 매우 좋은 에너지이다. 현재 독일, 프랑스, 미국에서는 버스나 관공서 차량, 청소 차량에 바이오디젤을 쓰고 있다. 국내에서도 현재 주유소에서 팔고 있는 차량용 경유에 식물성 기름으로 만든 바이오디젤이 2.5% 씩 섞여 있으며, 그 비율을 점차 증가할 계획이다.

바이오디젤의 원료로 사용되는 기름은 꽃이나 곡식 등에서 추출하기도 하고, 폐식용유를 사용하기도 한다. 바이오연료의 상용화를 위해서는 무엇보다도 원료 확보와 자급 가능성이 중요하다. 원료를 손질해야 하거나 생산 비용이 높아지면 의미가 없다. 이런 면에서 눈에 띄는 것은 국내에서 생산하는 유채꽃을 이용한 바이오디젤의 상용화 움직임이다.

유채

01 다음은 유채꽃에서 바이오디젤을 얻는 과정이다. 이 과정에서 활용된 혼합물 분리 방법을 2가지 서술하시오.

유채꽃을 잘게 부순 후 압착하여 기름을 추출하고, 적당한 용매를 사용하여 식물에 남아 있는 기름을 완전히 추출한다. 추출된 기름의 색깔과 냄새를 제거한 후 메탄올과 수산화칼륨을 넣고 골고루 섞는다. 기름(지방산 에스테르)과 글리세린을 분리한 후, 기름 층을 증류수로 한 번 더 세척하여 분리하면, 바이오디젤을 얻을 수 있다.

바이오디젤

논술형

02 최근 석유의 고갈, 환경 파괴 등으로 신재생 에너지를 대안으로 내놓는 경우가 많다. 바이오에탄올이나 바이오디젤도 신재생 에너지의 한 종류이다. 태양 에너지, 수력 에너지 등과 비교할 때 바이오디젤 에너지가 가지는 장점과 단점을 2가지씩 서술하시오.

정답 ◆ 21p ◆

STEAM 압력에 따른 끓는점과 기체의 용해도

주사기를 이용하여 압력을 변화시키면서 압력과 끓는점 및 기체의 용해도 관계를 알아보자.
[준비물] 50 mL 주사기, 뜨거운 물, 사이다, 고무마개(지우개)

실험 ❶

① 주사기 안에 90 ℃ 정도의 뜨거운 물을 10 mL 정도 넣고 공기를 10 mL 정도 채운다.
② 주사기 입구를 고무마개로 막고 피스톤을 당기면서 주사기 안의 물의 변화를 관찰한다.

실험 ❷

① 주사기 안에 사이다를 10 mL 정도 넣고 공기를 20 mL 정도 채운다.
② 주사기 입구를 고무마개로 막고 피스톤을 당기고 밀면서 주사기 안의 사이다의 변화를 관찰한다.

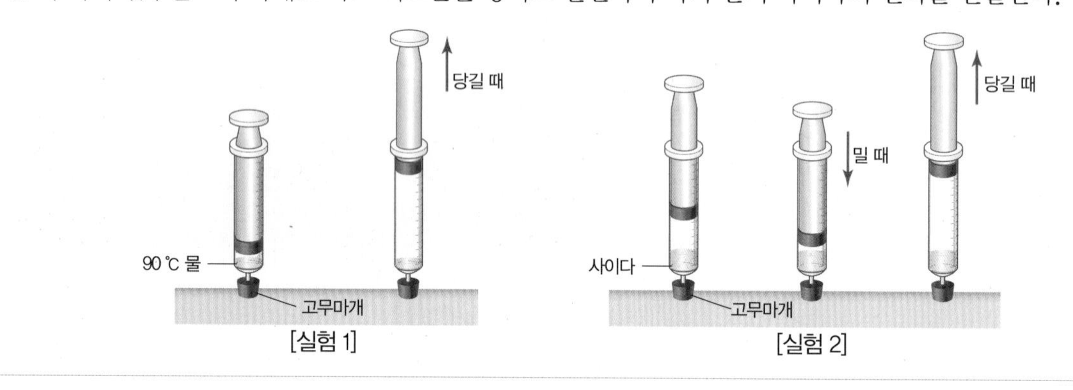

01 [실험 1]에서 뜨거운 물이 담긴 주사기의 피스톤을 당길 때, 주사기 안의 변화를 서술하시오.

02 [실험 1]을 통해 알 수 있는 사실을 서술하시오.

03 [실험 2]에서 피스톤을 당길 때와 밀 때의 변화를 이유와 함께 서술하시오.

04 먹다 남은 탄산음료에 탄산이 빠지지 않도록 보관하는 방법을 서술하시오.

Ⅴ 화학 반응의 규칙성과 에너지 변화

2015 개정 교육과정 교과서

중학교 1~3학년 군 : 중3 1단원 화학 반응의 규칙성과 에너지 변화

다른 학년과의 연계

3~4학년 군 : 물질의 성질
5~6학년 군 : 연소와 소화
통합과학 : 화학 변화, 발전과 신재생 에너지
화학 Ⅰ : 화학의 첫걸음, 역동적인 화학 반응

물질의 성질 변화로 구분하는

14 물리 변화와 화학 변화

플러스 노트

● **원자**
물질을 구성하는 가장 작은 입자

● **갈변**
과일이나 채소 속의 특성 성분(카테킨, 티로신과 같은 페놀성 화합물)이 산소와 반응하여 멜라닌 색소와 같은 갈색 물질을 만드는데, 이로 인해 얼룩덜룩하게 보인다.

○ 일반 사과 ○ 갈변된 사과

● **물리 변화와 화학 변화**
화학 변화의 예는 수 없이 많지만 물리 변화는 2가지 변화(상태 변화, 모양 변화)와 2가지 현상(확산, 용해) 뿐이다.

A 물리 변화와 화학 변화

1 물리 변화와 화학 변화

구분	물리 변화	화학 변화
정의	물질의 고유한 성질은 변하지 않고, 상태, 모양, 크기 등만 변하는 현상	물질이 처음의 성질과 전혀 다른 새로운 물질로 변하는 현상
특징	• ⓐ ______의 배열이 변한다. • 물질의 성질은 변하지 않는다.	• ⓑ ______의 배열이 변한다. • 새로운 물질이 생성되므로 성질이 변한다.
현상	모양이나 상태가 바뀐다.	빛이나 열 발생, 색이나 냄새 변화, 기체 발생, 앙금 생성 등
종류	모양 변화, 상태 변화, 용해, 확산 등	연소, 산화, 발효, 부패, 갈변 등
예	• 나무 도막이 부러진다. • 소금이 물에 녹는다. • 잉크가 물에 퍼진다. • 아이스크림이 녹는다.	• 김치가 자연 발효하면서 시어진다. • 쇠로 만든 자물쇠에 녹이 슨다. • 단풍나무의 잎이 빨갛게 변한다. • 포도송이가 굵게 영글어간다.

2 물리 변화와 화학 변화의 입자 모형

① 물리 변화 : 입자의 배열이 바뀐다.
- 물이 얼어 얼음이 된다.
- 소금이 물에 녹는다.
- 암모니아수 병 뚜껑을 열어 두면 병 근처에서 암모니아 냄새를 맡을 수 있다.

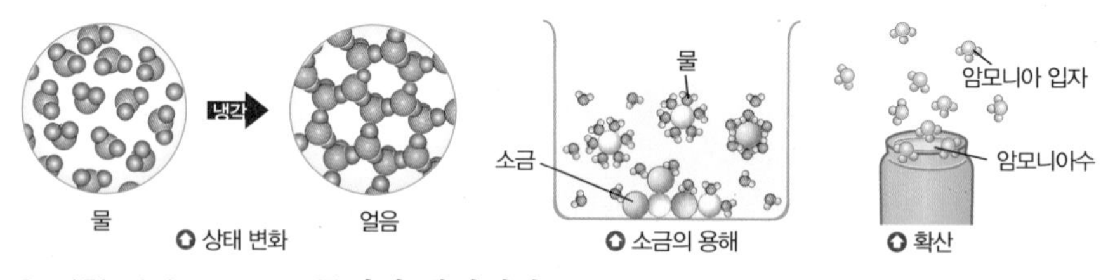

○ 상태 변화 ○ 소금의 용해 ○ 확산

② 화학 변화 : ⓒ ______ 물질이 생성된다.
- 물 분자가 분해되어 수소와 산소가 된다.
- 붉은색 구리를 가열하니 검게 변한다.

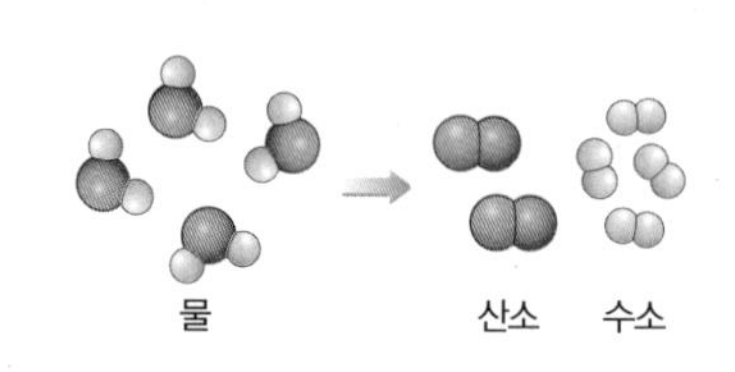

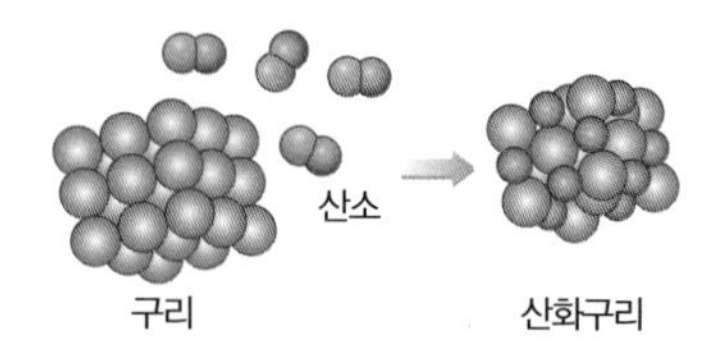

정답 ⓐ 입자 ⓑ 원자 ⓒ 새로운

B 화학 반응의 종류 1 – 반응의 형태에 따른 분류

1 ⓐ ______ : 두 가지 이상의 물질이 결합하여 새로운 하나의 물질을 형성하는 반응

① 물의 합성, 수소+산소 → 물

② 황화 철 합성, 철+황 → 황화 철

2 ⓑ ______ : 하나의 물질로부터 두 가지 이상의 물질을 얻는 반응

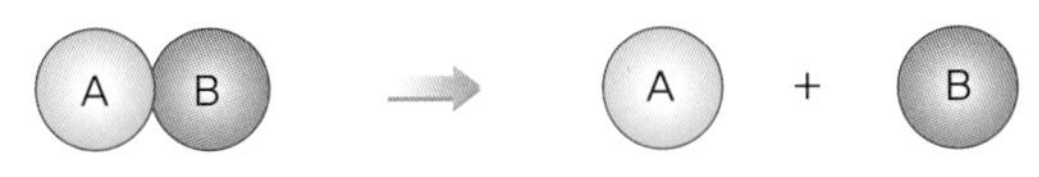

① **열분해** : 열에 의해 분해되는 화학 반응

- 탄산수소 나트륨의 열분해, 탄산수소 나트륨 → 탄산 나트륨+물+이산화 탄소

② **촉매 분해** : 촉매에 의해 분해되는 화학 반응

- 과산화 수소의 분해, 과산화 수소 $\xrightarrow{\text{이산화 망가니즈}}$ 물+산소

③ **전기 분해** : 전류가 흘렀을 때 분해되는 화학 반응

- 물의 분해, 물 → 수소+산소

열분해 / 촉매 분해 / 전기 분해

3 ⓒ ______ : 어떤 화합물의 성분 중 일부가 다른 원소로 바뀌지는 반응

① 염산+마그네슘 → 염화 마그네슘+수소

② 염산+아연 → 염화 아연+수소

③ 구리+질산은 → 질산 구리+은

4 복분해 : 두 가지 화합물이 성분의 일부를 서로 바꾸어 두 가지 이상의 새로운 물질을 만드는 반응

① 염화 나트륨+질산 은 → 질산 나트륨+염화 은(흰색 앙금)

② 아이오딘화 칼륨+질산 납 → 질산 칼륨+아이오딘화 납(노란색 앙금)

플러스 노트

- **촉매**
  촉매는 화학 반응에 참여하여 반응 속도를 변화시키지만 자신은 화학 변화를 일으키지 않는 물질이다. 촉매는 소량만으로도 반응 속도를 변화시킬 수 있으므로 일상생활에서뿐만 아니라 생명 활동이나 산업에서도 매우 중요하다.

- **탄산수소 나트륨 열분해**
  탄산수소 나트륨을 가열하면 시험관 안쪽에 액체 방울이 생기고 기체가 발생한다. 액체 방울은 푸른색 염화 코발트 종이를 붉게 변화시키므로 물이고, 기체는 석회수를 뿌옇게 흐려지게 하므로 이산화 탄소이다.

용어풀이

화합(될 化, 합할 合) : 둘 또는 둘 이상의 물질이 하나로 결합

분해(나눌 分, 풀 解) : 여러 부분으로 이루어진 것을 부분으로 나눔

치환(둘 置, 바꿀 換) : 순서를 바꿈

복분해(겹칠 複, 나눌 分, 풀 解) : 성분의 한 가지씩이 교환되어 새 물질이 생김

ⓐ 화합 ⓑ 분해 ⓒ 치환

C 화학 반응의 종류 2 – 반응의 종류에 따른 분류

1 ⓐ______ 반응 : 산과 염기가 반응하여 물과 염이 생성되는 반응

① 염산(산)+수산화 나트륨(염기) → 염화 나트륨(염)+물

중화 반응

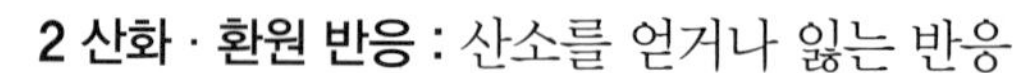

2 산화 · 환원 반응 : 산소를 얻거나 잃는 반응

① 산화 반응 : 산소를 얻는 반응

• 구리+산소 → 산화 구리(Ⅱ)

② 환원 반응 : 산소를 잃는 반응

• 산화 수은(Ⅱ) → 수은+산소

산화 반응

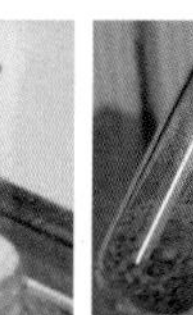

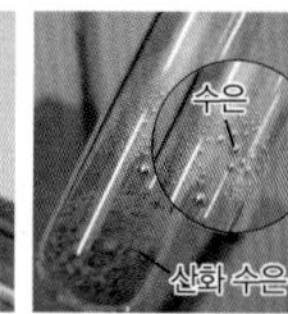

환원 반응

3 ⓑ______ : 물질이 산소와 반응하여 열과 빛을 내면서 새로운 물질이 생성되는 반응

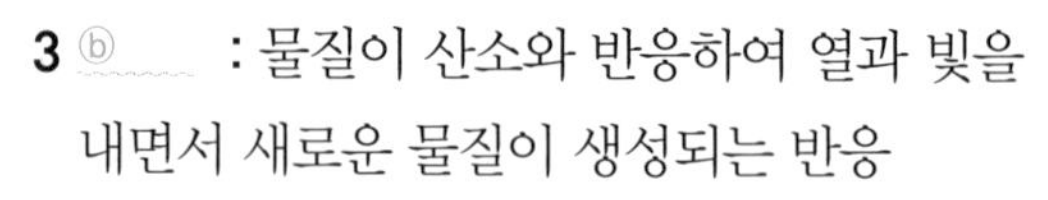

① 메테인+산소 → 이산화 탄소+물+열과 빛

② 철+산소 → 산화 철+열과 빛

메테인 연소

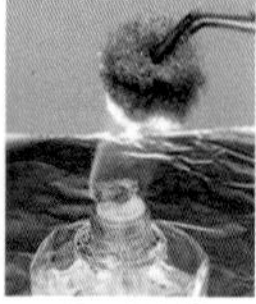
산화 철

4 앙금 생성 반응 : 이온이 존재하는 수용액을 섞었을 때 물에 녹지 않는 앙금이 생성되는 반응

① 석회수(수산화 칼슘)+이산화 탄소 → 물+탄산 칼슘↓

② 염화 나트륨+질산 은 → 질산 나트륨+염화 은↓

석회수+날숨

염화 은

5 기체 발생 반응 : 화학 반응 시 생성 물질 중 하나로 기체가 생성되는 반응

① 마그네슘+염산 → 염화 마그네슘+수소↑

② 탄산 칼슘+염산 → 염화 칼슘+물+이산화 탄소↑

마그네슘+염산

탄산 칼슘+염산

D 화학 반응식

1 화학 반응식 : 화학 반응을 화학식, 숫자, 화살표 등을 이용하여 나타낸 식

2 화학 반응식 세우기

① ⓒ______ 물질을 화살표의 왼쪽에, ⓓ______ 물질을 화살표의 오른쪽에 쓴다.

② 반응 물질과 생성 물질을 화학식으로 나타낸다.

③ 화학식 앞에 숫자를 붙여서 반응 전후의 ⓔ______ 수가 같아지도록 한다. (단, 1은 생략)

플러스 노트

● 연소의 조건

* 물질이 산소와 결합하여 연소하려면 세 가지의 조건이 필요하다. 이 중에서 하나라도 부족하면 연소될 수가 없다.
* 물질(연료) : 탈 수 있는 물질(가연성)
* 산소 : 공기 중에서 지속적으로 공급되어야 한다.
* 발화점 : 연소가 계속될 수 있는 온도

● 화학식

* 화학식 : 원소 기호와 숫자 등을 사용하여 화합물을 이루고 있는 원자의 종류와 개수 등을 나타낸 식으로, 실험식, 분자식, 구조식, 시성식 등이 있다.
* 실험식 : 화합물을 이루고 있는 원소의 조성을 나타내는 가장 간단한 화학식으로, 화합물을 이루고 있는 각 성분 원소의 원자 수의 비를 나타낸다.
* 분자식 : 분자를 이루는 성분 원소별 원자의 총 개수를 나타낸 화학식이다.

● 물질의 상태 표현

물질의 상태는 화학식 뒤의 ( ) 안에 고체는 s(solid), 액체는 l(liquid), 기체는 g(gas), 수용액은 aq(aqueous) 로 나타낸다.

용어풀이

중화(가운데 中, 화활 和) 반응 : 수용액에서 산과 염기가 반응하여 염과 물이 생기는 반응

정답

ⓐ 중화 ⓑ 연소 ⓒ 반응 ⓓ 생성 ⓔ 원자

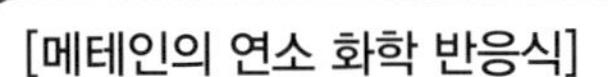

플러스 노트

[메테인의 연소 화학 반응식]

1 1단계 : 메테인+산소 → 이산화 탄소+물

2 2단계 : $CH_4+O_2 \rightarrow CO_2+H_2O$

3 3단계 : $aCH_4+bO_2 \rightarrow cCO_2+dH_2O$

화학 반응에 의해 원자 수는 변하지 않으므로 반응 전후의 원자 수가 일정해야 한다.

- 탄소 원자의 개수 $a=c$
- 수소 원자의 개수 $4a=2d$
- 산소 원자의 개수 $2b=2c+d$

a= ⓐ ____, b= ⓑ ____, c= ⓒ ____, d= ⓓ ____

4 완성된 화학 반응식 $CH_4+2O_2 \rightarrow CO_2+2H_2O$ (단, 1은 생략)

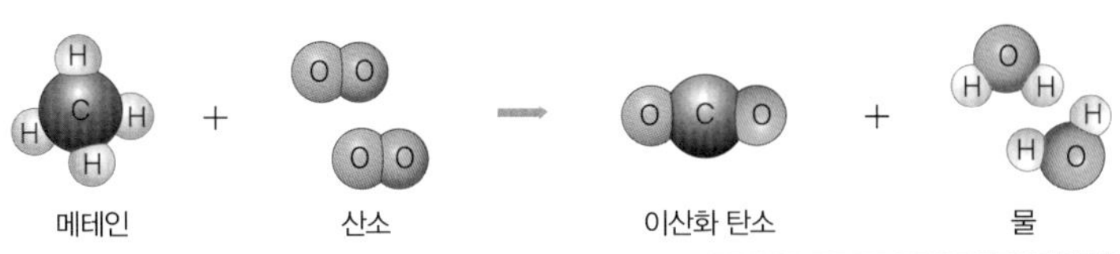

3 여러 가지 화학 반응식

① 수소+산소 → 수증기 $2H_2+O_2 \rightarrow 2H_2O$

② 철+황 → 황화 철 $Fe+S \rightarrow FeS$

③ 탄소+산소 → 이산화 탄소 $C+O_2 \rightarrow CO_2$

④ 산화 마그네슘 → 마그네슘+산소 $2MgO \rightarrow 2Mg+O_2$

⑤ 과산화 수소 → 물+산소 $2H_2O_2 \rightarrow 2H_2O+O_2$

4 화학 반응식으로 알 수 있는 정보

① 반응 물질과 생성 물질의 종류

② 입자 수와 원자 수

③ 반응 물질과 생성 물질의 질량 관계

④ 기체 반응일 때 각 기체의 부피 관계

⑤ 화학 반응식의 계수의 비= 입자 수의 비 = 기체일 경우 부피의 비

[물이 생성되는 화학 반응식으로 알 수 있는 정보]

수소 (H H, H H) + 산소 (O O) → 물 (O, H H, H H, O)

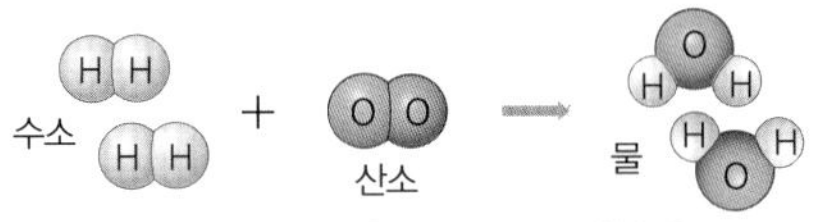

$2H_2 + O_2 \rightarrow 2H_2O$

1 반응 물질 : 수소, 산소

2 생성 물질 : 물(수증기)

3 반응 물질의 입자 수 : 수소 ⓔ ____ 개, 산소 ⓕ ____ 개

4 생성 물질의 입자 수 : 물(수증기) ⓖ ____ 개

5 반응에 참여한 수소와 산소 원자 수 : 수소 ⓗ ____ 개, 산소 ⓘ ____ 개

6 수소, 산소, 물(수증기)의 입자 수의 비 ➡ $H_2 : O_2 : H_2O=2 : 1 : 2$

7 수소, 산소, 수증기의 부피비 ➡ $H_2 : O_2 : H_2O=2 : 1 : 2$

8 수소, 산소, 물(수증기)의 질량비 ➡ $H_2 : O_2 : H_2O=1 : 8 : 9$

(원자량 : 수소 1, 산소 8)

● **화학 반응 계수**

화학 반응에 관여하는 반응물과 생성물 간의 양적 관계를 나타내는 수로, 화학 반응식에서 각 화학식 앞에 적어 나타낸다.

ⓐ 1 ⓑ 2 ⓒ 1 ⓓ 2 ⓔ 2

ⓕ 1 ⓖ 2 ⓗ 4 ⓘ 2

01 다음은 물질의 여러 가지 변화를 나타낸 것이다. 이 중 물질의 본래 성질이 변한 경우는?

① 달걀을 끓는 물에 넣었더니 익었다.
② 사이다의 뚜껑을 열었더니 거품이 올라왔다.
③ 헤어드라이어를 이용하여 젖은 머리를 말렸다.
④ 옷장 속에 넣어 둔 나프탈렌의 크기가 줄어들었다.
⑤ 끓는 물에 커피, 프림, 설탕을 넣고 잘 저어 주었다.

02 다음은 타오르고 있는 양초를 나타낸 것이다. (가)~(다)에서 일어나는 변화를 물리 변화와 화학 변화로 구분한 것 중 옳은 것은?

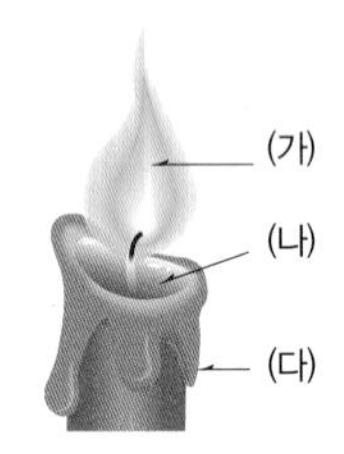

	(가)	(나)	(다)
①	화학 변화	화학 변화	화학 변화
②	화학 변화	물리 변화	물리 변화
③	화학 변화	물리 변화	화학 변화
④	물리 변화	화학 변화	물리 변화
⑤	물리 변화	물리 변화	물리 변화

중요

03 다음 중 화학 변화가 일어날 때 변하지 않는 것을 모두 고른 것은?

보기
ㄱ 물질의 종류　　ㄴ 원자의 배열
ㄷ 원자의 종류　　ㄹ 원자의 개수
ㅁ 물질의 성질

① ㄱ, ㄴ　② ㄱ, ㄷ
③ ㄴ, ㄷ, ㄹ　④ ㄷ, ㄹ
⑤ ㄷ, ㄹ, ㅁ

04 다음 모형으로 나타낼 수 있는 화학 반응은?

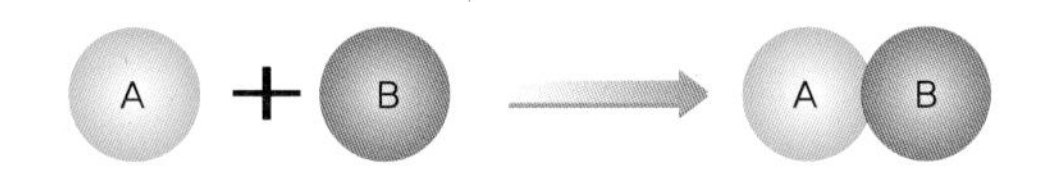

① 산화 수은(Ⅱ)을 가열할 때
② 석회수에 입김을 불어넣을 때
③ 묽은 염산에 달걀 껍질을 넣을 때
④ 철가루와 황가루의 혼합물을 가열할 때
⑤ 과산화 수소에 이산화 망가니즈를 넣어줄 때

05 다음과 같은 실험 장치로 탄산수소 나트륨을 가열하였더니 기체가 발생했으며, 시험관 안쪽 벽에 액체 방울이 생기고 흰색 고체가 남았다. 이 실험에 대한 설명으로 옳지 않은 것은?

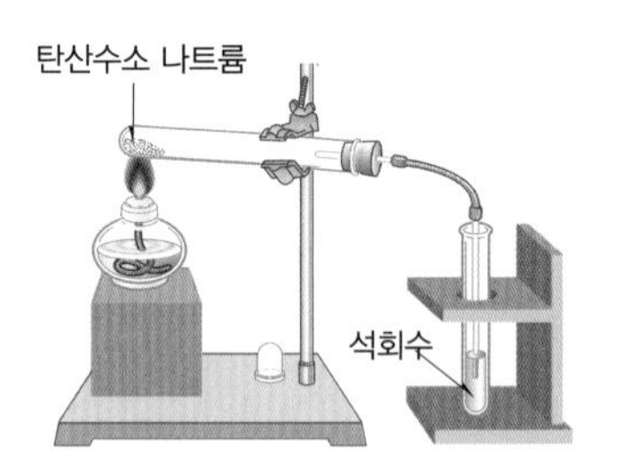

① 탄산수소 나트륨은 열에 의해 분해되었다.
② 이 실험에서 일어나는 반응은 빵을 만들기 위해 베이킹 파우더를 넣었을 때 일어나는 반응과 같다.
③ 시험관 안쪽 벽에 생긴 액체 방울은 푸른색 염화 코발트 종이를 붉게 변화시키므로 물이다.
④ 발생하는 기체를 모은 시험관에 석회수를 넣고 흔들어 보면 뿌옇게 흐려지므로 산소이다.
⑤ 가열 전의 탄산수소 나트륨의 질량은 발생한 기체, 액체, 남은 흰색 고체의 질량을 합한 것과 같다.

06 다음 화학 반응 중 나머지 넷과 다른 하나는?

① 마그네슘을 공기 중에서 가열한다.
② 산화 수은(Ⅱ)을 시험관에 넣고 가열한다.
③ 물에 질산 칼륨을 넣고 전류를 흐르게 한다.
④ 탄산수소 나트륨을 시험관에 넣고 가열한다.
⑤ 과산화 수소에 이산화 망가니즈를 섞은 후 가열한다.

07 다음 화학 반응식의 ( ) 안에 들어갈 숫자가 알맞게 짝지어진 것은?

(a)N_2 + (b)H_2 → (c)NH_3

	(a)	(b)	(c)
①	1	1	2
②	1	2	2
③	1	2	3
④	1	3	2
⑤	2	1	3

08 다음의 화학 반응을 화학 반응식으로 옳게 나타낸 것은?

산화 마그네슘(MgO)이
산소와 마그네슘으로 분해된다.

① $MgO \rightarrow Mg + O$
② $MgO \rightarrow Mg + O_2$
③ $2MgO \rightarrow 2Mg + 2O$
④ $2MgO \rightarrow Mg_2 + O_2$
⑤ $2MgO \rightarrow 2Mg + O_2$

09 다음은 여러 가지 화학 반응을 화학 반응식으로 나타낸 것이다. 옳지 않은 것은?

① $H_2 + O_2 \rightarrow 2H_2O$
② $Fe + S \rightarrow FeS$
③ $2H_2O_2 \rightarrow 2H_2O + O_2$
④ $2MgO \rightarrow 2Mg + O_2$
⑤ $C + O_2 \rightarrow CO_2$

10 다음 화학 반응식을 통해 알 수 없는 것은?

$H_2 + Cl_2 \rightarrow 2HCl$

① 반응 물질과 생성 물질의 종류
② 반응 물질과 생성 물질의 부피비
③ 반응에 참여한 원자의 종류와 수
④ 반응 물질과 생성 물질의 입자 크기
⑤ 반응 물질과 생성 물질의 입자 수의 비

11 다음 화학 반응식에 대한 설명 중 옳지 않은 것은?

$2H_2 + O_2 \rightarrow 2H_2O$

① 수소와 산소가 반응하여 물이 생성된다.
② 반응이 일어나도 입자 수는 변하지 않는다.
③ 수소 원자 4개와 산소 원자 2개가 반응한다.
④ 수소 입자 2개와 산소 입자 1개가 반응한다.
⑤ 반응하는 수소와 산소의 부피비는 2 : 1이다.

서술형으로 다지기

정답 ◆ 22p ◆

01 **다음은 마그네슘이 공기 중에서 연소될 때 일어나는 반응의 화학 반응식과 이 반응식을 통해 알 수 있는 정보를 정리한 것이다. (가)~(다) 중 틀린 것을 고르고, 그 이유를 서술하시오.**

• 화학 반응식 : $2Mg + O_2 \rightarrow 2MgO$

(가) 반응 물질과 생성 물질의 종류와 각 물질의 화학식을 알 수 있다.
(나) 반응 물질과 생성 물질을 이루는 원자와 입자의 종류와 수를 알 수 있다.
(다) 반응하는 기체와 생성되는 기체의 부피비를 알 수 있다.

02 **다음은 달고나를 만드는 방법이다. 녹은 설탕에 소다를 넣었을 때 설탕이 부풀어 오르는 이유를 서술하시오.**

국자에 설탕을 넣고 가열하여 녹인 후, 소다(주성분 탄산수소 나트륨)를 넣고 저어 주면 녹은 설탕이 부풀어 오르는데, 이때 불을 끄고 철판에 떨어뜨리면 달콤쌉싸름한 달고나가 만들어진다.

03 **다음의 여러 가지 현상을 물리 변화와 화학 변화로 분류하고, 분류 기준을 서술하시오.**

(가) 암모니아 병의 뚜껑을 열면 냄새가 난다.
(나) 냉장고에 넣어 둔 음식이 오래되어 썩었다.
(다) 뜨거운 물에 설탕을 넣고 저으면 잘 녹는다.
(라) 상처에 과산화 수소를 바르면 거품이 생긴다.
(마) 석회수에 입김을 불어넣으면 석회수가 뿌옇게 흐려진다.
(바) 공기 중에 드라이아이스를 놓아두면 흰색 연기가 발생한다.

논술형

04 **다음은 메테인을 공기 중에서 연소시킬 때의 변화를 모형으로 나타낸 것이다. 이 반응이 물리 변화인지 화학 변화인지 판단하고, 그렇게 생각한 이유를 서술하시오.**

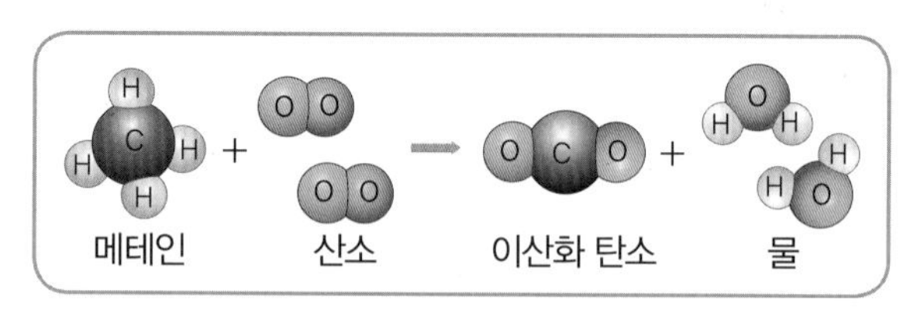

정답 ◆ 22p ◆

STEAM 산소로 소독하는 과산화 수소

가정에서 많이 사용하는 소독약 중 하나가 과산화 수소수이다. 과산화 수소는 이름 그대로 산소가 많은 산소와 수소의 화합물이다. 우리에게 친숙한 산소와 수소의 화합물인 물(H_2O)에 비해 산소가 많다. 즉 수소 원자 두 개에 산소 원자 두 개가 결합한 화합물(H_2O_2)이 과산화 수소이다.

과산화 수소는 물에 비해 화학적으로 훨씬 불안정한 화합물이다. 덤으로 붙은 또 하나의 산소 원자는 기회만 되면 떨어져 나가려고 한다. 이때 떨어져 나간 산소를 '활성 산소'라고 하는데, 활성 산소는 강력한 독성 물질이라서 주변에 있는 모든 물질들을 파괴하고 산화시키고 부식시킨다. 과산화 수소의 소독 작용은 바로 이 활성 산소에 의한 것이다. 활성 산소가 병원균이나 감염된 세포를 순식간에 산화시켜 죽여 버리기 때문에 소독이 효과적으로 이루어진다. 과산화 수소수를 상처에 뿌리면 흰 거품이 올라오는데, 이 거품 속에 산소가 들어 있다. 흔히 과산화 수소수를 상처 부위에 발랐을 때 세균이 소독되어 거품이 일어나는 것이라고 착각하는데, 이것은 과산화 수소에서 산소가 발생하기 때문이다. 보통 약국에서 소독용으로 파는 것은 과산화 수소 2.5~ 3.0 %를 함유하는 수용액이다. 이것을 상처 부위에 바르면, 혈액 속의 카탈레이스라는 효소가 과산화 수소와 만나 활성 산소가 발생하고, 이 과정에서 소독이 이뤄진다. 만약 과산화 수소 소독 시 거품이 발생하지 않는다면 소독 효과가 없다고 봐야 한다.

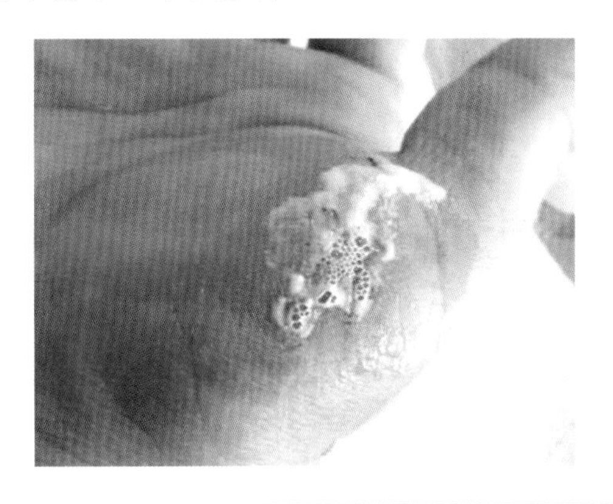

01 과산화 수소가 상처에 닿았을 때 물과 산소로 분해되는 과정을 화학 반응식으로 나타내시오.

논술형

02 과산화 수소는 주로 피부 표면에 경미한 상처가 발생했을 때 사용한다. 상처가 깊게 파이거나 넓게 찢어지거나 또는 피부에 상처가 나지 않았을 때는 사용하지 않아야 한다. 그 이유를 과산화 수소의 분해 반응과 소독 원리를 바탕으로 서술하시오.

질량 보존 법칙, 일정 성분비 법칙

15 화학 변화의 규칙성(1)

플러스 노트

A 화학 반응에서의 질량 변화

1 앙금 생성 반응에서의 질량 변화

① 염화 나트륨+질산 은 → 질산 나트륨+염화 은↓(앙금)

반응 전 전체 질량과 반응 후 전체 질량은 ⓐ ___ 다.

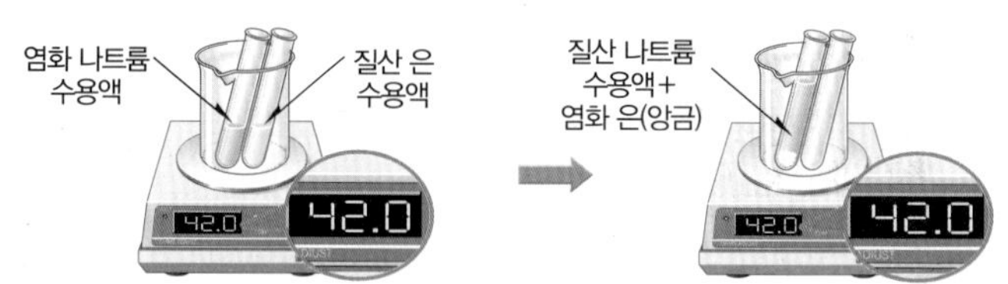

(염화 나트륨+질산 은) 질량 = (질산 나트륨+염화 은) 질량

● **앙금 생성 반응**
* 반응 물질을 구성하는 원소끼리 서로 짝을 바꾸는 복분해 반응이다. AB+CD → AD+CB
* 앙금 생성 반응은 기체가 생기지도 않고 물질의 출입도 없으므로 닫힌 용기에서나 열린 용기에서나 질량이 같다.

2 연소 반응에서의 질량 변화

① 금속의 연소 : 강철솜+산소 → 산화 철

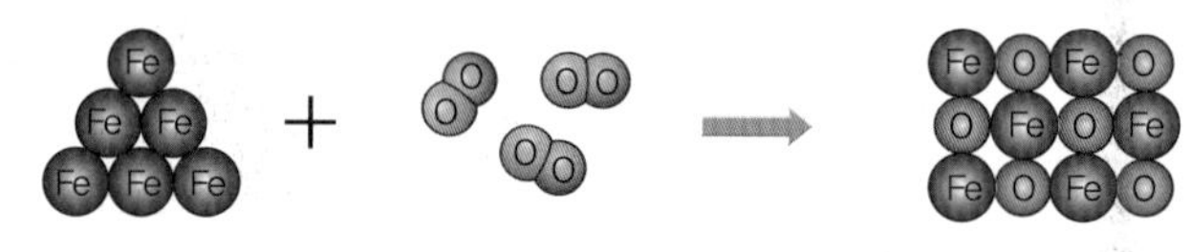

- 열린 공간 : 철은 산소와 결합하여 연소 후에 질량이 ⓑ ___ 한다.
- 닫힌 공간 : 연소 전 (철+산소) 질량과 연소 후 (산화 철) 질량이 ⓒ ___ 다.

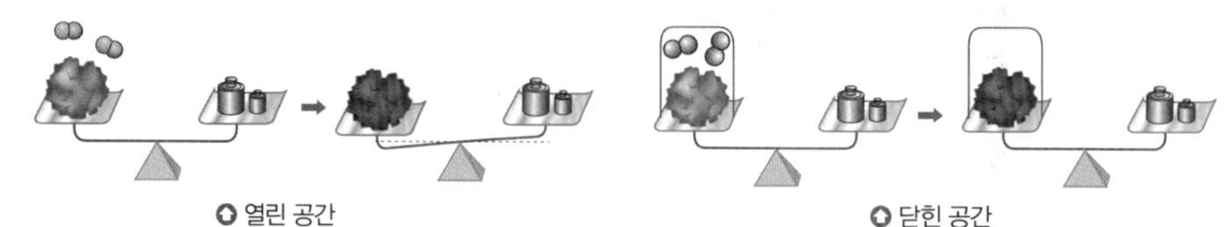
열린 공간 닫힌 공간

● **철과 산화 철**
* 은백색의 강철솜(철)을 연소시키면 검은색의 산화 철이 되고, 반응한 산소의 질량만큼 산화 철의 질량이 증가한다.
* 연소는 화학 변화이므로 강철솜과 산화 철은 성질이 전혀 다른 물질이다.

② 나무의 연소 : 나무+산소 → 재+이산화 탄소↑+수증기↑

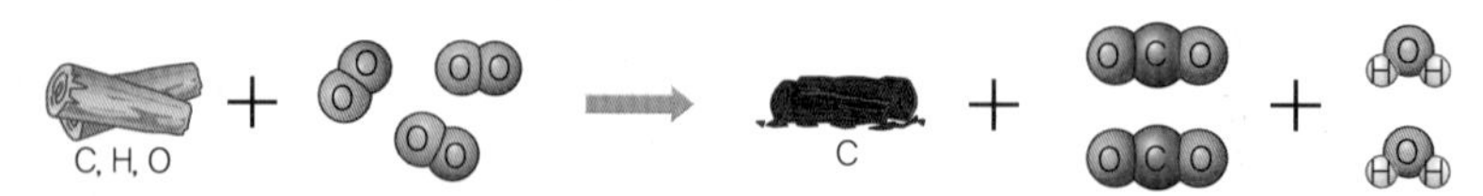

- 열린 공간 : 생성된 기체가 날아가므로 질량이 ⓓ ___ 한다.
- 닫힌 공간 : 연소 전 (나무+산소) 질량과 연소 후 (재+날아간 기체) 질량이 ⓔ ___ 다.

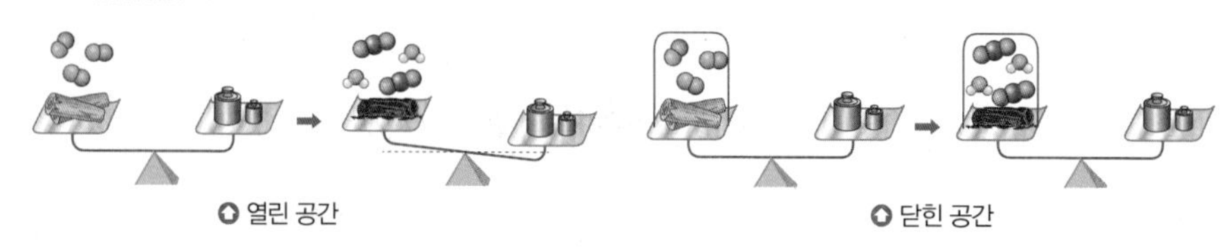
열린 공간 닫힌 공간

ⓐ 같 ⓑ 증가 ⓒ 같
ⓓ 감소 ⓔ 같

3 기체 발생 반응에서의 질량 변화

① 마그네슘+염산 → 염화 마그네슘+수소↑

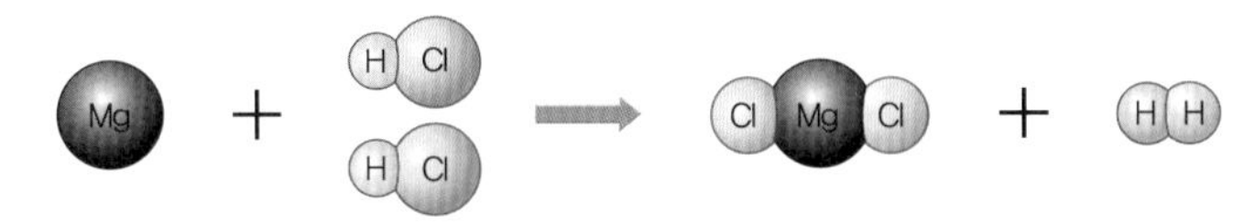

- 열린 공간 : 생성된 기체가 날아가므로 질량이 ⓐ ____ 한다.
- 닫힌 공간 : 반응 전 전체 질량과 반응 후 전체 질량이 ⓑ ____ 다.

열린 공간 닫힌 공간

4 화학 반응과 질량

① 화학 반응이 일어날 때 원자의 종류와 수는 변하지 않고 원자의 배열 상태만 달라지므로 반응 전과 후의 질량은 변하지 않는다.

반응 모형	마그네슘과 묽은 염산이 반응하면 수소 기체가 발생한다. 마그네슘 + 염산 → 염화 마그네슘 + 수소			
반응 전과 후의 원자 개수	구분	마그네슘	수소	염소
	반응 전 원자수	1개	2개	2개
	반응 후 원자수	1개	2개	2개

② 화학 반응이 일어날 때 질량이 증가하거나 감소하는 것처럼 보이는 것은 반응이 일어날 때 출입하는 물질 때문이다.

5 질량 보존 법칙

① 질량 보존 법칙 : 화학 반응이 일어날 때, 반응 전 물질의 전체 질량과 반응 후 물질의 전체 질량은 항상 일정하다.

반응 전 총 질량 ⓒ ____ 반응 후 총 질량

② 모든 화학 반응에서 성립하며, 물리 변화에서도 ⓓ ____ 한다.

③ 질량 보존 법칙이 성립하는 이유 : 화학 반응이 일어날 때 원자는 없어지거나 새로 만들어지지 않으며, 원자의 ⓔ ____ 만 달라지기 때문이다.

플러스 노트

● 질량 보존 법칙 발견

프랑스의 과학자 라부아지에는 플로지스톤설의 문제점을 밝히려고 입구를 길게 뽑아 봉한 플라스크와 정밀한 저울을 직접 제작하였다. 여기에 정확하게 질량을 잰 주석 가루를 넣고 가열하여 재를 만든 후 다시 질량을 재어 질량이 보존됨을 알아냈다.

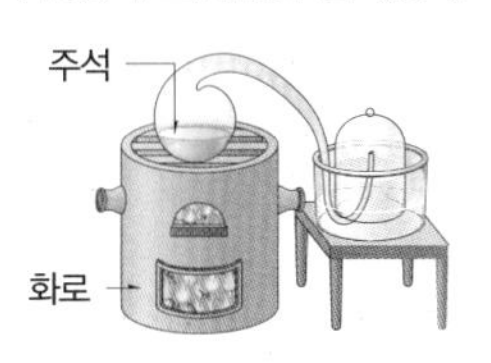

ⓐ 감소 ⓑ 같 ⓒ = ⓓ 성립 ⓔ 배열

V 화학 반응의 규칙성과 에너지 변화

플러스 노트

C 반응 물질 사이의 질량 관계

1 구리 연소 반응에서의 질량 관계

① 구리를 공기 중에서 연소시키면 산소와 결합하여 검은색 가루의 산화 구리(Ⅱ)가 생성된다.

구리의 질량(g)	0	1.0	2.0	3.0	4.0
구리와 결합한 산소의 질량(g)	0	0.25	0.5	0.75	1.0
산화 구리(Ⅱ)의 질량(g)	0	1.25	2.5	3.75	5.0

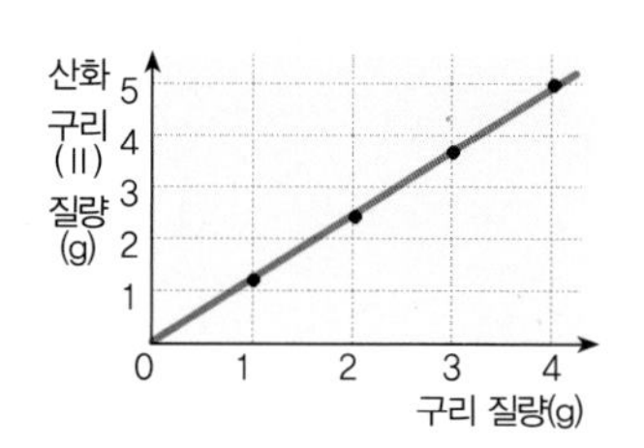

● 구리 연소 실험 장치

② 구리와 산소는 항상 ⓐ ___ : ⓑ ___ 의 질량비로 반응한다.

반응	구리	+	산소	→	산화 구리(Ⅱ)
반응식	2Cu	+	O_2	→	2CuO
질량비	4	:	1	:	5

2 물의 합성 반응에서의 질량 관계

① 수소와 산소의 혼합 기체에 전기 불꽃을 튀겨주면 물이 합성된다.

실험	혼합 기체의 질량(g)		생성된 물의 질량(g)	반응 후 남은 기체의 질량(g)
	수소	산소		
1	1	10	9	산소, 2
2	2	16	18	없음
3	4	24	27	수소, 1

② 수소와 산소가 화합하여 물이 생성될 때, 반응하는 수소와 산소의 질량비는 ⓒ ___ : ⓓ ___ 로 항상 일정하다.

반응	수소	+	산소	→	물
반응식	$2H_2$	+	O_2	→	$2H_2O$
질량비	1	:	8	:	9

③ 항상 일정한 질량비로 반응하므로, 어느 한 물질이 많으면 반응 후 남는 기체가 생긴다.

반응	수소	+	산소	→	물
반응 전	3	+	8	→	
반응	−1		−8		
반응 후	2		0		9

● 반응 물질 사이의 질량비

* 산화 구리(Ⅱ) 생성 반응
$2Cu+O_2 \rightarrow 2CuO$
구리 : 산소 : 산화 구리(Ⅱ) =4 : 1 : 5
* 산화 마그네슘 생성 반응
$2Mg+O_2 \rightarrow 2MgO$
마그네슘 : 산소 : 산화 마그네슘 =3 : 2 : 5
* 황화 철 생성 반응
$Fe+S \rightarrow FeS$
철 : 황 : 황화 철=7 : 4 : 11
* 물 생성 반응
$2H_2+O_2 \rightarrow 2H_2O$
수소 : 산소 : 물=1 : 8 : 9

정답

ⓐ 4 ⓑ 1 ⓒ 1 ⓓ 8

3 앙금 생성 반응에서의 질량 관계

① 아이오딘화 칼륨 수용액에 질산 납 수용액을 넣으면 노란색 아이오딘화 납 앙금이 생성된다.

시험관	A	B	C	D	E	F
10 % 아이오딘화 칼륨 수용액(mL)	6.0	6.0	6.0	6.0	6.0	6.0
10 % 질산 납 수용액(mL)	0	2.0	4.0	6.0	8.0	10.0
앙금의 높이(mm)	0	6.1	12.3	18.2	18.2	18.2

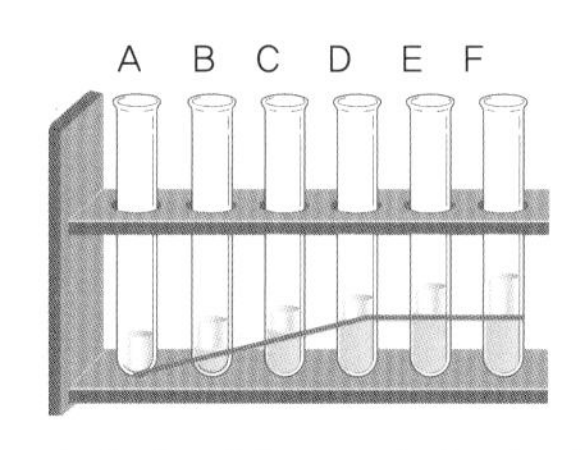

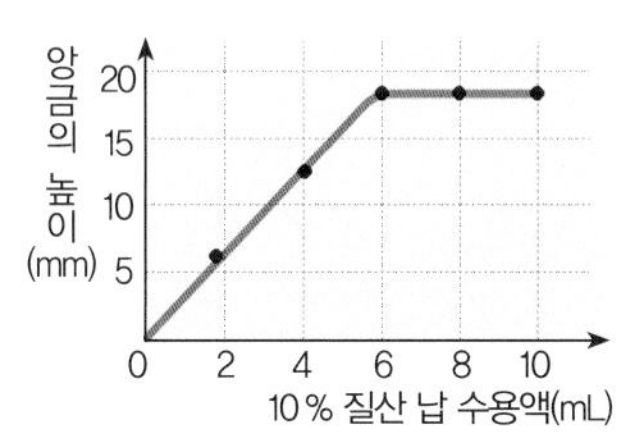

② ⓐ＿＿ 시험관 이후로 질산 납 수용액을 아무리 많이 넣어도 앙금의 높이는 일정하다. ➡ 일정한 양의 아이오딘화 칼륨 수용액과 반응하는 질산 납 수용액의 양이 일정하기 때문이다.

③ 같은 농도의 아이오딘화 칼륨 수용액과 질산 납 수용액은 1 : 1의 부피비로 반응한다. ➡ 일정한 부피 속에 들어 있는 아이오딘화 칼륨과 질산 납의 질량은 일정할 것이므로, 아이오딘화 납의 성분 물질인 아이오딘과 납 사이에는 일정한 질량비가 성립한다.

4 일정 성분비 법칙

① 일정 성분비 법칙 : 두 물질이 화합하여 한 화합물을 만들 때, 화합물을 구성하는 성분 물질 사이에는 일정한 ⓑ＿＿ 비가 성립한다.

결합 모형	볼트(B)와 너트(N)로 화합물 모형 BN_2를 만들 때 B와 N은 항상 1 : 2의 개수비(= 질량비)로 결합한다.		
B와 N의 개수	모형	화합물 BN_2의 수	남은 모형
B 3개, N 2개	→	1개	B 2개
B 2개, N 5개	→	2개	N 1개
B 3개, N 6개	→	3개	없음

② 같은 화합물은 성분 원소의 질량비가 항상 일정하다.

③ 혼합물에서는 성립하지 않고, ⓒ＿＿ 에서만 성립한다.

④ 일정 성분비 법칙이 성립하는 이유 : 화합물은 두 종류 이상의 원자들이 일정한 수의 비율로 결합하여 만들어지기 때문이다.

플러스 노트

● **일정 성분비 법칙 발견**
프랑스 과학자 프루스트는 자연계에 존재하는 탄산 구리와 인공적으로 만든 탄산 구리의 성분 원소의 질량비가 같음을 확인하고, 이를 토대로 '모든 화합물을 구성하고 있는 성분 원소들은 항상 일정한 질량비로 존재한다'고 주장하였다. 스웨덴의 과학자 베르셀리우스는 화합물을 정밀하게 분석하여 일정 성분비 법칙을 실험적으로 확립하였다.

● **일정 성분비 법칙과 화합물과 혼합물**
* **혼합물** : 구성하는 성분 물질의 양에 따라 비율이 달라지기 때문에, 즉 조성비가 일정하지 않기 때문에 일정 성분비 법칙이 성립하지 않는다.
* **화합물** : 구성 원소의 조성비가 항상 일정하므로 일정 성분비 법칙이 성립한다.

ⓐ D ⓑ 질량 ⓒ 화합물

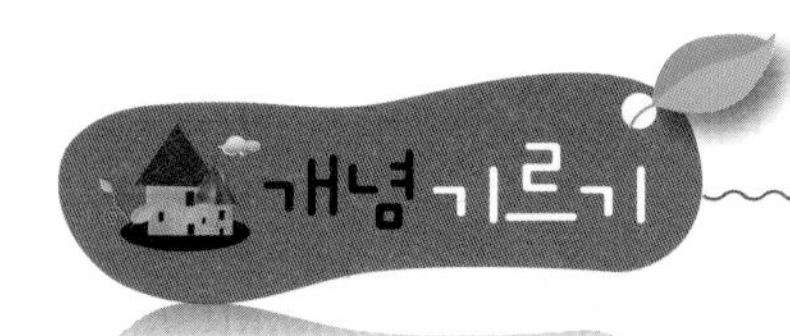

01 **다음 중 질량 보존 법칙에 대한 설명으로 옳지 않은 것은?**

① 반응 물질의 총 질량과 생성 물질의 총 질량은 같다.
② 설탕이 물에 녹아도 녹기 전후 질량은 변하지 않는다.
③ 뷰테인 가스가 탈 때는 질량 보존 법칙이 성립하지 않는다.
④ 질량이 보존되는 이유는 물질을 이루는 원자가 변하지 않기 때문이다.
⑤ 나무의 재가 나무보다 가벼운 것은 연소 생성물로 기체가 발생했기 때문이다.

02 **다음과 같이 저울의 한쪽 접시에는 추가 놓여 있고, 다른 접시에는 밀폐된 용기 안에 양초가 타고 있다. 양초가 타는 동안 수평을 이루고 있던 저울이 어떻게 될지 바르게 예상한 것은?**

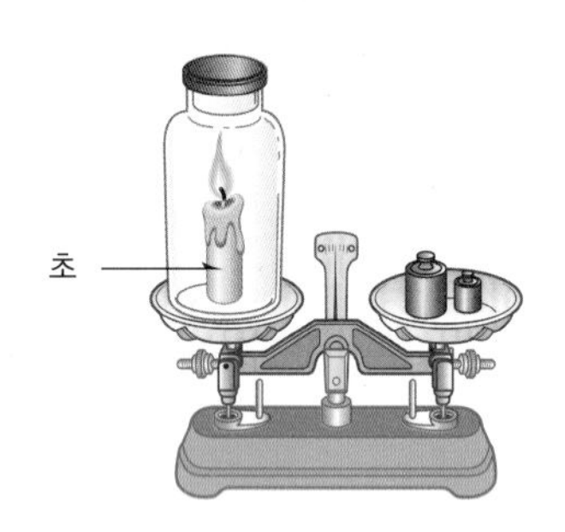

① 양초가 타고 꺼질 때도 그대로 수평을 유지한다.
② 양초가 탈수록 가벼워져서 양초가 있는 쪽이 위로 올라간다.
③ 양초가 탈수록 무거워져서 양초가 있는 쪽이 아래로 내려간다.
④ 양초가 탈 때는 가벼워져서 올라가고 꺼지면 다시 수평이 된다.
⑤ 양초가 탈 때는 무거워져서 내려가고 꺼지면 다시 수평이 된다.

03 **다음 중 질량 보존 법칙이 성립하는 것을 모두 고른 것은?**

보기
ㄱ 설탕 + 물 → 설탕물
ㄴ 구리 + 산소 → 산화 구리
ㄷ 드라이아이스 → 이산화 탄소
ㄹ 탄산 칼륨 → 산화 칼륨 + 이산화 탄소

① ㄱ ② ㄴ
③ ㄱ, ㄷ ④ ㄴ, ㄹ
⑤ ㄱ, ㄴ, ㄷ, ㄹ

04 **철을 산화시켜 산화 철을 만들 때 반응하는 질량비는 철 : 산소 = 7 : 2이다. 45 g의 산화 철에 철 x g을 넣고 공기 중에서 충분히 가열한 후 질량을 측정하였더니 135 g이었다. 이때 넣어준 철의 질량은 몇 g인가?**

① 70 g ② 90 g
③ 110 g ④ 130 g
⑤ 150 g

05 **다음과 같이 두 가지 물질이 반응하여 성질이 전혀 다른 새로운 물질로 변하는 경우에도 질량이 변하지 않는 이유를 바르게 설명한 것은?**

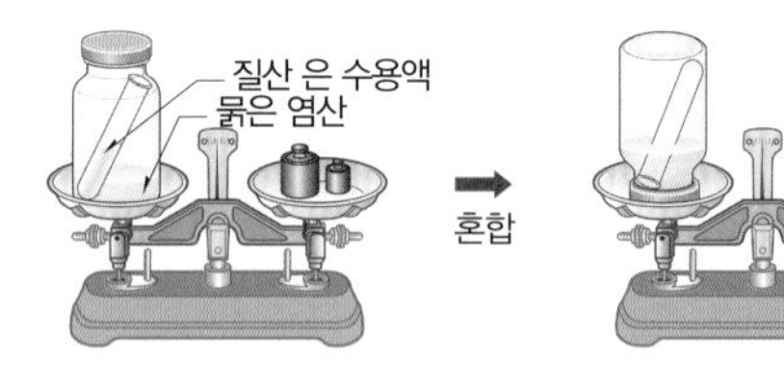

① 모든 물질은 원자로 되어 있기 때문이다.
② 원자는 더 이상 쪼개어지지 않기 때문이다.
③ 화학 변화가 일어날 때 원자는 없어지거나 새로 생겨나지 않기 때문이다.
④ 화합물은 한 원자와 다른 원자가 정해진 수의 비율로 결합함으로써 이루어지기 때문이다.
⑤ 같은 원소의 원자들은 크기, 질량 및 성질이 서로 같고, 다른 원소의 원자들은 크기, 질량 및 성질이 서로 다르기 때문이다.

중요

06 6개의 시험관에 각각 10 % 아이오딘화 칼륨 수용액을 6 mL씩 넣은 다음 10 % 질산 납 수용액을 차례로 2 mL씩 증가하도록 넣었더니 각 시험관에 생기는 앙금의 높이가 다음 표와 같았다. 이 실험에 대한 설명으로 옳지 않은 것은?

시험관	A	B	C	D	E	F
아이오딘화 칼륨(mL)	6	6	6	6	6	6
질산 납(mL)	0	2	4	6	8	10
앙금의 높이(cm)	0	1.0	2.1	3.0	3.0	3.0

① 시험관 B~F에서 노란색 앙금이 생긴다.
② 반응하는 두 수용액의 부피비는 1 : 1이다.
③ 각 시험관마다 반응한 두 물질의 질량비는 다르다.
④ 아이오딘화 납을 만드는 납과 아이오딘 사이에는 일정한 질량비가 성립한다.
⑤ 시험관 D에 아이오딘화 칼륨 수용액 4.0 mL를 더 넣어도 앙금의 높이는 변함이 없다.

07 산화 마그네슘을 구성하는 산소와 마그네슘의 질량이 다음 그래프와 같다. 24 g의 마그네슘과 결합하는 산소의 질량은?

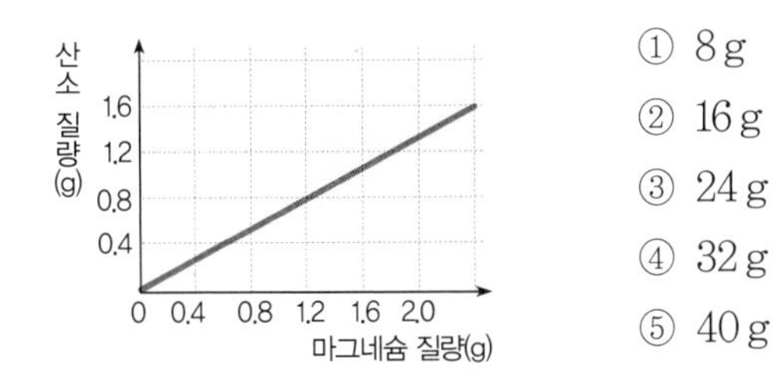

① 8 g
② 16 g
③ 24 g
④ 32 g
⑤ 40 g

08 X 원자 20개와 Y 원자 30개를 이용하여 화합물 XY_2를 최대한 만들었다. X 원자 20개의 질량은 40 g이고 최대한 만들어진 화합물 XY_2 전체의 질량은 60 g이었다. 화합물 XY_2에 들어 있는 X 원자와 Y 원자의 질량비는?

① 1 : 1 ② 1 : 3
③ 1 : 2 ④ 2 : 1
⑤ 2 : 3

09 다음은 마그네슘과 산소가 반응하여 산화 마그네슘이 생성되는 반응의 모형을 나타낸 것이다. 이에 대한 설명으로 옳지 않은 것은? (단, 마그네슘 원자의 상대 질량은 24, 산소 원자의 상대 질량은 16이다.)

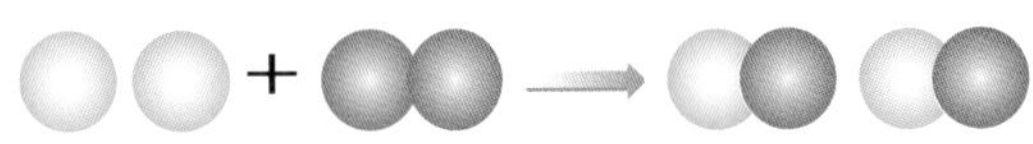

① 마그네슘과 산소의 질량비는 3 : 2이다.
② 위의 반응으로 질량 보존 법칙을 설명할 수 있다.
③ 위의 반응으로 일정 성분비 법칙을 설명할 수 있다.
④ 마그네슘 6 g을 연소시킬 때 생성되는 물질은 8 g이다.
⑤ 반응 물질과 생성 물질 사이에 원자의 배열 상태가 달라졌다.

10 다음 그래프는 구리의 질량을 달리하여 연소시켰을 때 생성된 산화 구리(II)의 질량을 나타낸 것이다. 이에 대한 설명으로 옳은 것을 모두 고른 것은?

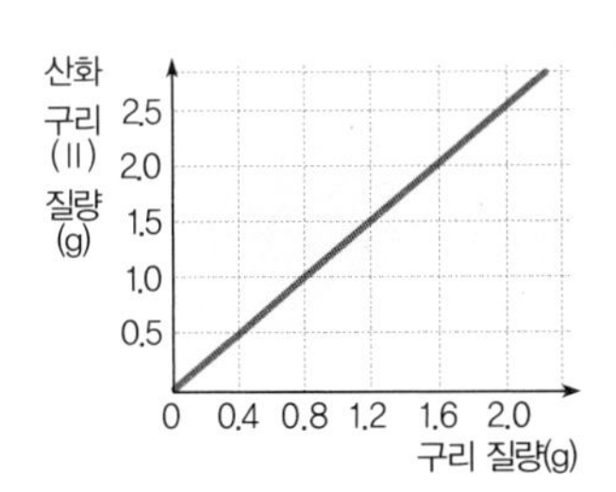

보기
㉠ 반응하는 구리와 산소의 질량비는 5 : 1이다.
㉡ 이 그래프로 일정 성분비 법칙을 설명할 수 있다.
㉢ 2.0 g의 구리가 연소하면 2.5 g의 산화 구리(II)가 생성된다.
㉣ 구리의 질량이 커질수록 생성되는 산화 구리(II)의 질량도 커진다.

① ㉠, ㉡ ② ㉡, ㉢
③ ㉠, ㉡, ㉢ ④ ㉡, ㉢, ㉣
⑤ ㉠, ㉡, ㉢, ㉣

정답 ◆ 23p ◆

01 다음 그림 (가)는 나무의 연소 반응을, (나)는 강철솜의 연소 반응을 모형으로 나타낸 것이다. 공기 중에서 나무를 연소시키면 질량이 감소하고, 강철솜을 연소시키면 질량이 증가하는 이유를 서술하시오.

(가)

나무 연소 후 질량 변화-감소

강철솜 연소 후 질량 변화-증가

02 다음 표는 구리 가루 12 g을 도가니 속에 넣고 가열하여 연소시켰을 때 걸린 시간과 생성된 물질의 질량을 측정한 것이다. 시간이 지남에 따라 생성 물질의 질량이 계속 증가하지 않고 일정해지는 이유를 서술하시오.

시간(분)	25	30	35	40	45	50
생성 물질의 질량(g)	14.5	14.7	14.8	15	15	15

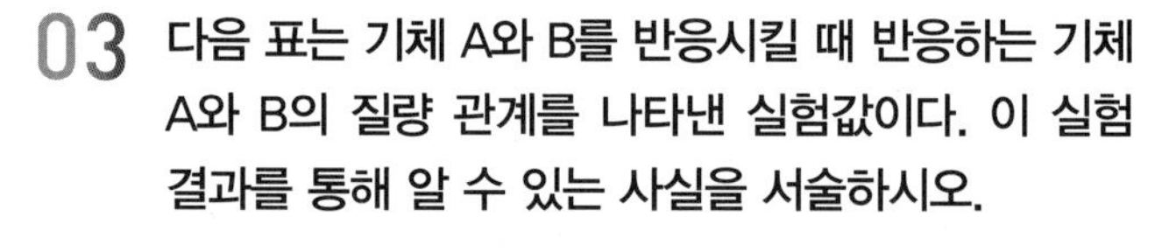

03 다음 표는 기체 A와 B를 반응시킬 때 반응하는 기체 A와 B의 질량 관계를 나타낸 실험값이다. 이 실험 결과를 통해 알 수 있는 사실을 서술하시오.

혼합한 기체의 질량		반응하지 않고 남아 있는 기체와 질량(g)
A의 질량(g)	B의 질량(g)	
0.2	2.0	B 기체, 0.4
0.5	3.2	A 기체, 0.1
1.0	4.0	A 기체, 0.5

논술형

04 다음 표는 크기가 같은 6개의 시험관에 10 % 아이오딘화 칼륨 수용액을 6 mL씩 넣은 후 각 시험관에 10 % 질산 납 수용액을 0, 2, 4, 6, 8, 10 mL씩 넣었을 때 생성된 앙금의 높이이다. 시험관 5에서 반응하지 못하고 남은 수용액을 모두 반응시키려면 어떤 수용액이 얼마나 필요한지 이유와 함께 서술하시오.

시험관	1	2	3	4	5	6
아이오딘화 칼륨 수용액(mL)	6	6	6	6	6	6
질산 납 수용액(mL)	0	2	4	6	8	10
생성된 앙금의 높이(cm)	0	1.4	2.9	4.2	4.2	4.2

정답 ◆ 24p ◆

STEAM 세계 인구가 증가하면 지구의 질량은?

UN이 발표한 인구 예측 보고서에 따르면 오는 2050년 전세계 인구는 아시아와 아프리카의 대도시 인구 급증에 따라 93억 명에 이를 것이라고 전망했다. 유엔 경제사회국(DESA)은 2012년 4월 5일 보고서를 통해 지난 2010년 약 70억 명인 세계 인구가 40년 후인 2050년까지 23억 명 늘어날 것으로 예측했고, 특히 전체 인구 증가분 중 86 %는 아시아와 아프리카가 차지할 것으로 전망했다. 특히 UN은 도시 인구의 증가가 가장 많은 나라로 인도, 중국, 나이지리아, 인도네시아, 미국 다섯 국가를 선정했다. 또한, 각 나라별 2050년 도시 인구는 중국을 제치고 인도가 4억9천700만 명으로 1위, 중국 3억4천100만 명, 나이지리아 2억 명, 인도네시아 9천200만 명, 미국 1억300만 명을 기록할 것으로 예측했다. 사람을 포함해서 지구에서 살고 있는 모든 생물은 지구에 유한하게 존재하는 물질로 구성돼 있고 또한 그 물질을 이용해서 살아간다. 지구상에는 92가지의 자연 원소가 존재하며 이 중 수소, 산소, 탄소, 질소, 인, 황의 6가지 원소가 생물체의 99 %를 이루고 있다. 6가지 원소 외에도 여러 미량 원소가 필요한데, 이 모든 물질들은 지구가 형성된 이후로 일정한 양이 계속 유지되고 있다. 물론 일부 원소들은 방사선을 방출하며 붕괴돼 다른 원소로 바뀜에 따라 상대적인 양이 달라질 수도 있지만, 전체 물질의 양은 항상 일정하다. 지구에 존재하는 생물들은 유한한 물질을 계속해서 순환시켜 무한하게 이용하고 있다고 볼 수 있다. 이를 '지구 생태계의 물질 순환'이라고 한다. 예를 들어 탄소를 보면 태양 에너지에 의해 대기 중의 이산화 탄소가 유기물로 전환돼 생물체에 축적되고, 이 유기물은 호흡이나 먹이사슬 등을 거쳐 소비 · 환원돼 다시 대기 중으로 돌아간다. 이러한 과정을 통해 지구의 생물들은 한정된 물질을 긴 시간 동안 무한하게 이용하고 있다.

세계 인구 증가 추이와 인구 대국 (단위 : 명)

2011년		2050년	
중국	13억 3,000만	인도	16억 9,000만
인도	11억 7,000만	중국	13억 1,000만
미국	3억 680만	나이지리아	4억 4,300만
인도네시아	2억 4,330만	미국	4억 2,300만
브라질	1억 9,150만	파키스탄	3억 1,400만
파키스탄	1억 8,080만	인도네시아	3억 900만
나이지리아	1억 6,230만	방글라데시	12억 2,600만

10억 1800년
20억 1930년
30억 1960년
40억 1974년
50억 1987년
60억 1999년
70억 2011년
93억 2050년

01 세계 인구가 늘어날 때 지구 질량의 변화를 서술하시오.

논술형

02 지구의 질량이 늘어나는 경우와 줄어드는 경우를 추리하여 서술하시오.

플러스 노트

A 기체 사이의 반응에서의 부피 관계

1 기체 생성 반응에서의 부피 관계

① 수증기 생성 반응

실험	반응 전 기체의 부피(mL)		생성된 수증기의 부피(mL)	반응 후 남은 기체의 부피(mL)
	수소	산소		
1	20	15	20	산소, 5
2	50	25	50	–
3	30	5	10	수소, 20

$2H_2 + O_2 \rightarrow 2H_2O$

(부피비) 2 : 1 : 2

수소 2부피 + 산소 1부피 ➡ 수증기 2부피

➡ 수소와 산소는 항상 ⓐ ____ : ⓑ ____ 의 부피비로 반응하여 수증기를 생성한다. 반응 부피비보다 많은 기체는 반응하지 못하고 남는다.

② 암모니아 생성 반응

실험	반응 전 기체의 부피(mL)		생성된 암모니아의 부피(mL)	반응 후 남은 기체의 부피(mL)
	질소	수소		
1	6	6	4	질소, 4
2	2	6	4	–
3	4	15	8	수소 3

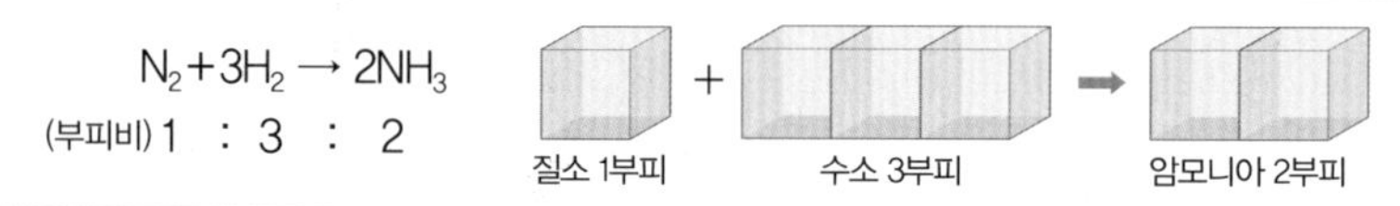

$N_2 + 3H_2 \rightarrow 2NH_3$

(부피비) 1 : 3 : 2

➡ 질소와 수소는 항상 ⓒ ____ : ⓓ ____ 의 부피비로 반응하여 암모니아를 생성한다. 반응 부피비보다 많은 기체는 반응하지 못하고 남는다.

2 기체 반응 법칙

① 기체 반응 법칙 : 온도와 압력이 같을 때, 반응 기체와 생성 기체의 ⓔ ____ 사이에는 간단한 정수비가 성립한다.

② 반응 물질과 생성 물질이 모두 기체인 반응의 부피비는 화학 반응식의 계수비와 일치한다.

화학 반응식		부피비
수증기 생성	$2H_2 + O_2 \rightarrow 2H_2O$	$H_2 : O_2 : H_2O = 2 : 1 : 2$
암모니아 생성	$N_2 + 3H_2 \rightarrow 2NH_3$	$N_2 : H_2 : NH_3 = 1 : 3 : 2$
염화 수소 생성	$H_2 + Cl_2 \rightarrow 2HCl$	$H_2 : Cl_2 : HCl = 1 : 1 : 2$
메테인 연소	$CH_4 + 2O_2 \rightarrow CO_2 + 2H_2O$	$CH_4 : O_2 : CO_2 : H_2O = 1 : 2 : 1 : 2$

● **기체 반응 법칙**
프랑스 화학자 게이뤼삭은 실험을 통해 기체들의 반응에서 반응하는 기체와 생성되는 기체의 부피 사이에는 간단한 정수비가 성립한다는 사실을 알아냈다.

● **기체 반응 법칙과 일정 성분비 법칙**
기체 반응 법칙은 같은 온도와 압력에서 두 기체가 반응할 때 이들 기체의 부피 사이에는 간단한 정수비가 존재하며, 동시에 생성 물질 기체와 반응 물질 기체의 부피 사이에도 간단한 정수비가 존재한다는 법칙이다. 일정 성분비 법칙은 질량을 기준으로 했고, 기체 반응 법칙은 부피비의 개념에 기초를 두었다.

ⓐ 2 ⓑ 1 ⓒ 1 ⓓ 3 ⓔ 부피

B 아보가드로 법칙

1 기체 반응 법칙과 원자설

① 수증기가 생성되는 반응의 원자 모형

수소 : 산소 : 수증기의 부피비는 2 : 1 : 2이다.

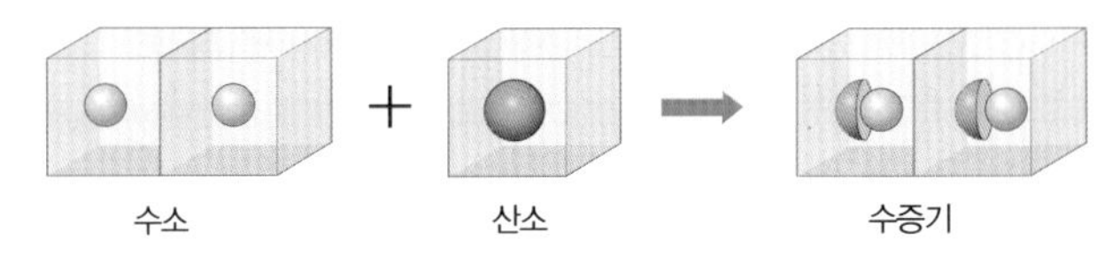

② 물질들이 ⓐ ______ 로 존재하면 원자가 쪼개지므로 돌턴의 원자설에 어긋난다.

2 기체 반응 법칙과 분자설

① 수증기가 생성되는 반응의 분자 모형

수소 : 산소 : 수증기의 부피비는 2 : 1 : 2이다.

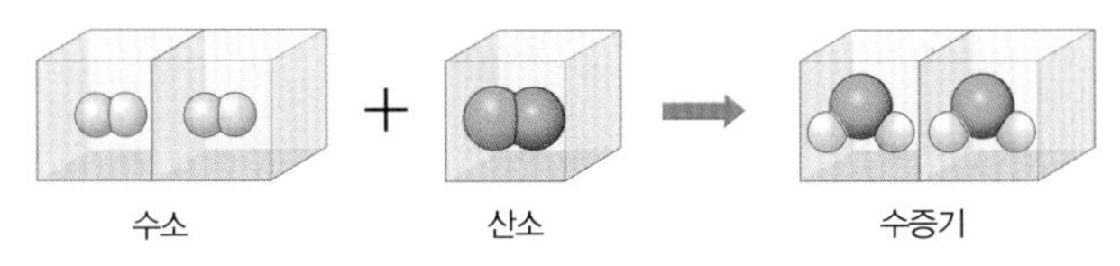

② 물질들이 ⓑ ______ 로 존재하면 돌턴의 원자설에 어긋나지 않으면서 기체 반응 법칙의 설명이 가능하다.

3 아보가드로 법칙

① 아보가드로 법칙 : 온도와 압력이 같을 때, 기체들은 그 종류에 관계없이 같은 부피 속에 같은 ⓒ ______ 의 분자가 들어 있다.

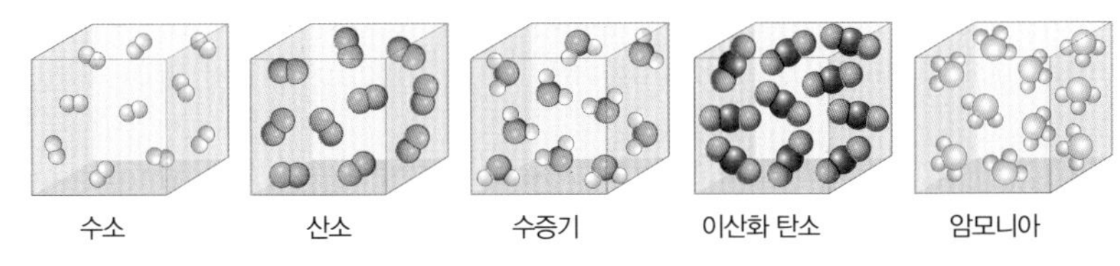

② 0 ℃, 1기압에서 기체 22.4 L에는 종류에 관계없이 6.02×10^{23}개의 분자가 존재한다.

③ 아보가드로의 법칙이 성립되는 이유 : 기체 분자 자체의 크기는 무시할 수 있을 정도로 작기 때문에 기체 분자가 운동할 수 있는 빈 공간의 부피가 기체의 부피이다. ➡ 온도와 압력이 같으면 기체 종류에 관계없이 같은 크기의 에너지를 가지므로 부피가 같고, 같은 부피에는 같은 수의 기체 분자가 들어 있다.

플러스 노트

● **원자와 분자**

* **원자** : 화학적으로 더 이상 분해할 수 없는 가장 작은 입자
* **분자** : 원자들이 결합하여 생성된 것으로, 물질의 고유한 성질을 가지는 가장 작은 입자
* 질량 보존 법칙과 일정 성분비 법칙을 설명하기 위하여 원자의 개념이 필요하였고, 기체 반응 법칙을 설명하기 위하여 분자의 개념이 필요하였다.

● **아보가드로**

이탈리아의 물리 화학자로, 1811년 기체는 원자로 존재하지 않고 분자로 존재한다는 가설을 발표했으나 당시에는 받아들여지지 않았다. 그 후 약 50년이 지난 1860년에 분자의 개념이 인정받게 되었다.

ⓐ 원자 ⓑ 분자 ⓒ 수

플러스 노트

● **원자량**

원자의 크기와 질량은 매우 작다. 수소 원자 6.02×10^{23}개의 질량은 1 g이고, 수소 원자 1개의 질량은 1.67×10^{-24} g이다. 원자 1개의 실제 질량을 그대로 사용하는 것은 매우 불편하므로 질량 대신 원자의 상대적인 질량값인 원자량을 사용한다.

원소	원자량
H	1
C	12
N	14
O	16

● **분자량**

분자 1개의 질량도 원자 1개의 질량처럼 매우 작기 때문에 상대적인 값인 분자량을 사용한다. 분자량은 분자를 구성하는 모든 원자들의 원자량을 합하여 구한다.

분자	분자량
H_2	1×2=2
O_2	16×2=32
H_2O	(1×2)+16=18
CO_2	12+(16×2)=44

● **발열 반응의 예**

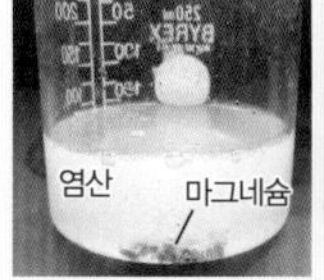

금속과 산의 반응 / 진한 황산의 묽힘

ⓐ 방출 ⓑ 올라 ⓒ 크

C 화학 반응식에서의 질량과 부피 관계

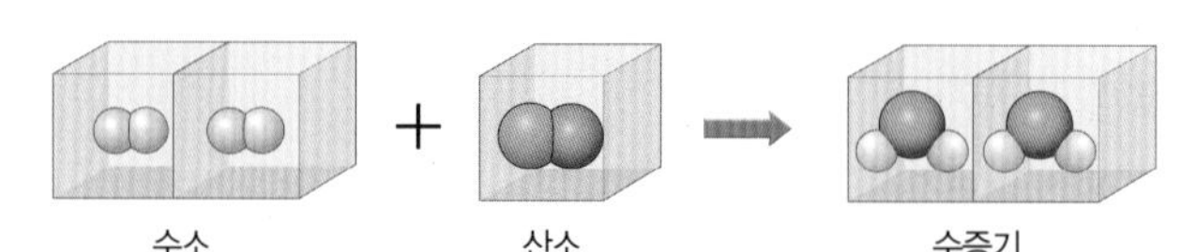

물질	반응 물질	생성 물질	
	수소, 산소	수증기	
원자 수	수소 4개, 산소 2개	수소 4개, 산소 2개	
화학 반응식	$2H_2+O_2 \rightarrow 2H_2O$		
계수비	$H_2 : O_2 : H_2O$ = 2 : 1 : 2		
입자 수비	$H_2 : O_2 : H_2O$ = 2 : 1 : 2		아보가드로 법칙
부피비	$H_2 : O_2 : H_2O$ = 2 : 1 : 2		기체 반응 법칙
질량 관계	$2H_2+O_2 \rightarrow 2H_2O$ 2×(1 g×2)+(16 g×2)=2×(1 g×2+16 g) 4 g+32 g=36 g		질량 보존 법칙
질량비	$H_2 : O_2 : H_2O$ = 1 : 8 : 9		일정 성분비 법칙

D 화학 반응과 에너지 출입

1 반응열

① 반응열 : 반응이 일어날 때 방출되거나 흡수되는 열

② 화학 반응이 일어날 때 반응물과 생성물이 가지는 에너지 차이가 열에너지 형태로 전환되어 에너지의 흡수와 방출이 일어난다.

2 발열 반응

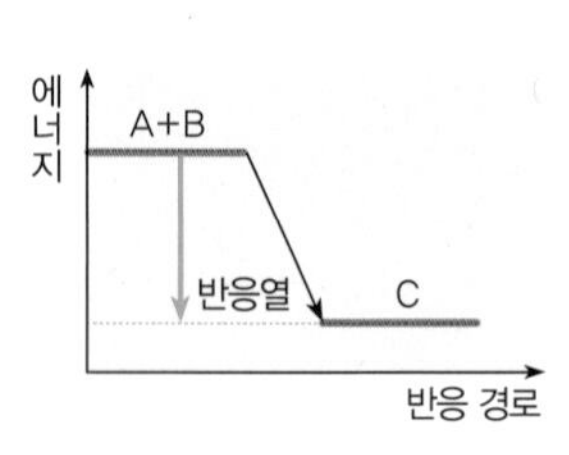

① 반응이 일어날 때 열을 ⓐ ______ 하는 반응

② 반응이 진행되면서 열이 주위로 방출되어 주위의 온도가 ⓑ ______ 간다.

③ 반응물의 에너지 총합이 생성물의 에너지 총합보다 ⓒ ______ 다. ➡ A+B → C+반응열

④ 화학 반응에서 반응물보다 생성물이 더 안정하다.

⑤ 발열 반응의 예 : 연소 반응, 중화 반응, 금속과 산의 반응, 수산화 나트륨의 용해, 진한 황산의 묽힘, 생물체 몸 안에서 유기물이 효소에 의해 산화하고 분해되는 것 등

⑥ 발열 반응의 이용

• 주머니 난로 : 철가루가 공기 중 산소와 반응하여 산화 철이 되면서 방출하는 열을 이용한다.

• 핫팩 : 과포화 상태의 아세트산 나트륨 용액에 충격을 주면 아세트산 나트륨이 고체로 변하면서 방출하는 열을 이용한다.

• 난방 : 연료를 연소시킬 때 발생하는 열로 물을 끓여 난방한다.

• 이글루에 물 뿌리기 : 이글루 안에 물을 뿌리면 물이 얼면서 응고열을 방출해 이글루 안의 온도를 높인다.

3 흡열 반응

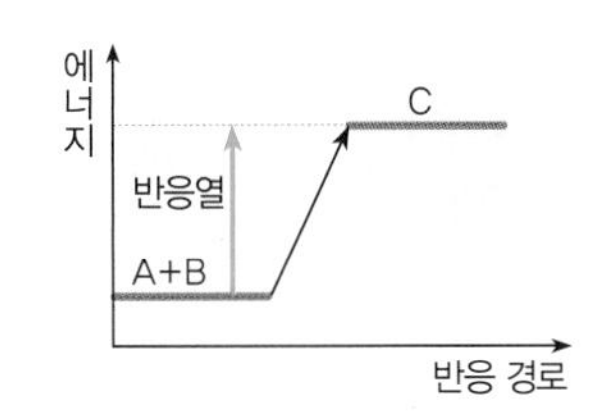

① 반응이 일어날 때 열을 ⓐ ______ 하는 반응

② 반응이 진행되면서 열이 주위로부터 흡수되어 주위의 온도가 ⓑ ______ 간다.

③ 반응물의 에너지 총합이 생성물의 에너지 총합보다 ⓒ ______ 다. ➡ A+B → C−반응열

④ 화학 반응에서 생성물보다 반응물이 더 안정하다.

⑤ 흡열 반응의 예 : 광합성, 열분해 반응, 수산화 바륨과 염화 암모늄의 반응, 에어컨과 냉장고 냉매의 기화, 염화 암모늄의 용해 등

⑥ 흡열 반응의 이용

• 냉각 팩 : 질산 암모늄이 물에 녹으면서 주위 열을 흡수하므로 물체를 시원하게 한다.

• 더운 여름에 도로에 물 뿌리기 : 물이 기화하면서 주위 열을 흡수하므로 시원해진다.

• 드라이아이스와 함께 아이스크림 보관 : 드라이아이스가 승화하면서 주위 열을 흡수하므로 아이스크림을 차갑게 보관할 수 있다.

4 에너지 출입

① 반응계와 주변

• 반응계 : 반응이 직접 일어나는 영역

• 주변 : 반응계를 제외한 나머지 모든 것

주변 / 주변 / 주변 / 주변 / 반응계

② 화학 반응과 에너지 보존 법칙 : 에너지 보존 법칙에 의해 에너지는 다른 형태로 전환될 수는 있지만 새로 생성되거나 소멸되지 않는다.

반응계의 에너지+주변의 에너지=ⓓ ______

② 화학 반응이 일어날 때 반응계가 에너지를 잃으면 주변은 에너지를 얻으며, 반응계가 에너지를 얻으면 주변은 에너지를 잃는다.

플러스 노트

● 발열 반응의 이용

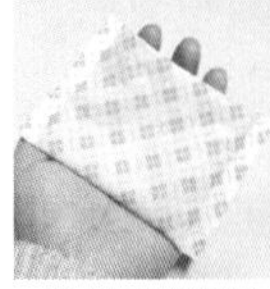
주머니 난로

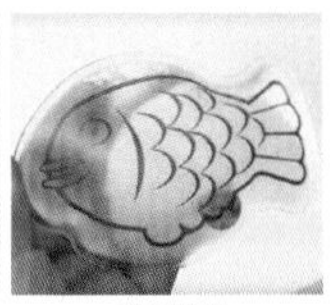
핫팩

● 흡열 반응의 예

수산화 바륨 +염화 암모늄 반응

염화 암모늄 용해

● 흡열 반응의 이용

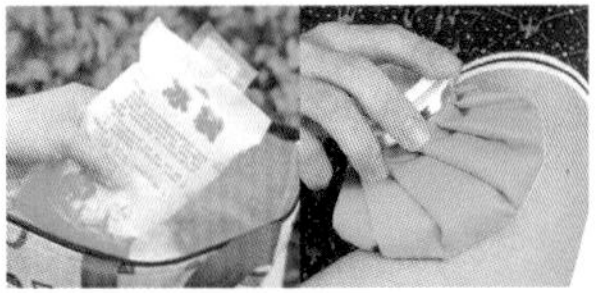
냉각 팩

도로에 물 뿌리기

드라이아이스

● 화학 반응과 에너지 보존

발열 반응에서는 반응물이 가진 화학 에너지가 열에너지로 전환되고, 흡열 반응에서는 열에너지가 생성물의 화학 에너지로 축적된다.

ⓐ 흡수 ⓑ 내려 ⓒ 작 ⓓ 일정

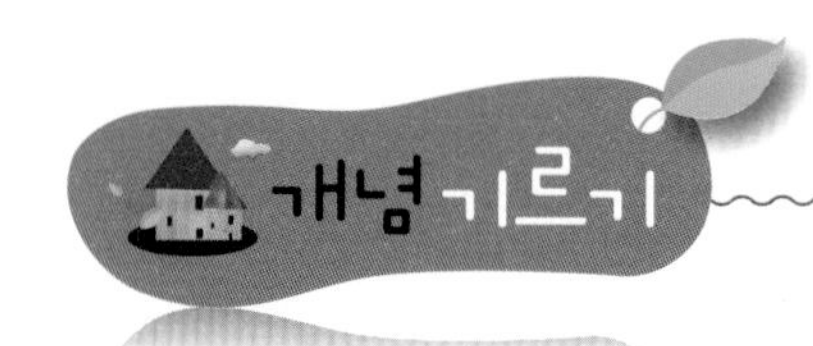

01 기체 반응 법칙에 대한 설명으로 옳지 않은 것은?

① 같은 온도와 압력에서 두 기체가 반응할 때 이들 기체의 부피 사이에는 간단한 정수비가 성립한다.
② 온도와 압력이 같을 때 반응 기체와 생성 기체의 부피 사이에는 간단한 정수비가 성립한다.
③ 기체 반응 법칙은 모든 반응에서 성립한다.
④ 기체가 반응하는 경우 기체 부피비와 화학 반응식의 계수비가 일치한다.
⑤ 아보가드로 법칙은 기체 반응 법칙을 설명하기 위해 제안되었다.

02 기체 반응 법칙이 성립하는 경우를 모두 고른 것은?

보기
㉠ 철+황 → 황화 철
㉡ 질소+수소 → 암모니아
㉢ 탄소+산소 → 이산화 탄소
㉣ 수소+산소 → 수증기

① ㉠, ㉡　② ㉠, ㉢
③ ㉡, ㉢　④ ㉡, ㉣
⑤ ㉢, ㉣

03 수소 100 mL와 산소 50 mL를 반응시킬 때, (가)생성된 수증기 부피와 반응하지 않고 (나)남은 기체의 부피를 옳게 짝지은 것은?

	(가)	(나)
①	50 mL	수소 50 mL
②	50 mL	없다.
③	100 mL	수소 50 mL
④	100 mL	없다.
⑤	150 mL	없다.

04 1 기압 25 ℃에서 부피가 같은 플라스크 (가)에는 수소 기체를, (나)에는 질소 기체를 넣어 두었다. (가)와 (나)가 같은 값을 갖는 것은?

보기
㉠ 질량　㉡ 밀도　㉢ 분자 수
㉣ 총 원자 수　㉤ 분자의 성질

① ㉠, ㉤　② ㉠, ㉡
③ ㉢, ㉣　④ ㉡, ㉢, ㉤
⑤ ㉢, ㉣, ㉤

중요

05 다음은 기체 A, B가 반응하여 기체 C가 생성되는 반응을 모형으로 나타낸 것이다. 일정한 압력과 온도에서 기체 A와 B를 각각 60 mL씩 혼합하여 반응시켰을 때, (가)반응한 기체 B의 부피와 (나)생성된 기체 C의 부피를 옳게 짝지은 것은?

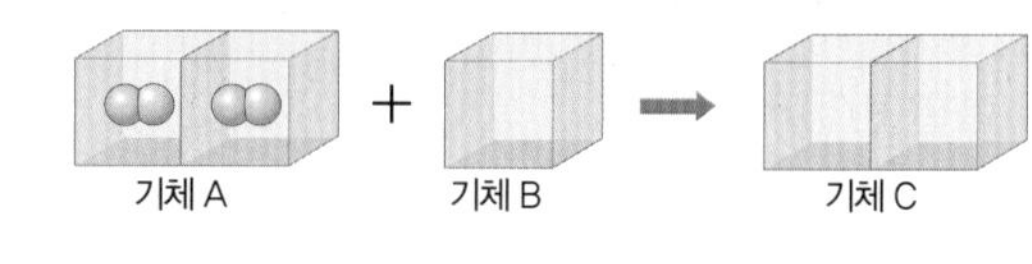

	(가)	(나)		(가)	(나)
①	30 mL	30 mL	②	30 mL	60 mL
③	30 mL	90 mL	④	60 mL	60 mL
⑤	60 mL	90 mL			

06 다음 모형에 대한 설명으로 옳지 않은 것은?

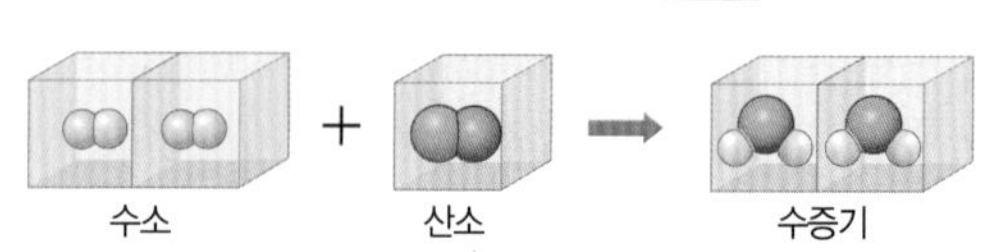

① 반응 전과 후의 원자 수가 같다.
② 반응하는 분자 수의 비가 일정하다.
③ 기체 사이의 부피비가 일정하다.
④ 같은 부피 속에 같은 수의 원자를 포함한다.
⑤ 원자설과 분자설에 모두 어긋나지 않는다.

07 질소 기체와 수소 기체가 반응하여 암모니아 기체가 생성될 때 부피비는 1 : 3 : 2이다. 다음은 같은 부피 속에 같은 수의 입자가 들어 있다고 가정하고, 암모니아의 생성 반응을 모형으로 나타낸 것이다. 암모니아의 분자 모형으로 옳은 것은?

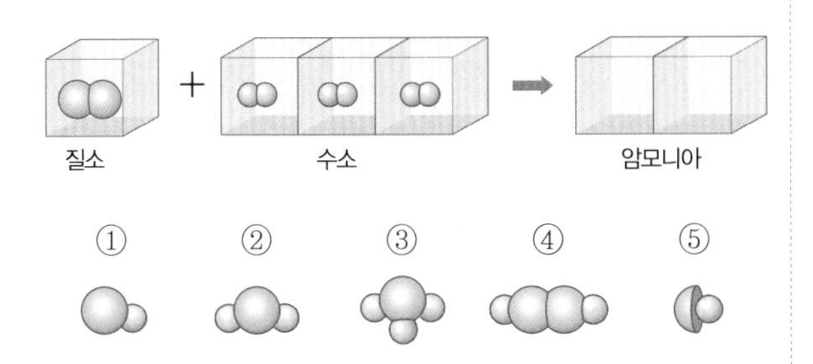

① ② ③ ④ ⑤

08 25 ℃, 1 기압에서 산소 기체 10 mL 속에 들어 있는 산소 분자의 개수가 100개라면, 온도와 압력이 같을 때 질소 기체 60 mL 속에 들어 있는 질소 분자의 개수는?

① 100개 ② 600개
③ 1200개 ④ 1600개
⑤ 알 수 없다.

09 A_2 기체 2부피와 B_2 기체 1부피가 반응하면 C 기체 2부피가 생성된다. 이 실험에 대한 설명으로 옳지 않은 것은? (단, A, B는 임의의 원소 기호이다.)

실험	A_2의 부피(mL)	B_2의 부피(mL)	남은 기체 부피(mL)	C 기체의 부피(mL)
1	25	20	B_2, 7.5	25
2	20	8	A_2, 4	16
3	40	15	(가)	(나)

① 생성된 C 기체의 화학식은 A_2B이다.
② 이 실험에서는 온도를 일정하게 유지해야 한다.
③ 이 실험에서는 압력을 일정하게 유지해야 한다.
④ (가)는 A_2, 10이다.
⑤ (나)는 40이다.

10 다음 그래프는 화학 반응의 반응물과 생성물의 에너지 변화를 나타낸 것이다. 이에 대한 설명으로 옳은 것은?

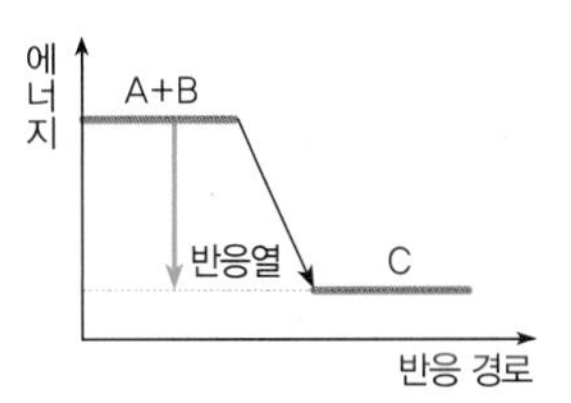

① 화학 반응이 일어날 때 열을 흡수하는 반응이다.
② 반응이 진행되면 주위의 온도가 올라간다.
③ 반응물의 에너지 총합이 생성물의 에너지 총합보다 작다.
④ 생성물보다 반응물이 더 안정하다.
⑤ 광합성과 열분해 반응이 이에 해당한다.

11 다음 중 발열 반응이 아닌 것은?

① 질산 암모늄을 물에 용해시키는 반응을 냉각 팩에 이용한다.
② 물에 진한 황산을 넣어 묽은 황산으로 만든다.
③ 추운 겨울철에 고드름의 크기가 점점 커진다.
④ 주머니 난로를 흔들면 열이 발생한다.
⑤ 휴대용 가스레인지로 물을 끓인다.

12 다음 중 반응물보다 생성물의 에너지 총합이 더 큰 반응으로 옳지 않은 것은?

① 더운 여름에 도로에 물을 뿌리면 시원하다.
② 아이스박스에 냉각 팩을 넣어 음식을 오랫동안 차갑게 보관한다.
③ 소금이 섞인 얼음에 주스를 넣어 아이스크림을 만들었다.
④ 아이스박스에 아이스크림 케익을 드라이아이스와 함께 포장했다.
⑤ 에스키모인들은 추운 겨울에 이글루에 물을 뿌려서 실내 온도를 조절한다.

정답 ◆ 25p ◆

01 다음 표는 두 기체 A와 B를 반응시킬 때, 반응 전 기체의 부피와 반응하지 않고 남은 기체의 부피를 나타낸 것이다. 실험 3에서 반응 후 남은 기체가 없도록 모두 반응시키려면 어떤 기체를 얼마나 추가해야 하는지 서술하시오. (단, 반응 전후의 온도와 압력은 일정하다.)

실험	반응 전 기체의 부피(L)		반응 후 남은 기체의 부피(mL)
	A	B	
1	10	50	B, 20
2	20	60	–
3	20	30	?

02 산소 3부피가 반응하여 오존 2부피가 생성된다. 산소 1 L를 방전시켰더니 혼합 기체의 부피가 0.9 L가 되었다면 혼합 기체 중의 산소의 양을 풀이 과정과 함께 구하시오.

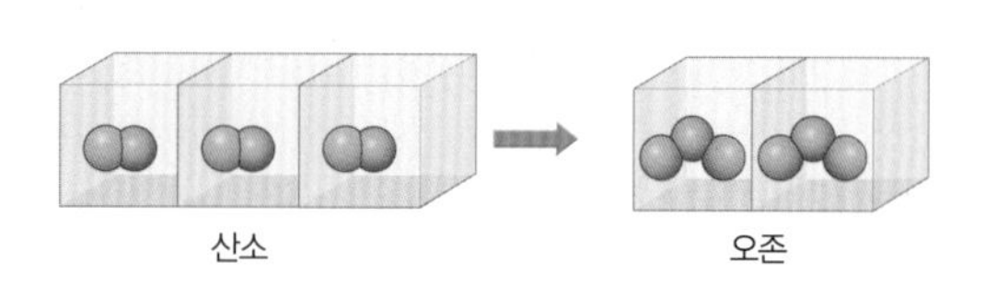

03 아보가드로가 기체는 원자로 존재하지 않고 분자로 존재한다고 주장한 근거를 서술하시오.

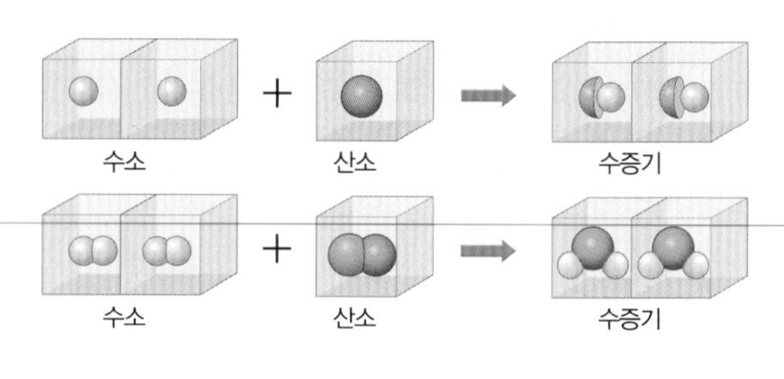

논술형

04 전투 식량은 군인들이 훈련이나 전투 시에 먹는 음식이다. 발열팩 봉지 안에 밥을 넣고 발열팩 끈을 당기면 밥이 따뜻하게 데워진다. 발열팩은 나트륨 가루와 물로 이루어져 있다. 발열팩이 음식을 데우는 원리를 서술하시오.

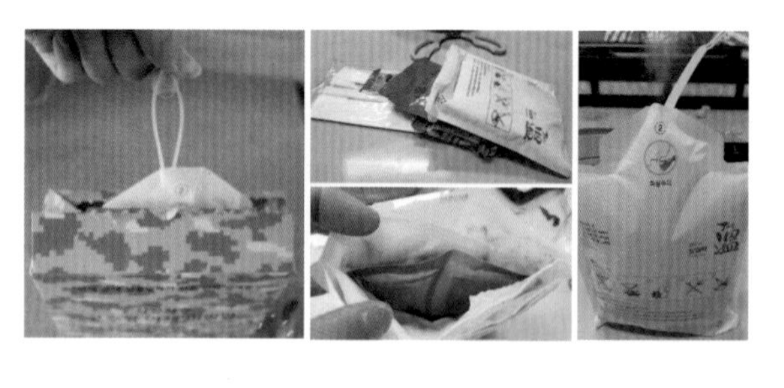

정답 ◆ 25p ◆

STEAM 추운 겨울을 따뜻하게 보낼 수 있는 발열 원단

평창올림픽 개막식 당시 미국 선수단이 추위를 이기기 위해 옷 안에서 열이 나는 '발열 패딩'을 입었다. 체감 온도 −10 ℃의 날씨였지만, 미국 선수단은 발열 패딩 유니폼 덕분에 끄떡없었다. 이 유니폼은 패딩 안감에 전기가 통하는 전도성 잉크로 프린팅돼 있고 얇은 배터리가 내장되어 전원을 공급한다. 전원을 켜면 전도성 잉크가 열을 내며, 최대 11시간 동안 작동한다. 옷감 안에 전선을 넣는 기존 발열 방식보다 가볍고 방수도 되지만, 여러 번 빨면 망가질 수 있다는 단점이 있다.

오리털이나 거위털을 이용한 패딩은 솜이 공기를 가둬 열이 밖으로 빠져나가는 것을 막는 단열을 이용하지만, 발열을 이용한 의류들은 원단 자체에서 열이 발생한다. 국내에서도 세탁과 구김에도 성능이 그대로 유지되는 고효율 발열 의류를 개발됐다. 열선이나 전도성 잉크가 아닌 옷감 자체가 스스로 열을 낸다. 얇은 금속 섬유와 세라믹 섬유를 천을 짜듯 직조해 발열 원단을 만들었다. 천 전체에 온도가 균일하게 분포되고, 매우 유연하며, 스테인리스강을 사용했기 때문에 강도가 높고 세탁이 아주 자유롭다. 또한, 일부가 끊어져도 정상적으로 작동하고 열 흐름 제어기술을 적용해 화재나 화상 위험도 줄였다. 스마트폰 보조배터리로 충전해도 8시간 이상 따뜻함이 유지된다.

내복의 일종인 히트텍은 전기를 이용하지 않고 몸에서 발생하는 수분으로 열을 발생시킨다. 사람은 하루에 피부로 1리터 가까운 수분을 방출하고 물은 비열이 크기 때문에 수분을 활용하면 열을 발생시킬 수 있다.

이외에도 신체에서 복사되는 열을 반사해 따뜻하게 하거나, 몸에서 나오는 원적외선을 증폭해 열을 발생시키기도 한다. 섬유에 알루미늄 등 금속 분말을 코팅하거나 원적외선 복사율이 높은 세라믹을 넣어 인체나 태양에서 발생하는 적외선이 금속을 진동시켜 열을 발생시킬 수도 있다.

발열 의류

01 히트텍이 열을 발생시키는 원리를 서술하시오.

논술형

02 여름에 입으면 시원한 냉감 원단을 만들 수 있는 방법을 고안하시오.

냉감 원단

정답 ◆ 25p ◆

STEAM 물리 변화와 화학 변화

설탕을 이용하여 물리 변화와 화학 변화의 차이점을 알아보자.

[준비물] 설탕, 소다(탄산수소 나트륨), 국자 또는 은박 접시, 나무젓가락, 가열 장치

실험 ❶

① 국자 또는 은박 접시에 설탕 두 숟가락을 넣고 가열하여 녹인다. 이때 나무젓가락으로 서서히 저으면서 녹여준다.

② 설탕이 모두 녹으면 가열을 멈추고 설탕 과자를 식힌다.

실험 ❷

① 국자 또는 은박 접시에 설탕 두 숟가락을 넣고 가열하여 녹인다. 이때 서서히 저으면서 녹여준다.

② 설탕이 모두 녹으면 가열을 멈추고 소다(탄산수소 나트륨)을 조금 넣고 저어준다.

③ 설탕 과자를 식힌다.

[실험 1]

[실험 2]

01 [실험 1]과 [실험 2]에서 만들어지는 설탕 과자의 차이점을 비교하여 서술하시오.

02 [실험 1]과 [실험2]의 결과가 다른 이유를 물리 변화와 화학 변화의 관점에서 비교하여 서술하시오.

03 한 가지 물질이 성질이 전혀 다른 두 가지 이상의 물질로 나누어지는 화학 변화를 분해라고 한다. 지구상에서 가장 풍부한 물(H_2O)은 쉽게 분해되지 않는다. 그러나 물(H_2O)에 수산화 나트륨(NaOH)이나 질산 칼륨(KNO_3)을 넣고 전기를 흘려주면 물을 분해할 수 있다. 물의 전기 분해 과정을 화학 반응식으로 나타내고, 생성물을 확인하는 방법을 물의 화학식을 통해 추리하여 서술하시오.

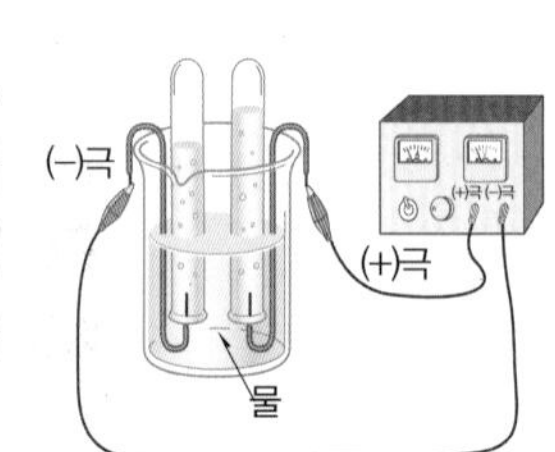

- 화학 반응식 :

- 생성물 확인 방법 :

Ⅲ-08 원자의 전자 배치

금속 원소
비금속 원소
준금속 원소

	1족	2족	13족	14족	15족	16족	17족	18족
1주기	1 H 수소 이온식							2 He 헬륨 이온식
2주기	3 Li 리튬 이온식	4 Be 베릴륨 이온식	5 B 붕소 이온식	6 C 탄소 이온식	7 N 질소 이온식	8 O 산소 이온식	9 F 플루오린 이온식	10 Ne 네온 이온식
3주기	11 Na 나트륨 이온식	12 Mg 마그네슘 이온식	13 Al 알루미늄 이온식	14 Si 규소 이온식	15 P 인 이온식	16 S 황 이온식	17 Cl 염소 이온식	18 Ar 아르곤 이온식
4주기	19 K 칼륨 이온식	20 Ca 칼슘 이온식						

안쌤의 창의적 문제해결력 시리즈

초등 1~2 학년

초등 3~4 학년

초등 5~6 학년

중등 1~2 학년

새 교육과정 중등 영역별 STEAM 과학

안쌤의 최상위 줄기과학

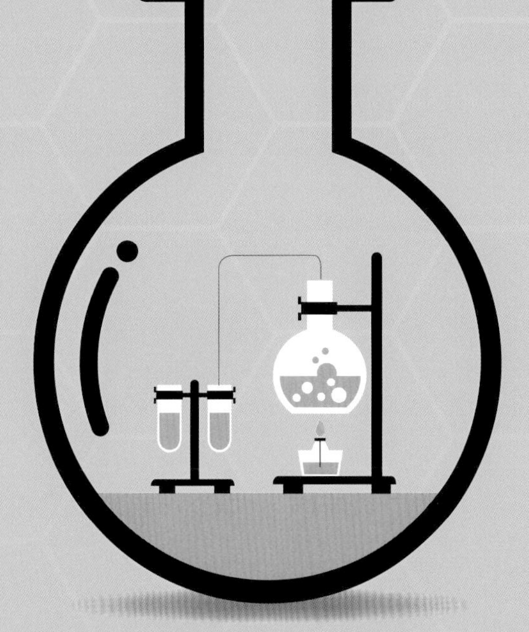

정답 및 해설

중등 화학

최상위권 학생을 위한 교재 구성

개념&심화잡기+개념기르기+서술형으로 다지기+융합사고력 키우기+탐구력 키우기

소단원별 STEAM 융합사고력 키우기

중등 개념과 관련된 과학기사(NIE)로 융합사고력을 키우는 문제로 구성

단원별 STEAM 탐구력 키우기

중등 단원 개념을 잡는데 도움이 되는 실험으로 탐구력을 키우는 문제로 구성

최상위권 브랜드  마테시스

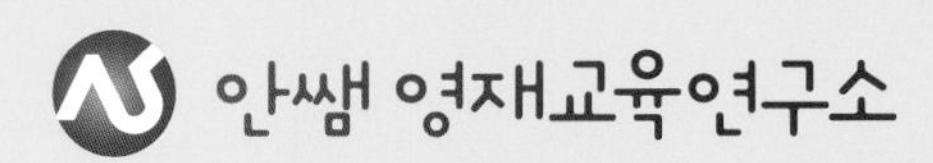

상위 1%가 되는 길로 안내하는 이정표로,
학생들이 꿈을 이루어갈 수 있도록 콘텐츠 개발과 강의 연구를 하고 있다.

지은이 **안쌤 영재교육연구소**

안재범, 최은화, 유나영, 이상호, 박민수, 추진희, 허재이, 오아린, 이나연, 김혜진, 김샛별, 이유경

검수

강동규, 김애리, 김은희, 김종욱, 김호준, 박영민, 박우진, 박재성, 박재용, 박진영, 백광열, 서동진, 송지현, 엄순근, 오민수, 오은경, 유문근, 윤신일, 이민주, 이은지, 이정우, 이태행, 이해인, 장선구, 전광수, 전익찬, 정연희, 정우철, 정회은, 최현규

정답 및 해설

정답 및 해설

I 기체의 성질

01 기체 입자의 운동

개념 키르기 12~13쪽

01 ⑤ 02 ⑤ 03 ①, ④ 04 ①, ② 05 ①
06 ④ 07 ① 08 ③ 09 ④ 10 ③

01 온도가 높아지면 입자 사이의 인력이 약해지고, 입자의 운동 속도가 빨라진다. 플라스크 내의 공기 입자가 고무 풍선으로 이동하므로 플라스크 내부의 입자 개수는 감소한다.

02 바람이 불면 증발이 잘 일어나므로 저울의 눈금이 0이 되는 데 걸리는 시간이 짧아진다.

03 온도가 높을수록, 입자의 크기가 작을수록, 입자의 질량이 작을수록 입자 운동이 빠르다. 대체로 입자의 크기가 작으면 입자의 질량도 작다.

04 ③, ④, ⑤는 확산 현상이다.

05 증발은 모든 온도에서 일어나며 온도가 높을수록 증발 속도가 빨라진다.

06 온도가 높을수록 확산 속도가 빠르므로 가장 느리게 퍼진 (가)는 25 ℃ 물, 가장 빠르게 퍼진 (다)는 75 ℃ 물이다. ⑤는 위 실험으로 확인할 수 없다.

07 암모니아 입자와 염화 수소 입자는 무색이므로 눈으로 확인할 수 없다. 암모니아 입자와 염화 수소 입자가 만나 생긴 염화 암모늄 입자는 흰색이다.

08 ③은 기체 상태인 수증기가 액체로 변하는 상태 변화이다.

09 주위의 압력이 낮을수록 확산을 방해하는 입자가 적으므로 확산 속도가 빠르다. 진공에서 확산 속도가 가장 빠르다.

10 ③ 암모니아 입자와 염화 수소 입자가 만났을 때 염화 암모늄(흰 연기)이 생성되는 것은 화학 변화이다.
② 모래성에 물을 뿌려주지 않으면 모래에서 물이 증발하여 모래성이 무너진다.

서술형으로 다지기 14쪽

01 모범답안 물 입자 사이의 인력이 알코올 입자 사이의 인력보다 크기 때문에 물의 끓는점이 알코올보다 높다.

해설 주변의 온도가 높을수록, 습도가 낮을수록, 바람이 강하게 불수록, 표면적이 넓을수록, 입자 사이의 인력이 약할수록 증발이 잘 일어난다. 알코올은 물보다 입자 사이의 인력이 작아 증발하는 데 필요한 에너지가 더 적으므로 동일한 조건에서 물보다 증발 속도가 빠르다.

02 모범답안 미지근한 물, 뜨거운 물은 미지근한 물보다 더 빠르게 증발하기 때문에 뜨거운 물로 세차를 하면 물이 더 빨리 언다.

해설 온도가 높을수록 증발에 필요한 에너지를 가지는 물 입자의 수가 많다. 따라서 뜨거운 물이 차에 넓게 뿌려지면, 표면의 물 입자는 내부로부터 증발열을 얻어 빠르게 증발한다. 이 과정에서 물 내부는 온도가 급격하게 떨어져 얼게 된다.

03 모범답안 흙 위에 돌을 올려놓으면, 땅에서 증발한 수증기가 밤에 돌의 차가운 표면에서 다시 응결하여 땅으로 떨어진다.

해설 나무는 뿌리를 통해서 땅의 물을 흡수하기 때문에 뿌리 주변에 물이 항상 일정하게 유지되면 나무의 생장에 유리하다. 보통 산이나 숲에서 돌을 들어 보면 아래쪽이 젖어 있는 것도 이와 같은 이유이다. 나무 주변 흙 위에 돌을 올려놓는 것은 나무에 쉽게 수분을 공급하기 위해서이다.

04 모범답안

- 기체 입자의 평균 운동 에너지는 증가한다.
- 흰 연기의 띠가 생기는 위치는 변화 없다.
- 흰 연기의 띠가 생기는 시간은 감소한다.

해설 운동 에너지는 절대 온도에 비례하므로, 온도가 높아지면 운동 에너지가 증가한다. 따라서 흰 연기의 띠가 생기는 속도가 빨라진다. 하지만 암모니아와 염화 수소 두 물질 모두 증발과 확산 속도가 빨라지므로, 결국 흰 연기의 띠가 생기는 위치는 변화 없다.

융합사고력 키우기 15쪽

01 모범답안 고기를 구울 때 만들어지는 입자와 담배의 타르 성분은 질량이 커서 옷에 달라붙으면 쉽게 떨어져 나가지 않기 때문이다.

해설 고기를 불에 구우면 고기 표면의 수분이 제거되면서 부분적으로 온도가 상승하고, 이때 아미노산이 열분해 되어 피라진과

푸라진 등이 만들어진다. 이 물질들이 고기 구울 때 나는 냄새의 정체로, 질량이 커서 확산 속도가 느리다.

02 모범답안 섬유 탈취제를 뿌린 후 바로 옷장에 넣거나 개어 놓으면 증발이 잘 일어나지 못하여 냄새 입자들이 그대로 옷에 남는다.

해설 섬유 탈취제는 냄새 입자를 감싸서 흡착할 수 있는 구조이며, 섬유에 붙어 있는 냄새 입자를 감싼 후 섬유에서 떨어져 나와 공기 중으로 확산되면서 냄새가 제거된다.

02 압력 및 온도에 따른 기체의 부피 변화

개념 기르기 20–21쪽

01 ④	02 ③	03 ④	04 ⑤	05 ②
06 ④	07 ①	08 ④	09 ⑤	10 ⑤
11 ③				

01 압력은 단위 면적을 수직으로 누르는 힘이다.
$\frac{20\ \text{N}}{5\ \text{m}^2}=4\ \text{N/m}^2$

02 접촉 면적이 넓으면 압력이 작아진다.

03 접촉 면적이 좁을수록 압력이 크다.

04 압력이 2배로 증가하면 공기의 부피는 $\frac{1}{2}$배가 되고, 공기 입자의 충돌 횟수는 2배가 된다. 압력이 증가해도 공기의 질량, 입자 수, 크기는 변화 없다.

05 밀폐되어 있는 실린더이므로 입자 수는 모두 같다.

06 압력을 가하면 풍선에 가해지는 압력이 커져 풍선의 크기가 작아진다.

07 1 기압×10 L=5 기압×x, x=2 L

08 온도가 높아져도 입자의 크기나 질량은 변화가 없고, 입자 운동 속도가 빨라지기 때문에 입자 사이의 거리가 멀어져 부피가 증가한다.

09 온도가 낮아지면 컵 속의 입자 수는 일정한데 운동 속도가 느려지므로 컵 속의 압력이 바깥쪽보다 낮아진다.

10 압력이 일정할 때 온도가 높아지면 기체의 부피가 증가한다.

11 A에서 B가 되려면 가열해 주어야 하므로 입자들의 충돌 횟수가 증가하고, A에서 C로 되려면 냉각시켜 주어야 하므로 입자들의 충돌 횟수가 감소한다.

서술형으로 다지기 22쪽

01 모범답안 밑창이 넓은 운동화는 모래밭에 가해지는 압력이 작으므로 신발 자국이 깊지 않지만, 밑창이 좁은 뾰족한 구두는 모래밭에 가해지는 압력이 커서 신발 자국이 깊게 파인다.

해설 일반적으로 운동화는 발바닥 전체에 고르게 압력이 퍼지므로 일정한 깊이의 발자국을 만들지만, 뾰족한 구두는 발뒤꿈치와 엄지 발가락에 강한 압력이 작용하므로 이 부분이 깊은 발자국을 만든다.

02 모범답안 하늘을 날고 있는 비행기의 외부 압력은 비행기의 내부 압력보다 낮다. 따라서 기체에 구멍이 나면 압력이 높은 비행기 내부에서 압력이 낮은 외부로 물체들이 빨려 나간다.

해설 일반적으로 항공기가 움직이는 고도는 보통 10 km 내외이며 대기압은 0.2~0.3 기압으로 매우 낮다. 비행기의 내부 압력은 보통 0.8~0.9 기압 정도로 맞추므로, 이런 상황에서 비행기의 기체에 구멍이 나면 0.5~0.7 기압 정도의 압력 차이가 나게 되고, 압력이 높은 비행기 내부에서 압력이 낮은 외부로 강한 분출이 일어난다.

03 모범답안 손에 의해 온도가 높아지면 피펫 내부 공기의 부피가 커져 피펫 안의 액체를 밖으로 밀어낸다.

해설 피펫은 유리관에 고무를 끼워 빨아들이는 방식으로 정밀한 양을 옮기기 위해 고안된 기구이다. 아래의 유리관을 피펫, 위쪽의 고무를 피펫 필러라고 한다. 홀 피펫은 피펫에 표시된 부피의 액체를 정확히 옮기기 위해서 액체가 모두 흘러 내린 후 피펫을 막고 손으로 쥐어 피펫의 끝에 남은 액체를 떨어뜨리거나, 피펫 필러를 이용해 남은 액체 방울을 떨어뜨려야 한다.

04 모범답안 그릇 바닥의 오목한 부분과 식탁 사이의 공기가 뜨거운 국에 의해 온도가 높아져 입자 운동이 활발해지면 부피가 커진다. 이 힘에 의해 그릇의 한쪽이 살짝 들어 올려져 공기가 빠져나가며 그릇이 미끄러지듯 움직인다.

융합사고력 키우기 23쪽

01 모범답안 입구에 뚫어뻥의 고무 부분을 대고 누르면 뚫어뻥의 고무 부분 쪽의 공기가 밖으로 빠져나가 그 속의 공기의 양이 적어진다. 다시 뚫어뻥을 당겨 올리면 뚫어뻥 고무 부분 속의 공기는 한정되어 있지만 부피가 늘어나므로 압력이 낮아진다. 상대적으로 관 아래쪽 공기의 압력이 강하기 때문에 관 아래쪽에서 관 위쪽으로 공기가 흐르면서 관을 막은 이물질이 위로 올라와 막힌 부분이 뚫린다.

02 모범답안 물이 꽉 찬 변기를 그대로 10여 분 정도 두면 물이 조금씩 빠져 나간다. 물이 반쯤 빠져나가면 변기의 앉는 부분을 위로 들어 올린 후 변기 몸체에 비닐봉지를 씌우고 테이프로 공기가 새어 나가는 것을 막는다. 이후 다시 변기 손잡이를 누르면 물이 변기로 들어오면서 공기가 위로 올라가 봉지가 크게 부푼다. 이때 봉지의 가운데를 손으로 누르면 공기가 누르는 힘에 의해 쉽게 뚫린다.

해설 또 다른 방법으로 페트병 입구 부분을 잘라서 변기 입구에 대고 페트병을 눌렀다 떼는 과정을 반복하는 것이 있다. 이때에도 입구에 대는 페트병의 잘려진 부분에서 공기가 새어 나가지 않도록 해야 한다.

탐구력 키우기 24쪽

01 모범답안 피스톤을 당기면 초코파이의 마시멜로우가 커지고, 피스톤을 밀면 초코파이의 마시멜로우가 작아진다.

해설 피스톤을 당기면 주사기 내부 압력이 작아지므로 마시멜로우의 부피가 증가하고, 피스톤을 밀면 주사기 내부 압력이 증가하므로 마시멜로우 부피가 감소한다. 압력에 의해 마시멜로우 속에 갇혀 있는 공기의 부피가 변하기 때문이다.

02 모범답안 압력이 증가하면 기체의 부피는 감소하고, 압력이 감소하면 기체의 부피는 증가한다. 즉, 기체의 부피는 압력에 반비례한다.

03 모범답안 초를 유리컵으로 덮으면 처음에는 유리컵 안의 공기 온도가 높아져 부피가 증가하므로, 공기가 유리컵 밖으로 빠져나간다(기포 발생). 어느 정도 시간이 지나면 산소가 부족하고 이산화 탄소가 많아지므로 촛불이 꺼진다. 촛불이 꺼지면 유리컵 안 공기의 온도가 낮아져 부피가 감소하고, 감소한 공기 부피만큼 물이 유리컵 안으로 들어온다.

해설 촛불이 탈 때 유리컵 안의 산소가 소모되고 이산화 탄소가 생기므로 산소가 없어져서 물이 유리컵 안으로 들어오는 것이 아니다. 촛불로 인해 유리컵 안의 공기 부피가 팽창한 상태에서 촛불이 꺼진 후 공기 부피가 감소하면 기압이 낮아지고, 기압 차이만큼 물이 유리컵 안으로 들어온다.

04 모범답안 초를 여러 개 사용한다. 유리컵 위에 얼음을 올린다. 유리컵 안의 공기가 충분히 가열되도록 유리컵을 촛불 위에 어느정도 들고 있다 덮는다. 등

해설 유리컵 안으로 물이 많이 들어오게 하려면 유리컵을 빠져나간 공기의 양이 많아야 하고, 촛불이 꺼지고 난 뒤 유리컵 안 공기의 온도가 많이 낮아져야 한다.

Ⅱ 물질의 상태 변화

03 상태 변화

개념 기르기 30~31쪽

01 ②	02 ④	03 ③	04 ⑤	05 ④
06 ①, ⑤	07 ②	08 ①	09 ④	10 ②

01 (가)는 고체, (나)는 액체, (다)는 기체의 입자 모형이다. (가)는 제자리에서 진동 운동한다.

02 기체는 모양과 부피가 일정하지 않고 흐르는 성질이 있으며, 사방으로 퍼져 나간다.

03 ③은 승화이고, 나머지는 기화이다.

04 뜨거운 커피에 넣은 설탕이 녹은 것은 커피 입자와 설탕 입자가 고르게 섞이는 용해 현상이다.

05 얼음물이 담긴 컵 표면에 물방울이 맺히는 것은 E(액화)이다.

06 A는 김으로 액체 상태이고, B는 수증기로 기체 상태이다. B는 물이 기화된 것이고 A는 수증기가 액화된 것이다. A는 B보다 입자 사이의 거리가 가깝고 인력이 강하다.

07 (나)에서는 고체 아이오딘이 기체 아이오딘으로 바뀌는 승화가 일어나며, 입자 사이의 거리는 매우 멀어지고, 입자 사이의 인력은 매우 약해진다.

08 비커의 물을 가열하면 기화되어 수증기가 된다. 시계 접시 바닥의 액체 물질이 파란색 염화 코발트를 붉게 변화시키는 것을 통해 상태 변화가 일어날 때 물질의 성질은 변하지 않음을 알 수 있다.

09 액체 양초가 응고할 때 입자 배열이 촘촘해지며 부피가 약간 줄어든다.

10 상태 변화할 때 물질의 부피, 입자 운동, 입자 배열, 입자 사이의 거리, 입자 사이의 인력은 변하지만, 물질의 질량, 물질의 성질, 입자의 개수, 입자의 크기, 입자의 종류, 입자의 질량은 변하지 않는다.

서술형으로 다지기 32쪽

01 모범답안 기체 상태인 공기는 입자들 사이의 거리가 멀기 때문에 피스톤을 누르면 입자들 사이의 공간이 줄어들어 부피가 줄어든다. 그러나 액체 상태인 물은 입자들 사이의 거리가 가까워서 피스톤을 눌러도 줄어들 공간이 없기 때문에 부피가 줄어들지 않는다.

해설 기체 상태인 공기는 입자 사이의 거리가 매우 멀기 때문에 압력을 가하면 쉽게 압축된다. 이때 기체를 압축해도 공기 입자의 수나 모양은 변하지는 않는다. 또한 온도가 일정하므로 입자 운동의 빠르기도 변하지 않는다. 물은 액체 상태이므로 입자 사이의 거리가 가깝기 때문에 쉽게 압축되지 않는다.

02 모범답안

- 융해 : 심지에 불을 붙이면 심지 주변의 고체 양초가 녹아서 액체가 된다.
- 기화 : 액체 양초가 심지를 타고 위로 올라오면 기체 양초가 되어 타면서 빛과 열을 낸다.
- 응고 : 액체 양초가 흘러 내리면서 냉각되어 고체가 된다.

해설 심지에 불을 붙이면 고체 양초가 액체로 융해되고, 액체 양초가 심지를 타고 올라가 기화되어 기체 양초가 연소하면서 열과 빛을 낸다. 액체 양초가 흘러내리면 냉각되어 고체로 응고된다.

03 모범답안 물속의 기포는 고체 드라이아이스가 승화하여 만들어진 기체 이산화 탄소이고, 흰 연기는 공기 중의 수증기가 액화하여 생긴 작은 물방울인 김이다.

해설 승화성 물질인 드라이아이스를 물에 넣으면 기체로 승화되어 기포가 생긴다. 드라이아이스가 승화하면 주변의 열을 흡수하므로 온도가 낮아진다. 이때 비커 주변 공기 중의 수증기가 액화하여 작은 물방울이 되어 흰 연기처럼 보인다.

04 모범답안 아세톤을 뜨거운 물에 넣으면 아세톤이 기화되어 입자 사이의 거리가 멀어지기 때문에 부피는 증가하지만, 입자의 개수와 크기는 변하지 않으므로 질량은 일정하다.

해설 액체에 열을 가하면 기체가 되는 기화가 일어난다. 물질이 상태 변화할 때 입자의 배열이 달라져 입자 사이의 거리는 달라지지만, 입자의 개수는 변하지 않기 때문에 물질의 질량은 변하지 않는다.

융합사고력 키우기 33쪽

01 모범답안 금속을 가열하여 녹인 쇳물을 주형에 부어 식히면 굳으면서 부피가 약간 줄어들기 때문이다.

해설 금속 활자는 주로 청동(구리－주석계 합금)을 사용한다. 청동은 냉각하면서 응고될 때 수축이 가장 적으며 견고할 뿐만 아니라, 용해되면 유동성이 크므로 글자 모양이 미세한 부분까지도 정교하게 표현할 수 있으므로 활자를 주조하는 재료로 매우 적합하다. 고려 시대에는 중국과 달리 목판이나 목활자를 만드는 데 알맞은 단단한 나무가 적은 편이었고 청동이 많았으므로 금속 활자가 발전하였다.

02 모범답안 쉽게 닳지 않고 틀린 글자를 쉽게 고칠 수 있으며, 목판에 비해 인쇄가 쉽고 빠르다.

해설 금속 활자가 발명되기 이전에는 책을 만들려면 나무판에 글을 일일이 새겨 넣은 후 찍어냈다. 따라서 책 한권을 내려면 시간과 노력이 어마어마하게 들었다. 또한, 한 글자만 잘못 찍어도 목판 전체를 폐기해야 했으며, 목판이 닳거나 갈라지면 사용할 수 없으므로 인쇄 수량이 적었다. 그러나 금속 활자가 만들어진 이후부터는 수 많은 글자를 한 글자씩 따로 활자를 만들어 두었다가 그때그때 필요한 활자를 골라 활자판에 모아 글을 만들고 찍어내면 되므로 인쇄가 더 쉽고 빨라졌다. 금속 활자는 제작하는 데 기술력이 필요하지만, 활자판 제작에 드는 시간과 비용이 목판에 비해 적게 들고, 한 번 활자를 만들어 놓으면 활자를 조합하여 다양한 종류의 책을 인쇄할 수 있고 장기간 보관할 수 있다. 금속 활자 덕분에 사람들은 책을 쉽게 접할 수 있었고, 지식 전파와 공유 속도가 빨라졌으며 평민들도 책을 읽을 수 있게 됨으로써 소수만이 지식을 독점하던 시대가 끝나게 되었다.

04 상태 변화와 에너지

개념 기르기 38-39쪽

01 ⑤	02 ④	03 ③	04 ④	05 ⑤
06 ③, ⑤	07 ③	08 ②, ④	09 ③	10 ①
11 ③				

01 (가)에서 (나)로 될 때 필요한 융해열보다 (나)에서 (다)로 될 때 필요한 기화열이 훨씬 크다.

02 물의 끓는점은 100 ℃로 얼음의 녹는점 0 ℃보다 높다.

03 물질의 질량이 크면 상태 변화할 때 방출하거나 흡수하는 열에너지가 더 많다.

04 (가)에서는 기체가 고체로 변하므로 열을 방출하고, (나)에서는 고체가 기체로 변하므로 열을 흡수한다.

05 응고는 액체가 고체로 상태 변화하는 것으로, 열에너지를 방출하고 입자 사이의 거리가 가까워지며, 입자 사이의 인력이 증가한다.

06 ①은 승화(기체 → 고체) 현상으로 열을 방출, ②는 응고 현상으로 열을 방출, ③은 승화(고체 → 기체) 현상으로 열을 흡수, ④는 액화 현상으로 열을 방출, ⑤는 기화 현상으로 열을 흡수한다.

07 시험관 A에서는 에탄올이 열에너지를 얻어 기화하고, 시험관 B에서는 에탄올이 열에너지를 잃어 액화한다. 에탄올의 온도는 계속 높아지다가 78 ℃에서 일정해진다. 에탄올의 끓는점은 78 ℃이고, 에탄올이 끓는 동안 공급해 준 열이 기화열로 사용되기 때문에 온도가 일정하게 유지된다.

08 열에너지를 흡수하면 주변 온도는 낮아지고, 입자 운동이 활발해지며, 입자 사이의 인력이 감소하고, 입자 배열이 불규칙해지며, 입자 사이의 거리가 멀어져 부피가 증가한다.

09 ①과 ②는 기화열을 흡수하는 것을, ④는 응고열을 방출하는 것을, ⑤는 승화열을 흡수하는 것을 이용한 것이다. ③에서 주스를 시원하게 마시기 위해서는 증발이 잘 일어나도록 뚜껑을 열어 놓는 것이 좋다.

10 물이 얼음이 될 때 부피가 증가하므로 밀도는 감소한다.

11 BC 구간의 온도를 녹는점, DE 구간의 온도를 끓는점, IJ 구간의 온도를 어는점이라고 한다. BC와 DE 구간에서는 열을 흡수하여 입자 사이의 인력을 끊는 데 사용하고, GH와 IJ 구간에서는 열을 방출한다. F에서 입자가 가지는 에너지가 가장 많고, A와 K에서 입자가 가지는 에너지가 가장 작다.

서술형으로 다지기 40쪽

01 **모범답안** 통 속의 액체 LPG가 통 밖으로 나오면서 기체 상태로 될 때 주위의 열에너지(기화열)를 흡수하므로 시원해진다.

해설 다 쓴 뷰테인 가스통이 차가워지는 것도 액체 상태의 뷰테인이 기체 상태로 될 때 주위의 열에너지(기화열)를 흡수하기 때문이다.

02 **모범답안** 습구 온도계, 물이 증발하면서 주위의 열에너지(기화열)를 흡수하므로 건구 온도계보다 온도가 낮다.

해설 건습구 습도계는 물의 증발을 이용한다. 맑은 날은 물이 많이 증발하므로 습구와 건구 온도계의 눈금 차이가 많이 나고, 흐린 날은 물이 많이 증발하지 못하므로 습구와 건구 온도계의 눈금 차이가 많이 나지 않는다. 모발 습도계는 습도에 따라 머리카락의 길이가 달라지는 원리를 이용하고, 디지털 습도계는 습도에 따라 전기 저항 또는 정전 용량이 변하는 전자 습도 센서를 이용한다.

03 **모범답안** 물이 끓고 있는 동안에는 가해 준 열에너지가 물이 수증기로 상태 변화하는 데 사용되므로 종이 냄비가 타지 않는다.

해설 종이 냄비 안의 물이 모두 끓어 없어지면 종이 냄비가 탄다. 종이 냄비는 라면, 우동 등 국물이 있는 요리에만 사용할 수 있다.

04 **모범답안** 얼음집에 뿌린 물이 얼면서 방출되는 응고열이 얼음집 안을 따뜻하게 해 주기 때문이다.

해설 융해, 기화, 승화(고체 → 기체)는 주변으로부터 열을 흡수하여 주위의 온도를 낮추고, 응고, 액화, 승화(기체 → 고체)는 주변에 열을 방출하여 주위의 온도를 높인다.

융합사고력 키우기 41쪽

01 **모범답안** 응축기를 통과할 때 기체 냉매가 액체로 변하면서 액화열을 방출하기 때문이다.

해설 응축기(방열기)에서 방출되는 열을 효과적으로 발산하기 위해 냉장고 양 옆은 10 cm, 뒤는 30 cm 정도 비워두어야 하며, 다른 가전제품들과도 일정한 거리를 유지해야 한다. 옛날 냉장고는 응축기(방열기)가 몸체 뒷쪽에 있었지만, 요즘 냉장고는 몸체 뒤쪽 아래에 있고, 송풍기를 달아 강제로 냉각시킨다. 응축기(방열기)에 먼지가 끼면 효율이 떨어지므로 진공청소기로 청소해주는 것이 좋다.

02 **모범답안** 일반 냉장고는 문을 열면 외부의 더운 공기가 냉장고 안으로 들어간다. 그러나 김치냉장고의 문은 서랍식, 또는 상부 개폐식으로 만들어져 있기 때문에 문을 열어도 외부의 밀도가 작은 따뜻한 공기가 안으로 들어가기 어렵다. 따라서 온도 변화가 적어 오랫동안 식품을 신선하게 보관할 수 있다.

탐구력 키우기 42쪽

01 **모범답안** 작은 컵 안에 깨끗한 물이 모인다.

해설 페트병 안 흙탕물이 기화하여 수증기가 되고, 수증기가 차가운 페트병 윗부분에 닿아 액화한 후 작은 컵에 모인다.

02 **모범답안** 페트병 안 흙탕물의 물이 전등의 열에너지를 흡수하면 기화하여 수증기가 되고, 수증기가 차가운 페트병의 윗부분에 닿으면 열에너지를 방출하고 물로 액화된다.

03 **모범답안**

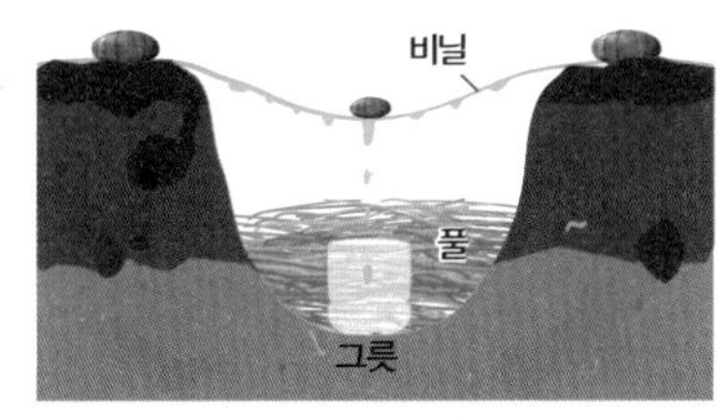

땅에 구덩이를 파고 구덩이에 풀을 넣은 후 가운데에 그릇을 놓는다. 구덩이 위에 비닐을 씌우고 돌멩이로 고정한 후 비닐 가운데에 돌멩이 한 개를 놓아 비닐이 아래로 처지도록 한다. 낮 동안 풀은 증산 작용으로 수증기를 배출하고, 밤에 기온이 낮아지면 수증기가 액화하여 비닐에 물방울이 맺히고 아래쪽으로 흘러 그릇에 모인다.

해설 아프리카는 낮과 밤의 기온차가 큰 곳이 많아서 응결 현상이 잘 일어난다. 와카워터는 대나무등 식물의 줄기를 엮어 틀을 만들고, 거기에 이슬이 잘 달라붙도록 촘촘한 나일론 소재의 그물을 달아 만든다. 와카워터를 사용하면 하루 95 L 정도의 물을 얻을 수 있다.

Ⅲ 물질의 구성

05 원소

개념 기르기 48–49쪽

01 ④	02 ④, ⑤	03 ③	04 ④	05 ④
06 ④	07 ③	08 ①	09 ⑤	10 ②
11 ②	12 ④			

01 (나) 탈레스의 1원소설 → (가) 엠페도클레스의 4원소설 → (마) 아리스토텔레스의 4원소 변환설 → (라) 아리스토텔레스의 주장을 근거로 한 연금술 → (다) 보일 원소설

02 연금술은 화학에 대한 많은 지식과 실험 기구, 실험 기술을 발전시켰고 황산, 인, 질산 등의 물질을 발견하였다.

03 〈보기〉는 원소에 대한 설명이다. 암모니아(NH_3)는 질소와 수소로 이루어진 화합물이다.

04 라부아지에의 물 분해 실험 장치의 A에서 철을 녹슬게 하는 기체는 산소이고, B에서 발생한 기체는 폭발성이 큰 수소이다. 라부아지에의 실험에서 물이 산소와 수소로 분해되었으므로 물은 원소가 아니다. 이 실험을 통해 물이 원소라고 주장한 엠페도클레스(4원소설)와 아리스토텔레스(4원소 변환설)의 주장은 더 이상 받아들여지지 않았다.

05 원소는 물질을 구성하는 기본 성분으로 더 이상 분해할 수 없으며, 화학 변화가 일어나도 다른 원소로 변환되지 않는다.

06 ① 각 나라마다 사용하는 원소 기호가 같으므로 다른 언어를 사용하는 사람들 사이에서도 원소 기호는 쉽게 정보를 교환할 수 있게 해 준다.
② 원과 기호는 돌턴의 원소 표시 방법이며, 연금술사들은 그림으로 원소를 나타냈다.
③ 현대 원소 기호는 베르셀리우스가 최초로 제안했다.
④ 오래전부터 알려진 원소는 그리스어나 라틴어에서, 최근에 이름 붙여진 원소들은 영어나 독일어 이름의 알파벳에서 따온 것이다.
⑤ 첫 글자가 같으면 중간 글자 하나를 택하여 첫 글자 다음에 소문자로 나타낸다.

07 ① 수소는 H, He는 헬륨 ② 철은 Fe, F는 플루오린 ④ 칼륨은 K, Ca는 칼슘 ⑤ 네온은 Ne, Na는 나트륨이다.

08 ① 니크롬선 대신 구리선을 사용하면 구리 자체의 불꽃색(청록색) 때문에 시료 성분 원소의 불꽃색을 관찰하기 어렵다. 백금선은 묽은 염산과 반응하지 않으며 불꽃색도 나타나지 않기 때문에 불꽃 반응 실험에 사용한다.
④ 묽은 염산은 금속 원소를 포함하는 물질을 잘 녹이기 때문에 니크롬선에 묻은 불순물을 제거할 수 있다.
⑤ 시료를 묻힌 니크롬선은 산소가 충분히 공급되어 온도가 높고 무색인 겉불꽃 속에 넣어 관찰한다.

09 불꽃색은 화합물에 포함된 금속 원소에 의해 나타난다. ㉠과 ㉣ 구리－청록색, ㉡과 ㉤ 칼륨－보라색, ㉢과 ㉥ 나트륨－노란색이다. 따라서 같은 금속 원소를 포함한 화합물은 같은 불꽃색을 나타낸다.

10 질산 구리와 염화 구리는 모두 구리 원소를 포함하고 있으므로 불꽃색이 청록색으로 같다.

11 같은 위치에 같은 굵기의 선이 모두 나타나면 같은 종류의 금속 원소를 포함하고 있다. 어떤 화합물(X)의 선 스펙트럼은 A와 C의 선 스펙트럼을 모두 포함하고 있다.

12 ① 빛의 분산 현상을 이용한 구별 방법이다.
② 불꽃색이 비슷할 때 선 스펙트럼으로 성분 원소를 구별한다.
③ 적은 양으로 물질 속에 포함된 금속 원소와 비금속 원소를 확인할 수 있다.
⑤ 분광기로 보면 원소의 불꽃색은 선 스펙트럼, 햇빛은 연속 스펙트럼으로 나타난다.

서술형으로 다지기 50쪽

01 모범답안 물이 분해되어 생긴 산소 기체에 의해 주철관의 질량이 증가하고, 수소 기체가 얻어졌으므로 물이 원소가 아님을 알 수 있다.

02 모범답안 불꽃색은 특정한 금속 원소에 의해서만 나타나기 때문에 화합물의 모든 구성 원소를 불꽃 반응 실험을 통해 알 수 없다.
해설 불꽃 반응은 화합물 속에 포함된 특정 금속의 종류를 확인하는 데 사용된다.

03 모범답안 불꽃색이 같은 화합물인 경우에는 불꽃색을 분광기로 관찰하여 나타난 선 스펙트럼을 분석하여 구별한다.

해설 화합물을 구성하는 금속 원소의 종류가 같으면 불꽃색도 같다. 불꽃색이 비슷한 물질인 경우 분광기로 불꽃색을 관찰하면 정확히 구분할 수 있다. 염화 나트륨과 질산 나트륨의 불꽃을 분광기로 관찰하면 노란색 부분에서 나타나는 선의 개수, 색깔, 굵기가 같다. 그러나 염화 리튬과 질산 스트론튬의 불꽃을 분광기로 관찰하면 붉은색 부분에서 나타나는 선의 개수, 색깔, 굵기 등이 다르다.

04 모범답안 원소는 없어지거나 새로 생기지 않으며 화학 변화가 일어나도 다른 종류의 원소로 변하지 않으므로 철이나 구리를 금이나 은 같은 금속으로 바꿀 수 없다.

융합사고력 키우기 51쪽

01 모범답안 4가지 원소만으로 물질의 근원과 변화를 설명하기 힘들었기 때문이다.

해설 4원소설을 주장하던 고대 사람들도 4가지 원소만으로 물질의 근원을 설명하기 힘들었으며, 이를 보충하기 위에 에테르란 새로운 개념을 도입했다. 아리스토텔레스는 세상을 구성하는 4가지 기본 원소로 흙, 물, 불, 공기를 이야기한다. 거기에 우주를 구성하는 별개의 순수한 원소로 제5원소를 언급하고 이를 에테르(ether)라고 명명했다. 우주 공간은 만질 수도 느낄 수도 없는 영원불변의 어떤 물질로 가득 차 있는데, 이 물질이 바로 빛을 전달하는 매질 역할을 하는 에테르라고 생각했다. 그러나 마이켈슨과 몰리는 실험을 통해서 빛의 속력은 방향과 관계없이 항상 같다는 결과를 얻었고, 에테르는 없는 것으로 확인되었다.

02 모범답안 아리스토텔레스의 4원소 변환설과 관련이 있다. 4원소 변환설에 의하면 만물은 물, 불, 공기, 흙의 4원소로 구성되며, 이 원소들은 서로 변환될 수 있다.

06 원소의 분류와 성질

개념 기르기 56-57쪽

01 ②	02 ③	03 ④	04 ③	05 ④
06 ③	07 ②	08 ③, ④	09 ④	10 ②
11 ⑤				

01 ① 라부아지에 ③ 되베라이너 ④ 멘델레예프 ⑤ 뉴랜즈

02 멘델레예프는 당시까지 알려져 있던 63종의 원소들을 원자의 질량 순으로 배열하였고, 해당 원소가 없으면 빈칸으로 남겨 두었다. (가) 스칸듐(Sc), (나) 갈륨(Ga), (다) 저마늄(Ge)이다. 당시에는 비활성 기체가 발견되지 않았으므로 18족에 해당하는 원소는 포함되지 않았다. 현대 주기율표는 원자 번호 순으로 배열되므로 멘델레예프의 주기율표와 원소의 배열 순서가 일치하지 않는 곳이 존재한다.

03 라부아지에가 분류한 원소들 중 염, 빛, 열 등은 현재 원소가 아니다.

04 세 원소들은 모두 할로젠 족으로 금속과 반응을 매우 잘 한다.

05 주기율표에서 같은 족에 속하는 원소들은 화학적 성질이 비슷하다.

06 A-수소(H), B-리튬(Li), C-칼륨(K), D-마그네슘(Mg), E-탄소(C), F-염소(Cl), G-네온(Ne)이다.
② E(탄소-흑연)는 비금속 중 유일하게 전류가 흐르는 원소이다.
③ A(수소)는 1족 원소이지만 알칼리 금속이 아니고 비금속 원소이다.

07 수소를 제외한 1족 원소를 알칼리 금속이라고 한다. 알칼리 금속은 산소 및 물과 반응을 잘 하므로 자연계에서 원소 상태로 존재하는 양은 많지 않으며, 석유나 벤젠 등에 넣어 보관한다.

08 금속 원소와 비금속 원소를 분류하기 위해서는 광택, 전성(얇게 펴짐), 연성(가늘고 길게 늘어남), 전기 전도성 여부를 확인한다. 금속 원소는 광택이 있고, 힘을 가했을 때 얇게 펴지며, 전류를 흐르게 하면 전구에 불이 켜진다.

09 17족 원소(F, Cl, Br, I)를 할로젠 원소라고 한다. 이 중 플루오린(F)과 염소(Cl)는 기체 상태, 브로민(Br)은 액체 상태, 아이오딘(I)은 고체 상태로 존재한다.

10 전류가 흐를 때 독특한 색을 내는 원소는 18족(He, Ne, Ar, Kr 등) 비활성 기체이다. 비활성 기체는 공기 중에 소량 존재하며, 안정하여 다른 물질과 거의 반응하지 않는다.

11 같은 족에 속하는 원소들은 화학적 성질이 비슷하다. H와 Li은 같은 1족 원소이지만 H는 비금속 원소이고, Li은 알칼리 금속으로 성질이 다르다.

서술형으로 다지기 58쪽

01 모범답안 멘델레예프는 원소들을 원자의 질량 순서로 배열하였을 때 화학적 성질이 비슷한 원소가 주기적으로 나타난다는 사실을 발견하였다. 주기율표에서 원소들의 성질이 주기성을 띤다는 사실로부터 그 당시 발견하지 못했던 원소들을 예측할 수 있었다.

해설 멘델레예프는 원소들을 원자의 질량 순서로 배열하다가 성질이 비슷한 원소가 나타나면 줄을 바꾸고, 해당하는 원소가 없으면 빈 자리를 남겨 두어 그 원소의 성질을 예측하였다. 후에 예측한 성질과 거의 일치하는 원소가 발견되었다.

02 모범답안
- (가) : 특유의 광택이 나며, 전기 전도성, 열 전도성이 있고, 힘을 받으면 길게 늘어나거나 넓게 펴진다.
- (나) : 광택, 전기 전도성, 열 전도성이 없으며, 힘을 받으면 쉽게 부서진다.

해설 (가)는 금속 원소, (나)는 비금속 원소이다.

03 모범답안
- 상온에서 모두 고체 상태이다.
- 전기 전도성과 열 전도성이 있다.
- 힘을 가했을 때 길게 늘어나거나 얇게 펴지는 성질을 가지고 있다.
- 표면을 사포로 문지르면 은백색의 광택을 볼 수 있지만, 금방 검게 변한다.
- 물과 격렬하게 반응하여 수소 기체를 발생시킨다.

해설 세 원소는 모두 1족 알칼리 금속 원소이다. 알칼리 금속은 반응성이 매우 커서 칼로 자른 단면이 공기 중의 산소와 빠르게 반응하여 광택이 금방 사라지고, 물과 불꽃을 일으키며 격렬히 반응한다.

04 모범답안
- 원소 (가)는 Li과 K 같이 다른 금속에 비해 가볍고 무르며, 물과 반응하면 수소 기체가 발생한다.
- 원소 (나)는 F와 Br 같이 다른 금속 원소나 비금속 원소와 잘 반응한다.
- 원소 (다)는 Ne과 Kr 같이 실온에서 기체 상태로 존재하고, 다른 물질과 거의 반응하지 않는다.

해설 주기율표에서 같은 족에 속하는 원소들은 화학적 성질이 비슷하다. 즉 해당 원소는 해당 원소의 위아래 원소들과 비슷한 성질을 가진다.

융합사고력 키우기 59쪽

01 모범답안 금은 반응성이 낮아서 우리 몸에 들어왔을 때 이온화되지 않으므로 체내에 흡수되지 않는다.

해설 금이 흡수되기 위해서는 어떤 액체에 녹아 이온화 되어야 하는데, 금은 왕수(진한 염산과 진한 질산의 혼합액으로 독특한 냄새가 나는 노란색 액체)를 제외하고는 녹지 않는 안정한 물질이다.

02 모범답안 금은 연성이 뛰어나고 전기를 잘 통하기 때문에 회로기판에 매우 가는 선의 금으로 회로를 연결한다.

해설 가전 제품에서 금이나 은 같은 귀금속을 뽑아내는 걸 광산에 비유해 도시광산 사업이라 부른다. 폐가전제품이 정제 과정을 거치면 금이나 은 같은 값비싼 광물을 얻을 수 있다. 폐휴대전화 1톤에서 추출할 수 있는 금은 400 g으로, 원석 1톤에서 얻는 금이 5 g에 불과한 것에 비하면 훨씬 효율적이다.

07 원자와 분자

개념 기르기 64-65쪽

01 ⑤	02 ④	03 ④	04 ⑤	05 ④
06 ⑤	07 ②	08 ④	09 ②	10 ③
11 ①	12 ③			

01 (나)의 입자설에 의하면 공기는 입자와 빈 공간(진공)으로 이루어져 있으며, 압력을 가하면 공기 입자 사이의 공간이 줄어들기 때문에 부피가 감소한다.

02 돌턴의 원자설에 의하면 화학 반응이 일어날 때 원자는 다른 종류의 원자로 변하거나 없어지거나 새로 생기지 않는다. 금속 철의 원자와 금속 철이 황과 반응하여 만들어진 황화 철의 철 원자는 같은 원자이다.

03 원자를 구성하는 입자인 원자핵과 전자가 원자 전체의 크기에

비해 매우 작으므로 원자의 대부분은 빈 공간이다.

04 ① ㉠은 (−)전하를 띠는 전자이다.
② ㉡은 (+)전하를 띠는 원자핵이다
③ 중성 상태의 원자는 전자(㉠)와 양성자(㉣)의 개수가 같다.
④ 원자의 질량은 원자핵(㉡=㉢+㉣)의 질량과 같다.

05 중성인 원자는 전자와 양성자의 수가 같고, 중성자의 수는 양성자나 전자의 수와 같을 수도 있고 다를 수도 있다.

06 물 분자는 수소와 산소의 2가지 원소로 이루어진다.

07 (가) 돌턴(공 모형), (나) 톰슨(푸딩 모형), (다) 러더퍼드(행성 모형), (라) 보어(전자 궤도 모형), (마) 현대(전자 구름 모형)이다. 톰슨은 (+)전하를 띤 공 속에 (−)전하를 띤 전자가 박혀 있는 원자 모형(푸딩 모형)을 발표하였다.

08 원자의 원자핵 속에는 양성자와 중성자가 함께 들어 있다. 중성자의 개수는 양성자나 전자의 수와 같을 수도 다를 수도 있다.

09 ① 수소 − H_2, ③ 이산화 탄소 − CO_2, ④ 암모니아 − NH_3, ⑤염화 수소 − HCl

10 암모니아 한 분자를 구성하는 원자는 질소 1개, 수소 3개, 총 4개이고, 암모니아 분자가 3개이므로 총 원자의 수는 12개이다.

11 분자 모형으로 분자의 크기, 질량, 성질은 알 수 없다.

12 ① 분자 모형으로 분자의 크기는 알 수 없다.
②, ④ (가)는 수소와 산소로 이루어져 있고, (나)는 탄소와 산소로 이루어져 있으므로 원소와 원자의 종류가 다르다.
③ (가)는 수소 2개, 산소 1개, 총 3개의 원자로 이루어져 있고, (나)는 탄소 1개, 산소 2개, 총 3개의 원자로 이루어져 있으므로 원자의 개수가 같다.
⑤ (가)는 굽은형이고, (나)는 직선형이다.

서술형으로 다지기 66쪽

01 모범답안
• (나) − (라) − (다) − (가) − (마)
• 돌턴이 (나) 모형을 제시하였으나 전자가 발견되어 톰슨의 (라) 모형으로, 원자핵이 발견되어 러더퍼드의 (다) 모형으로, 전자 궤도 이론으로 인해 보어의 (가) 모형으로, 전자 구름 이론으로 인해 (마) 모형으로 변화되었다.

해설 (나) 돌턴의 공 모형 : 원자는 더 이상 쪼갤 수 없는 공 모양이다. → (라) 톰슨의 푸딩 모형 : 원자 속에 전자가 존재하고 전자를 제외한 나머지 부분은 전자와 같은 수의 (+)전하를 띤다. → (다) 러더퍼드의 행성 모형 : 원자의 가운데에는 (+)전하를 띤 원자핵이 있고 그 주위를 (−)전하를 띤 전자가 빠르게 돌고 있다. → (가) 보어의 전자 궤도 모형 : 원자의 가운데에는 (+)전하를 띤 원자핵이 있고 (−)전하를 띤 전자는 일정한 궤도에 위치해 있다. → (마) 현대의 전자 구름 모형 : 원자 내의 전자 분포를 수학적으로 계산하여 전자 구름 모양으로 나타낸다.

02 모범답안 공기는 입자와 빈 공간(진공)으로 이루어져 있으며, 압력을 가하면 공기 입자 사이의 공간이 감소하기 때문에 부피가 감소한다. 물 50 mL와 에탄올 50 mL를 섞으면 크기가 큰 입자 사이에 크기가 작은 입자가 끼어 들어가기 때문에 부피가 100 mL보다 작아진다.

해설 우리 주변에서 일어나는 현상은 입자설로 설명할 수 있다. 입자 사이에는 빈 공간이 있기 때문에 공기가 들어 있는 주사기의 피스톤을 누르면 부피가 줄어들고, 고무풍선을 불어 놓으면 시간이 지날수록 크기가 작아진다. 또한, 물질은 입자로 이루어져 있기 때문에 음식 냄새가 멀리 퍼져 나가고, 비눗방울을 무한히 크고 얇게 만들 수 없으며, 금속을 두드리면 넓게 펴지지만 무한히 얇게 만들 수 없다.

03 모범답안 C_3H_8, 탄소 원자 3개와 수소 원자 8개로 이루어진 분자이다.

해설 분자식으로 분자 수, 분자를 구성하는 원자의 종류와 수, 구성 원자의 개수비를 알 수 있다.

04 모범답안 돌턴의 원자설에 의하면 화학 반응 시 원자는 없어지거나, 생기거거나, 다른 원자로 변하지 않으므로 물건을 만진다고 황금으로 변할 수 없다.

융합사고력 키우기 67쪽

01 모범답안 우라늄 235가 핵분열할 때 질량이 줄어들고, 줄어든 질량이 에너지로 바뀐다.

해설 원자핵의 (+)전하를 띤 양성자가 서로 반발하지 않고 뭉쳐 있을 수 있는 이유는 양성자와 중성자 사이에 작용하는 힘인 핵력 때문이다. 원자핵의 양성자 수가 많아질수록 양성자 사이의 반발력이 크므로 중성자의 수가 늘어난다. 양성자 92개와 중성자 143개로 이루어진 우라늄 235 원자핵의 질량은 양성자 92개의 질량과 중성자 143개의 질량의 합보다 작다. 양성자와 중성자가 원자핵을 형성하는 과정에서 필요한 에너지, 즉 핵력에 사용된 에너지만큼 질량이 줄어들었기 때문이다. 실제 원자핵의 질량=양성자 질량+중성자 질량−핵력에 의한 결합 에너지이다. 일상 생활에서는 쉽게 일어나지 않지만 핵분열이나 핵융합시 에너지는 질량으로, 질량은 에너지로 변환된다. 원자핵의 핵력이 클수록, 즉 원자핵이 되면서 안정해져 방출한 결합 에너지가 많을수록 양성자와 중성자는 강하게 결합되어 있고 안정하다. 우라늄이나 라돈 같이 아주 무거운 원소는 핵력이 존재하지만, 양성자가 많아 양성자 사이의 반발력을 이기지 못하고 쪼개져 다른 원소가 되기도 한다. 우라늄 235가 핵분열하여 생긴 크립톤 92와 바륨 141의 핵력의 합은 우라늄 235의 핵력보다 크다. 따라서 우라늄 235가 핵분열하면 양성자와 중성자의 수는 변함이 없지만, 더 안정해져 결합 에너지가 낮아지므로, 질량이 아주 조금 줄어들고 줄어든 질량은 $E=mc^2$에 의해 에너지로 변환되어 방출된다. 줄어든 질량이 매우 작아도 광속($c=2.99792\times10^8$m/s)이 매우 크기 때문에 매우 큰 에너지가 발생한다.
우라늄 235원자 한 개가 핵분열 할 때 방출되는 에너지 E
$=(0.185961\ \text{u}\times1.66057\times10^{-27}\ \text{kg/u})$
$\times(2.99792\times10^8\ \text{m/s})^2=2.77\times10^{-11}\ \text{J}$
$=1.73125\times10^8\ \text{eV}=1.73125\times10^2\ \text{MeV}\fallingdotseq200\ \text{MeV}$이다.
$(1\ \text{eV}=1.6\times10^{-19}\ \text{J})$

02 모범답안

- 공통점 : 우라늄을 핵분열시켜 그 과정에서 나오는 많은 에너지를 이용한다.
- 차이점 : 원자력 발전은 우라늄을 저농도로 농축하여 사용하고, 원자폭탄은 고농도로 농축하여 사용한다.

해설 지구상에 자연적으로 존재하는 천연 우라늄 원석에는 핵분열하는 성분인 우라늄 235가 약 0.7 %밖에 들어 있지 않고 나머지 99.3 %는 핵분열을 하지 않는 성분인 우라늄 238이므로 자연 상태의 우라늄으로는 발전이나 폭탄에 필요한 충분한 에너지를 얻을 수가 없다. 따라서 우라늄 235의 농도를 원하는 수준으로 높이는 과정이 필요하며, 이 과정을 우라늄 농축이라고 한다. 원자폭탄은 한순간에 많은 에너지를 발생시켜야 하므로 우라늄 235를 95 % 이상의 고농도로 농축하여 사용하고, 원자력발전소, 핵항공모함, 핵잠수함 등에 사용되는 핵연료는 장기간에 걸쳐 천천히 타면서 에너지를 발산하는 것이 바람직하므로 천연 우라늄을 사용하거나 우라늄 235를 3~5 % 정도로 농축해서 사용한다. 발전에 쓰이는 저농축 우라늄은 스스로는 핵분열을 일으키지 못하므로 핵분열을 일으키기 위해 중성자 발생 장치를 함께 설치한다. 이 장치에서 발사된 중성자가 우라늄과 충돌하면 핵분열이 일어나고 핵분열 시 생긴 중성자가 다시 우라늄과 충돌하며 연쇄적으로 핵분열이 일어난다. 핵분열이 너무 급격해지면 안전에 문제가 생길 수 있으므로 제어봉을 설치한다. 제어봉은 은과 이리듐 등을 섞은 것으로 중성자를 흡수하여 핵분열 속도를 조절한다.

08 이온과 이온 사이의 반응

개념 기르기 72–73쪽

01 ③	02 ⑤	03 ②	04 ①, ⑤	05 ④
06 ⑤	07 ⑤	08 ④	09 ②	10 ①, ⑤
11 ④	12 ②			

01 이온은 전자의 이동에 의해 형성된다. 전자를 얻어 (−)전하를 띠는 입자를 음이온, 전자를 잃어 (+)전하를 띠는 입자를 양이온이라고 한다. 원자들은 가장 바깥쪽 전자의 수를 2개나 8개로 맞추기 위하여 전자를 이동시킴으로써 이온이 된다.

02 원자 번호가 16인 황은 중성 원자일 때 양성자와 전자의 수가 16이다. S^{2-}(황화 이온)은 황 원자가 전자 2개를 얻어 형성된 −2가의 음이온이다.
따라서 이온의 형성 과정은 $S + 2\ominus \rightarrow S^{2-}$로 나타낼 수 있다.

03 (가)와 (마)는 양이온, (나)는 음이온, (다)와 (라)는 전하를 띠지 않는 원자이다. (나)는 원자가 전자를 2개 얻어서 생성된 음이온이다.

04 ① Na^+와 F^-는 전자가 10개로 같다.
② H^+는 전자가 없고, He는 전자가 2개이다.
③ N^{3-}는 Ne와 전자 수가 10개로 같다.
④ Fe^{2+}는 Fe보다 전자 2개가 더 적다.
⑤ Mg^{2+}는 전자 2개를 잃었으므로 전자 수가 양성자 수보다 2개 더 적다.

05 ㉠은 전자 1개를 얻어서 형성된 수산화 이온, ㉡은 전자 2개를 얻어서 형성된 황화 이온, ㉢은 전자2개를 얻어서 형성된 탄산 이온, ㉣은 전자 1개를 잃어서 형성된 수소 이온, ㉤은 전자

3개를 잃어서 형성된 알루미늄 이온, ㉥은 전자 1개를 잃어서 형성된 암모늄 이온이다.

06 황산 이온은 음이온이므로 (+)극 쪽으로 이동하지만, 색이 없어 보이지 않는다.

07 염화 이온(Cl^-)은 은 이온(Ag^+)과 반응하여 염화 은($AgCl$)의 흰색 앙금이 만들어진다. 혼합 용액에는 질산 이온과 나트륨 이온이 두 개씩 남아 있다.

08 염화 이온(Cl^-)은 은 이온(Ag^+)과 반응하여 염화 은($AgCl$)의 흰색 앙금을 생성한다. 질산 은($AgNO_3$) 수용액과 흰색 앙금을 생성하는 것으로 보아 수돗물에는 염화 이온(Cl^-)이 존재함을 알 수 있다.

09 ① 탄산 칼슘, ③ 아이오딘화 납, ④ 염화 은, ⑤ 황산 바륨 앙금이 생긴다.

10 NH_4^+(암모늄 이온)과 NO_3^-(질산 이온)은 다른 이온과 반응하여 앙금을 만들지 않고 이온 상태로 존재한다.

11 질산 은($AgNO_3$) 수용액과 노란색 앙금을 생성하므로 아이오딘화 이온(I^-)이 있고, 불꽃 반응색이 보라색이므로 칼륨 이온(K^+)이 존재한다. 따라서 고체 물질 X는 아이오딘화 칼륨(KI)이다.

12 스마트폰 배터리를 만들 때 리튬 이온을 사용한다.

서술형으로 다지기 74쪽

01 모범답안
- (가) : 원자가 전자 1개를 잃어 +1가 양이온이 된다.
  예 Li^+, Na^+, K^+ 등
- (나) : 원자가 전자 2개를 얻어 −2가 음이온이 된다.
  예 O^{2-}, S^{2-} 등

해설 이온은 전자의 이동으로 형성된다. 중성 원자가 전자를 잃으면 양이온이 되고 전자를 얻으면 음이온이 된다.

02 모범답안
- 공통점 : 전자의 수가 모두 10개이다.
- 차이점 : 산소, 플루오린, 나트륨, 마그네슘의 양성자 수는 각각 8, 9, 11, 12로 모두 다르다. 산소는 2개, 플루오린은 1개의 전자를 얻고, 나트륨은 1개, 마그네슘은 2개의 전자를 잃어 모두 전자의 수가 10개인 이온이 된다.

해설 원자들은 가장 바깥쪽 전자의 수를 2개나 8개로 맞추기 위하여 전자를 이동시킴으로써 이온이 된다.

03 모범답안 카드뮴 이온(Cd^{2+}), 황화 이온(S^{2-})과 반응하여 노란색 앙금을 생성하는 것은 카드뮴 이온이기 때문이다.

해설 중금속 중 납 이온(Pb^{2+})은 아이오딘화 이온(I^-)과 반응하여 아이오딘화 납 (PbI_2)노란색 앙금을 만들거나 황화 이온(S^{2-})과 반응하여 황화 납(PbS) 검은색 앙금을 만든다. 구리 이온(Cu^{2+})은 황화 이온(S^{2-})과 반응하여 황화 구리(CuS) 검은색 앙금을 만든다.

04 모범답안 탄산 이온(CO_3^{2-})은 칼슘 이온(Ca^{2+})과 반응하여 탄산 칼슘($CaCO_3$), 바륨 이온(Ba^{2+})과 반응하여 탄산 바륨($BaCO_3$) 앙금을 생성하므로 칼슘 이온이나 바륨 이온이 포함되어 있는 수용액을 탄산음료에 넣어 본다.

융합사고력 키우기 75쪽

01 모범답안 초정리 광천수에 칼슘 이온(Ca^{2+})과 반응하여 앙금을 형성하는 탄산 이온(CO_3^{2-})이나 황산 이온(SO_4^{2-})을 포함한 물질인 탄산 나트륨(Na_2CO_3), 탄산수소 나트륨($NaHCO_3$), 황산 나트륨(Na_2SO_4), 황산 칼륨(K_2SO_4) 등을 떨어뜨린다. 흰색 앙금[탄산 칼슘($CaCO_3$), 황산 칼슘($CaSO_4$)]이 생기면 칼슘 이온이 포함되어 있다.

해설 칼슘 이온(Ca^{2+})은 탄산 이온(CO_3^{2-})이나 황산 이온(SO_4^{2-})과 만나면 탄산 칼슘($CaCO_3$)과 황산 칼슘($CaSO_4$)의 흰색 앙금을 만든다.

02 모범답안
- 장점 : 각종 세균과 중금속을 거의 완벽하게 걸러준다.
- 단점 : 몸에 좋은 무기질(미네랄)도 함께 걸러진다.

해설 시중에 판매되고 있는 정수기는 크게 두 종류이다. 불순물을 걸러 내기 위해 필터를 사용하는 필터 정수기와 반투막을 이용한 역삼투 정수기이다. 필터 정수기는 물속에 녹아 있는 불순물을 필터에 흡착시켜 제거한다. 따라서필터를 오래 사용하면 필터에 불순물이 많아져 정수 능력이 떨어질 수 있기 때문에 일정한 기간이 지나면 필터를 교환해야 한다. 역삼투 정수기는 머리카락의 100만분의 1 크기의 미세한 구멍으로 된 반투막을 이용하여 중금속, 박테리아, 세균 등 모든 성분을 걸러내므로 증류수가 된다. 반투막을 통해서 물이 흘러나오는 속도가 매우 느리기 때문에 역삼투 정수기에는 깨끗한 물을 보관하는 별도의 저수조가 있다. 또한, 역삼투 정수기는 수돗물 5 L를 정수하면 1.2 L가 정수되고 나머지 3.8 L는 제거수로서 하수구에 그냥 버려지므로 물 낭비가 심하다. 역삼투 정수기의 버려지는 물을 재활용하기 위해 정수기에 별도의 저장 용기 설치, 싱크대로 빼내어 재활용, 세탁기나 욕조로 연결해 재활용하는 방안 등 다양한 방법을 계획하고 있다.

탐구력 키우기 76쪽

01 모범답안

족	1족	2족	13족	14족	15족	16족	17족	18족
가장 바깥 전자 껍질의 전자 수	1	2	3	4	5	6	7	8

해설 가장 바깥 전자 껍질의 전자 수가 같은 원소들을 같은 족으로 분류하며, 1~18족까지 있다. 같은 족 원소들은 화학적 성질이 비슷하다.

02 모범답안

- 양이온 : H^+, Li^+, Be^{2+}, B^{3+}, Na^+, Mg^{2+}, Al^{3+}, K^+, Ca^{2+}
- 음이온 : N^{3-}, O^{2-}, F^-, P^{3-}, S^{2-}, Cl^-

03 모범답안 1족, 2족, 13족 원소들은 전자를 잃고 양이온이 되기 쉽고, 15족, 16족, 17족 원소들은 전자를 얻어 음이온이 되기 쉽다.

해설 1족~13족에 해당하는 금속 원소들은 양이온이 되기 쉽고, 15~17족에 해당하는 비금속 원소들은 음이온이 되기 쉽다. 주기율표를 보면 어떤 원소가 어떤 이온이 될지 쉽게 알 수 있다.

04 모범답안 18족 원소는 가장 바깥 전자 껍질에 전자가 가득 차 있으므로 이온이 되지 않고, 14족 원소는 전자 4개를 잃거나 전자 4개를 얻기 쉽지 않으므로 이온이 되기 어렵다.

해설 18족 원소는 안정한 물질로, 반응성이 매우 낮다. 14족 원소들은 이온이 되기 어려우며 서로 전자를 공유하여 결합한다.

Ⅲ-08 원자의 전자 배치

금속 원소
비금속 원소
준금속 원소

	1족	2족	13족	14족	15족	16족	17족	18족
1주기	1 H 수소 (+1) / 이온식 H^+							2 He 헬륨 (+2) / 이온식
2주기	3 Li 리튬 (+3) / 이온식 Li^+	4 Be 베릴륨 (+4) / 이온식 Be^{2+}	5 B 붕소 (+5) / 이온식 B^{3+}	6 C 탄소 (+6) / 이온식	7 N 질소 (+7) / 이온식 N^{3-}	8 O 산소 (+8) / 이온식 O^{2-}	9 F 플루오린 (+9) / 이온식 F^-	10 Ne 네온 (+10) / 이온식
3주기	11 Na 나트륨 (+11) / 이온식 Na^+	12 Mg 마그네슘 (+12) / 이온식 Mg^{2+}	13 Al 알루미늄 (+13) / 이온식 Al^{3+}	14 Si 규소 (+14) / 이온식	15 P 인 (+15) / 이온식 P^{3-}	16 S 황 (+16) / 이온식 S^{2-}	17 Cl 염소 (+17) / 이온식 Cl^-	18 Ar 아르곤 (+18) / 이온식
4주기	19 K 칼륨 (+19) / 이온식 K^+	20 Ca 칼슘 (+20) / 이온식 Ca^{2+}						

Ⅳ 물질의 특성

09 순물질과 혼합물

개념 기르기 82-83쪽

01 ⑤ 02 ③ 03 ① 04 ① 05 ②
06 ④ 07 ⑤ 08 ⑤ 09 ④ 10 ②
11 ② 12 ①

01 순물질은 한 종류의 물질로만 이루어진 물질이다. 들숨, 우유, 설탕물, 이산화 탄소를 뺀 사이다는 모두 혼합물이며, 수소와 산소 혼합물에 전기를 가하여 만든 물은 순물질이다.

02 혼합물 중 성분 물질이 고르게 섞여 있는 혼합물을 균일 혼합물이라고 한다. 균일 혼합물은 대부분 무색 투명하고, 어떤 부분을 취하여도 성분이 일정하다. 암석, 우유, 흙탕물은 불균일 혼합물이고, 염화 나트륨은 순물질 중 화합물이다.

03 순물질은 어는점, 끓는점, 녹는점, 밀도, 색깔, 냄새, 맛 등이 일정하다. 양은(구리+아연+니켈), 땜납(납+주석), 청동(구리+주석), 스테인리스(철+크롬)는 합금으로 균일 혼합물이다.

04 혼합물은 순수한 물질보다 끓는점이 높으며 농도가 진할수록 끓는점이 높아진다. 소금물을 가열하면 물이 끓으면서 소금물의 농도가 점점 진해지므로 끓는점이 계속 높아진다. 따라서 혼합물 가열 곡선에서는 수평한 구간이 나타나지 않고, 온도가 조금씩 계속 높아진다.

05 그림은 두 종류 이상의 물질이 고르지 않게 섞여 있는 불균일 혼합물이다. 구리는 순물질 중 홑원소 물질, 물은 순물질 중 화합물, 식초와 탄산음료는 혼합물 중 균일 혼합물이다.

06 혼합물은 순수한 물질보다 어는점이 낮다. 부동액과 염화 칼슘은 물의 어는점을 낮춰 물이 쉽게 얼지 않게 한다.

07 고체+고체 혼합물은 녹는점이 낮아지므로 납+안티모니+주석 혼합물로 퓨즈를 만들어 과전류가 흐르면 쉽게 끊어지도록 하여 과열 사고를 막는다.

08 혼합물은 두 종류 이상의 순물질이 섞여 있는 물질로, 혼합물을 구성하는 물질은 원래의 성질을 그대로 가지고 있다.

09 겨울철 호수의 표면부터 어는 이유는 물의 밀도가 4 ℃일 때 가장 크기 때문이다. 밀도가 높은 4 ℃ 물은 아래로 내려가고, 밀도가 낮은 4 ℃ 미만의 물이 위로 뜨기 때문에 표면부터 언다.

10 액체 혼합물의 가열 곡선에서는 혼합물의 수만큼 수평한 구간이 나타난다. 그래프에서 수평한 구간이 2개이므로 이 혼합물은 최소 2가지 이상의 성분 물질이 섞여 있다.

11 순수한 액체 물질의 가열 곡선에서는 수평한 구간이 한 군데 나타난다.

12 B는 냉각 곡선에서 수평한 구간이 나타나지 않으므로 혼합물이다. 이 그래프에서 순물질은 수평한 구간이 나타나는 A, C, D이며, 수평한 구간의 온도가 같은 C와 D는 서로 같은 물질이다.

서술형으로 다지기 84쪽

01 모범답안
- 순물질과 혼합물
- 화합물과 혼합물
- 끓는점과 녹는점이 일정한 물질과 그렇지 않은 것

해설 (가)는 순물질 중 화합물이고, (나)는 균일 혼합물이다.

02 모범답안
- A는 혼합물이고, B는 화합물이다.
- 이유 : A는 자석에 끌려오는 철의 성질이 남아 있고, B는 철의 성질이 남아 있지 않기 때문이다.

해설 철과 황이 반응하여 화합물(황화 철)을 이루면 철과 황의 성질이 사라지므로 자석에 끌려오지 않는다. 원소가 화합물이 되었을 때, 원소가 가지고 있던 성질과 다른 성질을 갖는다.

03 모범답안 물질을 가열하는 동안 온도가 일정하게 유지되지 않고, 점점 높아지기 때문에 혼합물이다.

해설 혼합물은 끓을수록 농도가 진해지기 때문에 끓는점이 상승한다.

04 모범답안 고체 혼합물의 녹는점이 성분 물질의 녹는점보다 낮은 성질을 이용한다.

해설 고체 혼합물은 고체 사이의 인력이 불균등하여 순물질일 때보다 쉽게 인력을 끊을 수 있기 때문에 녹는점이 순물질보다 낮다.

융합사고력 키우기 85쪽

01 모범답안 순수한 구리보다 황동, 백동, 청동의 합금이 단단하고 반응성이 작기 때문이다.

해설 구리 합금인 청동이나 황동은 반응성이 작기 때문에 청동이나 황동으로 만든 유물은 다른 유물에 비해 많이 남아 있다. 10원 동전은 예전에는 합금으로 만들었지만, 제조 비용 때문에 합금 대신 구리씌움 알루미늄으로 바뀌었다. 순수한 구리는 공기 중의 산소에 의해 만들어진 산화 구리가 보호막 역할을 해서 부식이 일어나지 않는다. 그러나 표백제나 소독제의 주성분인 하이포아염소산(락스)은 구리와 알루미늄을 산화시켜 녹인다. 실제 분수대에서 새 동전이 심하게 변형된 것도 소독제의 하이포아염소산 때문이다.

02 모범답안 다시 황동을 쓰거나 구리 표면에 단단한 산화 구리 막을 만든다.

해설 실제로 제작 비용 때문에 황동을 쓰거나 산화 구리 막을 입히는 것은 힘들다.

10 물질의 특성(1)

개념 기르기 90-91쪽

01 ①, ③	02 ④	03 ⑤	04 ⑤	05 ②
06 ①	07 ②	08 ①	09 ⑤	10 ⑤
11 ①				

01 크기 성질은 물질의 양에 따라 크기가 달라지는 성질로 질량, 부피, 길이, 에너지, 열용량, 전기 저항 등이 있다. 밀도, 온도, 용해도는 세기 성질이다.

02 온도, 농도, 압력을 제외한 대부분의 세기 성질은 물질의 특성이 될 수 있다.

03 온도는 세기 성질이지만 같은 종류의 물질이라도 온도가 다를 수 있으므로 물질의 특성이 아니다.

04 질량은 장소에 관계없이 변하지 않는 물질의 고유한 양이고, 부피는 물질이 차지하는 공간의 크기이다.

05 모양이 불규칙한 고체의 부피를 측정할 때는 고체를 녹이지 않는 액체에 고체를 넣어 늘어난 액체의 부피를 측정한다. 소금의 경우 소금을 녹이지 않는 에탄올에 넣어 부피를 측정한다.

06 밀도의 단위는 g/cm^3이다.

07 부피 = 가로 × 세로 × 높이 = $1\ cm \times 2\ cm \times 2\ cm = 4\ cm^3$,

밀도 = $\frac{35.6\ g}{4\ m^3} = 8.9\ g/cm^3$

08 A의 밀도는 $0.85\ g/cm^3$, B의 밀도는 $15\ g/cm^3$, C의 밀도는 $1.5\ g/cm^3$, D의 밀도는 $0.65\ g/cm^3$이므로, 물에 가라앉는 것은 물보다 밀도가 큰 B와 C이다.

09 바다 위에 빙산이 떠 있는 것은 빙산의 밀도가 바닷물보다 작기 때문이다. 높은 산에서 밥을 할 때 냄비 위에 돌을 얹는 이유는 높은 산에서는 외부 압력이 낮아져 물의 끓는점이 낮아지기 때문에 밥이 설익는 것을 방지하기 위해서이다.

10 (가)의 밀도는 4 g/mL, (나)의 밀도는 2.66 g/mL, (다)와 (라)의 밀도는 2 g/mL이다. (다)와 (라)는 밀도가 같으므로 같은 물질이며, (다)가 부피와 질량이 더 크므로 크기가 더 크다.

11 얼음이 융해될 때 부피는 감소한다.

서술형으로 다지기 92쪽

01 모범답안
- 물질의 양에 따라 변하는 성질 : 질량, 부피, 길이, 전기 저항
- 물질의 양에 따라 변하지 않는 성질 : 밀도, 녹는점, 용해도, 비열, 끓는점

해설 물질의 양을 고려한 성질을 크기 성질이라고 하고, 물질의 양과 상관없이 일정한 성질을 세기 성질이라고 한다.

02 모범답안 드라이아이스에서 승화된 이산화 탄소는 공기보다 밀도가 커서 바닥에 가라앉기 때문에 A, B, C의 순서로 촛불이 꺼진다.

해설 드라이아이스에서 승화된 이산화 탄소는 공기보다 밀도가 커서 바닥에 가라앉는다. 0 ℃, 1 기압일 때 공기의 밀도는 1.2 g/cm^{3}이고, 이산화탄소의 밀도는 1.977 g/cm^{3}이다.

03 **모범답안** B와 D는 밀도가 1 g/mL로 같으므로 같은 물질이다.
해설 밀도는 단위 부피에 대한 물체의 질량 값으로, 물질의 양에 관계없이 일정하기 때문에 물질을 구별할 수 있는 물질의 특성이다.

04 **모범답안** 왕관은 순금이 아니다. 만일 왕관이 순금이라면 왕관과 질량이 같은 순금을 물이 가득 든 항아리에 넣었을 때 넘친 물의 양이 같아야 한다. 왕관에는 금 외에 은과 같은 다른 물질이 섞여 있다.
해설 밀도가 같다면 질량이 같을 때 부피가 같아야 한다.

융합사고력 키우기 93쪽

01 **모범답안** 북극의 빙하는 물 위에 떠 있는 빙하이므로 녹더라도 해수면이 상승하지 않는다. 그러나 남극과 그린란드의 빙하와 같이 땅 위에 있는 대륙 빙하가 녹으면 해수면이 상승한다. 또한, 온도 상승으로 바닷물이 팽창하여 해수면이 상승할 수 있다.
해설 얼음의 수면 위로 나온 부분은 물이 얼 때 늘어난 부피와 같으므로 얼음이 녹아도 물과 얼음의 전체 부피는 처음과 같아 넘치지 않는다.

02 **모범답안** 물보다 밀도가 낮은 알코올 함유량이 50 % 이상인 독한 술에 얼음을 넣으면, 술(물과 알코올의 혼합물)의 밀도가 얼음보다 낮아서 얼음이 가라앉는다.
해설 물의 밀도는 1 g/cm^3, 알코올 밀도는 0.79 g/cm^3, 얼음의 밀도는 0.92 g/cm^3 정도이다. 중수(D_2O)를 이용하여 만든 얼음은 물(H_2O)에 가라앉는다.

○ 물에 뜨는 일반 얼음 ○ 물에 가라앉는 중수 얼음

11 물질의 특성(2)

개념 기르기 98–99쪽

01 ④	02 ①	03 ③	04 ③	05 ⑤
06 ④	07 ⑤	08 ⑤	09 ①	10 ④
11 ③	12 ③			

01 ① 끓는점은 물질의 특성으로 물질마다 다르다.
② 물질의 양은 녹는점, 어는점, 끓는점에 영향을 주지 않는다.
③ 순물질은 어는점과 녹는점이 같다.
⑤ 고체의 가열 곡선에서 온도가 일정하게 유지될 때의 온도를 녹는점이라고 한다.

02 상온에서 산소는 기체, 철, 구리, 금은 고체, 수은은 액체 상태이다. 끓는점이 상온보다 낮은 물질은 기체, 녹는점이 상온보다 높은 물질은 고체, 녹는점은 상온보다 높고 끓는점은 상온보다 낮은 물질은 액체 상태로 존재한다.

03 높은 산에 올라가면 압력이 낮아지기 때문에 물이 100 ℃보다 낮은 온도에서 끓으므로 밥이 설익는다.

04 갈륨은 입자 사이의 인력이 약해서 녹는점이 29.7646 ℃ 정도로 낮아 체온에서도 녹는다.

05 고체 파라-다이클로로벤젠을 가열하는 동안 온도 변화가 없는 일정한 구간이 나타나는 이유는 파라-다이클로로벤젠이 녹는 동안 흡수한 열을 모두 상태 변화하는 데 쓰고, 어는 동안 열을 방출하기 때문이다.

06 가열 곡선의 수평한 부분의 온도가 끓는점이다. B는 끓는점에 도달하였지만, A는 아직 도달하지 못하였으므로 A의 끓는점이 B보다 높다.

07 용액이란 용매와 용질이 균일하게 섞여 있는 물질이다.

08 $$\text{퍼센트 농도(\%)} = \frac{\text{용질의 질량(g)}}{\text{용질의 질량(g)} + \text{용매의 질량(g)}} \times 100$$
$$= \frac{50}{150+50} \times 100 = 25\ \%$$

09 기체는 온도가 낮을수록 압력이 높을수록 용해도가 크다. 사이다에서 기포로 발생하는 기체는 사이다 속에 녹아 있던 이산화 탄소가 녹지 못하고 나타나는 것이다.

10 포화 상태란 용매에 용질이 최대한 녹아 있는 상태로 자연적으로 더 이상 용질이 녹을 수 없는 상태이다. B, C와 같이 용해도 곡선에서 곡선 위에 있으면 포화 상태이다. A는 과포화 상태이고, D는 불포화 상태이다.

11 ④ 농도가 진한 용액은 일정한 용매에 용질이 가장 많이 녹아 있는 용액이다. 60 ℃에서 용매 100 g에 질산 나트륨이 가장 많이 녹을 수 있으므로 농도가 가장 진하다.
⑤ 60 ℃에서 질산 칼륨은 물 100 g에 110 g이 녹을 수 있으므로 포화 수용액은 210 g(=물 100 g+질산 칼륨 110 g)이다.

12 일반적으로 기체의 용해도는 온도가 증가하면 용해도가 감소하고, 압력이 증가하면 용해도가 증가한다. 고체의 용해도는 압력에 거의 영향을 받지 않는다.

서술형으로 다지기 100쪽

01 모범답안 A와 B, 가열 곡선에서 A와 B의 수평한 부분의 온도가 같기 때문이다.
해설 액체 물질의 가열 곡선에서 수평한 부분의 온도를 끓는점이라 하고, 같은 물질이라면 질량에 관계없이 끓는점이 같다.

02 모범답안 탄산음료 속에 이산화 탄소를 많이 녹이려면 온도는 낮추고, 압력은 높여야 한다.
해설 기체의 용해도는 온도가 낮을수록, 압력이 높을수록 증가한다. 따라서 뚜껑을 열지 않고 차갑게 보관한 탄산음료가 더 톡 쏘는 맛이 난다.

03 모범답안 60 ℃의 물 100 g에 녹아 있는 질산 칼륨의 양은 100 g이고, 40 ℃의 물 100 g에 질산 칼륨이 완전히 녹을 수 있는 양은 64 g이므로 40 ℃로 냉각되었을 때 석출되는 질산 칼륨의 양은 100 g−64 g=36 g이다.
해설 용해도란 용매 100 g에 완전히 녹을 수 있는 용질의 g수이다. 60 ℃의 물 100 g에 질산 칼륨의 용해도는 110이므로 100 g의 질산 칼륨을 녹이면 모두 녹는다. 질산 칼륨 수용액을 40 ℃로 냉각시키면 40 ℃에서 최대로 녹을 수 있는 양인 64 g만 녹고 나머지 36 g은 석출된다.

04 모범답안 압력 밥솥은 뚜껑이 완전히 밀폐되어 수증기가 빠져나가지 못하므로 압력 밥솥 안의 압력이 높아져 물의 끓는점이 100 ℃보다 높아지므로 쌀이 빨리 익는다.
해설 끓는점은 외부 압력에 따라 달라지며, 외부 압력이 높아지면 끓는점이 높아지고 외부 압력이 낮아지면 끓는점이 낮아진다.

융합사고력 키우기 101쪽

01 모범답안 빠른 속도로 상승하면 압력이 급격히 낮아지고, 압력이 낮아지면 기체의 용해도가 감소하여 혈액에 녹아 있던 질소가 기포를 형성하며 빠져나온다. 이 기포들이 뭉쳐지면 점차 커지고, 혈액을 따라 움직이다가 가느다란 혈관을 막으면 손발이 마비되거나 호흡 곤란이 유발되고 심할 경우 질식 현상까지 발생한다.
해설 잠수병을 막기 위해서는 몸에 생긴 질소 기포를 점점 작게 만들고 체액 내로 다시 녹아 들어가게 한 다음 서서히 감압하여 폐를 통해 빠져나가게 해야 한다. 평균 300 m 깊이로 잠수를 즐기는 황제펭귄도 잠수병을 피하기 위해, 수면에 도착하기 전에 바다 속에서 잠시 멈춘 다음, 비스듬한 각도로 수면으로 올라온다.

02 모범답안 공기통에 질소보다 압력에 따른 용해도가 작은 헬륨 기체를 넣는다.
해설 공기통에 질소 기체 대신 헬륨 기체를 사용하면 잠수병과 질소 마취를 줄일 수 있다. 질소의 마취 효과를 1이라고 할 때 헬륨의 마취 효과는 0.235 정도이다. 헬륨 기체를 이용한 혼합 기체를 사용하면 330 m까지 잠수할 수 있다.

12 혼합물의 분리(1)

개념 기르기 106-107쪽

01 ④	02 ⑤	03 ①	04 ②	05 ⑤
06 ③	07 ①	08 ④	09 ⑤	10 ③
11 ③				

01 혼합물의 분리는 물질의 특성을 이용하여 각 성분 물질로 나누는 것으로, 한 가지 방법으로 분리가 안 되면 다른 물질의 특성을 이용하여 분리할 수 있다.

02 고체 혼합물은 두 성분 물질의 중간 정도의 밀도를 가지면서 성분 물질들을 녹이지 않는 액체 물질을 이용하여 밀도 차를 이용하여 분리할 수 있다.

03 분별 깔때기는 서로 섞이지 않는 액체 혼합물을 밀도 차를 이용하여 분리한다. 액체 물질 중 밀도가 큰 물질은 아래쪽으로 가라앉고, 밀도가 작은 물질은 위로 뜬다.

04 에탄올과 물은 서로 섞이기 때문에 층이 나누어지지 않으므로 분별 깔때기로 분리할 수 없다. 물과 에탄올 혼합물은 끓는점 차를 이용한 분별 증류 방법으로 분리한다.

05 ① 오래된 달걀은 수분이 많이 증발하여 공기집이 커지므로 밀도가 작다.
② 알찬 볍씨와 쭉정이는 소금물로 분리하는 것이 효과적이다.
③ 쌀에 돌이 섞여 있을 때 물에 넣고 흔들면 밀도가 큰 돌이 가라앉으므로 쉽게 분리할 수 있다.
④ 금이 모래보다 밀도가 크기 때문에 흐르는 물에서 금과 모래의 혼합물을 그릇에 넣고 흔들면 모래는 물에 떠내려가고, 금만 바닥에 남는다.

06 물과 에탄올처럼 서로 잘 섞이는 액체 혼합물을 끓는점 차를 이용하여 분리하는 방법을 분별 증류라고 한다.

07 서로 잘 섞이는 액체 혼합물은 가열하여 각 액체의 끓는점에 따라 끓어 나오는 기체를 액화시켜 각각 분리한다.

08 냉각기는 유리관의 외부에 찬물이 흐르도록 하여 유리관을 통과하는 기체를 액화시킨다. 이때 찬물이 아래쪽에서 들어가서 위쪽으로 나오도록 장치해야 냉각기에 찬물이 가득 차므로 냉각 효과가 크다.

09 (가) 구간에서는 물과 메탄올의 온도가 증가하고, (나) 구간에서는 메탄올이 끓어 나온다. 메탄올의 끓는점은 약 65 ℃이다. (다) 구간에서는 물의 온도가 점점 높아지고 (라) 구간에서 물이 끓어 나온다.

10 끓는점이 낮은 물질이 가장 먼저 기화되어 증류탑의 위쪽에서 분리된다.

11 −20 ℃에서 뷰테인은 액체, 프로페인은 기체 상태이다.

서술형으로 다지기 108쪽

01 모범답안
- A보다 밀도가 크고 B보다 밀도가 작아야 한다.
- A와 B를 녹이지 않아야 한다.

해설 밀도 차를 이용해 고체 혼합물을 분리할 때 두 물질의 중간 정도의 밀도를 가지면서 성분 물질들을 녹이지 않는 액체를 이용한다.

02 모범답안
- 분별 깔때기로 분리할 수 있는 혼합물 : 물과 사염화 탄소의 혼합물, 물과 벤젠의 혼합물
- 이유 : 물과 사염화 탄소, 물과 벤젠의 혼합물은 서로 섞이지 않는 액체 물질이며, 밀도가 다르기 때문에 분별 깔때기로 분리할 수 있다.

해설 분별 깔때기는 서로 섞이지 않으며 밀도가 다른 액체 혼합물을 분리할 때 사용한다.

03 모범답안 탁주를 소줏고리에 넣고 가열하면 끓는점이 낮은 알코올이 먼저 기체가 되어 위로 상승하고, 찬물이 담긴 그릇에 닿으면 다시 액체 상태로 변한다. 액체로 변한 알코올은 옆에 달린 고리를 통해 흘러나온다.

해설 불순물이 섞여 있는 용액을 가열할 때 나오는 기체를 다시 냉각시켜 순수한 액체를 얻는 방법을 증류라고 한다. 탁주를 끓이면, 끓는점이 낮은 에탄올이 먼저 끓어 나오다가 찬물에 의해 냉각되어 소주가 된다. 에탄올이 끓어 나올 때 물이 증발하여 함께 나오므로, 이때 얻은 소주는 순수한 에탄올이 아니다.

04 모범답안
- 분리할 수 있는 혼합물 : 물과 에탄올 혼합물, 물과 아세톤 혼합물 등
- 분리하는 원리 : 서로 섞이는 액체 혼합물을 끓는점 차를 이용하여 분리한다. 끓는점이 낮은 물질이 끓어나와 먼저 분리되고, 끓는점이 높은 물질이 나중에 분리된다.

융합사고력 키우기 109쪽

01 모범답안 섬유들이 불규칙하게 배열되어 있으며, 섬유 필터의 구멍보다 크기가 큰 물질은 필터를 통과하지 못하므로 분리된다.

해설 요즘 많이 사용하는 헤파(HEPA) 필터는 0.3 ㎛의 입자를 1회 통과시켰을 때 99.97 % 이상을 제거한다. 헤파 필터는 미국에서 방사성 먼지를 제거하기 위해 개발되었다. 진드기, 바이러스, 곰팡이 등을 제거할 수 있어서 현재는 공기 청정기뿐만 아니라 에어컨, 청소기 등에 널리 쓰이고 있다. 헤파 필터로 거를 수 없는 더 작은 입자는 울파 필터(ULPA)라는 초

고성능 필터를 사용해 제거한다. 울파 필터는 0.12 ㎛ 이상의 입자를 99.999 %까지 제거할 수 있어, 주로 반도체 연구실이나 생명공학 실험실의 클린룸에서 사용한다.

02 모범답안 활성탄은 매우 작은 구멍이 많은 다공성 물질로, 표면적이 넓어서 기체나 액체 등을 효과적으로 흡착하여 제거한다.

해설 숯은 나무를 태워서 만든 것이고, 활성탄은 정화에 사용하기 위해 표면적을 매우 넓게 만든 숯이다. 활성탄 1 g의 표면적은 500 m^2 이상이며, 활성탄 구멍은 숯에 비해 훨씬 작은 약 20 Å (1 Å = 10^{-10} m) 정도다. 냄새 입자가 활성탄 구멍에 모두 흡착되면 더 이상 흡착하지 못하므로 효과가 없다. 따라서 냄새 탈취제로 사용하는 활성탄이나 숯은 주기적으로 바꿔야 한다. 만일 숯을 냉장고에 넣어 두었다면 가끔 통풍이 잘 되는 곳에 놓고 햇볕에 말렸다가 써야 효과가 있다. 온도가 올라가면 냄새 입자의 운동성이 증가하여 냄새 입자가 구멍을 빠져나가기 때문에 다시 탈취제로 쓸 수 있다.

13 혼합물의 분리(2)

개념 기르기 114–115쪽

01 ④	02 ①	03 ⑤	04 ②	05 ⑤
06 ④	07 ①, ④	08 ⑤	09 ③	10 ④
11 ⑤				

01 물에 녹는 물질과 녹지 않는 물질의 혼합물을 분리할 수 있다. 소금과 나프탈렌의 혼합물을 물에 녹인 후 거름 장치로 거르면 소금은 물에 녹아 거름종이를 통과하고, 나프탈렌은 물에 녹지 않으므로 거름종이 위에 남는다.

02 증류는 끓는점 차를 이용한 분리 방법이다.

03 소금과 나프탈렌 혼합물을 물에 녹이면 소금이 녹으므로, 거름 장치에 거른 용액을 증발시키면 소금을 얻을 수 있다.

04 기체가 섞여 있을 때 물을 뿌려 분리하려면 한 물질은 물에 대한 용해도가 크고, 다른 물질은 물에 대한 용해도가 작아야 한다. A와 B는 물에 대한 용해도가 커서 물에 잘 녹고, C~E는 물에 대한 용해도가 작아서 물에 잘 녹지 않는다.

05 암모니아는 물에 녹고 공기는 물에 녹지 않는 성질을 이용하여 혼합물을 분리한다. 물에 녹지 않은 공기는 A로 빠져나오고, 물에 녹은 암모니아는 B로 빠져 나온다.

06 ① 거름 장치를 이용하여 분리한다.
② 물에 대한 기체의 용해도 차이를 이용하여 분리한다.
③ 크로마토그래피를 이용하여 분리한다.
④ 원유에서 여러 가지 연료를 분리할 때는 분별 증류를 이용하고, 사인펜 잉크의 색소 분리는 크로마토그래피를 이용하여 분리한다.
⑤ 특정 물질만 녹이는 용매를 사용하는 분리 방법인 추출로 분리한다.

07 (가) 과정에서는 용매(물)에 녹는 물질과 녹지 않는 물질을 분리할 수 있으며 (나) 과정에서는 증발에 의해 소금이 재결정된다.

08 온도에 따른 용해도 차이가 큰 고체와 용해도 차이가 작은 고체 혼합물을 높은 온도의 용매에 녹인 후 냉각시키는 과정을 반복하여 각각의 성분을 분리하는 방법을 분별 결정이라고 한다.

09 분별 결정은 온도에 따른 용해도 차이가 큰 물질과 작은 물질의 혼합물을 분리하는 데 효과적이다.

10 분리할 혼합물 시료를 작은 점으로 여러 번 찍은 후 용매에 담가두면, 각 성분 물질이 용매를 따라 이동하면서 분리된다. 이때 용매에 시료의 점이 잠기지 않게 해야 한다.

11 크로마토그래피는 각 성분 물질이 용매를 따라 이동하는 속도가 다른 것을 이용하여 혼합물을 분리한다.

서술형으로 다지기 116쪽

01 모범답안
- 추출 : 식초 속에 에테르를 넣으면 아세트산만 에테르에 녹는다.
- 분별 깔때기 : 밀도 차를 이용하여 물과 아세트산－에테르의 혼합물을 분리한다.
- 증발 : 에테르와 아세트산의 혼합물에서 에테르를 증발시켜 아세트산을 얻는다.

02 **모범답안** 염화 나트륨, 온도에 따른 용해도 차이가 가장 작기 때문이다.

해설 (가)와 같은 방법으로 혼합물을 분리하는 것을 재결정이라고 한다. 재결정은 불순물이 포함된 고체 혼합물을 용매에 녹인 후 용액을 냉각시켜 순수한 고체를 얻는 방법으로, 온도에 따른 용해도 차가 클수록 재결정을 통해 분리하기 쉽다.

03 **모범답안**
- 매우 적은 양의 혼합물도 분리할 수 있다.
- 성분이 매우 비슷한 혼합물도 분리할 수 있다.
- 방법이 비교적 간단하고, 짧은 시간에 분리할 수 있다.
- 복잡한 혼합물도 각 성분 물질로 분리할 수 있다.

04 **모범답안**
(1) (가) 거름, 물에 녹인 후 거름 장치로 거르면 물에 녹지 않는 모래는 거름종이 위에 남고, 거른 액체의 물을 증발시키면 소금이 남는다.
(2) (다) 분별 깔때기, 분별 깔때기에 물과 식용유를 넣고 흔들면 물은 아래로 가라앉고 식용유는 위로 뜬다.
(3) (나) 추출, 콩을 잘게 갈아 에테르에 넣으면 콩 속의 지방이 에테르에 녹는다. 에테르를 증발시키면 지방이 분리된다.
(4) (마) 크로마토그래피, 크로마토그래피 종이에 식물의 색소를 찍어 용매에 담가 두면 색소마다 용매에 의해 밀려 올라가는 거리가 다르므로 엽록소가 분리된다.
(5) (라) 분별 결정, 염화 나트륨과 붕산의 혼합물을 뜨거운 물에 넣고 녹인 후 냉각시키면 온도에 따른 용해도 차가 큰 붕산이 먼저 분리된다.

융합사고력 키우기 117쪽

01 **모범답안**
- 기름을 녹이는 용매를 사용하여 기름을 추출한다.
- 분별 깔때기에 넣어서 밀도가 다른 두 액체를 분리한다.

해설 식물에서 지방 성분을 추출한 후에 알코올 등으로 화학 반응을 시키면, 기름(지방산 에스테르)와 글리세린으로 분리된다. 이 중에서 지방산 에스테르를 바이오디젤이라고 한다.

02 **모범답안**
- 장점 : 바이오디젤은 현재 사용되고 있는 경유와 비슷해서 경유를 대체할 수 있는 에너지원이므로 엔진 개조 없이 바로 사용할 수 있다. 경유보다 연료를 태울 때 발생하는 이산화 탄소가 적다.
- 단점 : 바이오디젤은 식물성 기름에서 왔기 때문에 기온이 떨어지면 굳는다. 화석 연료에 비해 산화가 쉬우며, 쉽게 분해된다. 작물 재배를 위한 토지 사용의 변화로 기존 생태계를 파괴할 수 있다.

해설 경유는 −17 ℃까지 액체 상태로 유지되지만, 식물성인 코코넛 기름은 17 ℃ 이상에서만 액체 상태를 유지한다. 유채 기름은 −8 ℃까지 액체 상태를 유지한다.

탐구력 키우기 118쪽

01 **모범답안** 물이 끓어 기포가 생긴다.

해설 피스톤을 당기면 주사기 내부 압력이 낮아져 끓는점이 낮아지므로 물이 100 ℃가 되지 않아도 끓는다. 주사기가 클수록 압력을 많이 낮출 수 있으므로 물이 잘 끓는다. 90 ℃ 이상의 뜨거운 물을 사용해야 압력이 조금만 낮아져도 쉽게 끓는다.

02 **모범답안** 압력이 낮아지면 끓는점이 낮아진다.

해설 압력이 높아지면 끓는점이 높아지고 압력이 낮아지면 끓는점이 낮아진다. 해발 고도가 1000 m인 곳은 0.9 기압, 2000 m인 곳은 0.8 기압, 3000 m인 곳은 0.7 기압 정도 된다. 따라서 높은 산에 올라가면 물의 끓는점이 낮아져서 밥이 설익는다.

압력(기압)	0.1	0.2	0.3	0.4	0.5	0.8	0.85
물의 끓는점(℃)	46	60	69	80	81	94	96

압력(기압)	0.9	0.95	1	1.2	1.4	2
물의 끓는점(℃)	97	98	100	105	115	120

03 **모범답안** 피스톤을 밀면 주사기 내부 압력이 증가하므로 사이다 속에 이산화 탄소가 많이 녹아 기포의 크기가 작고 기포 수도 적어진다. 반면에 피스톤을 당기면 주사기 내부 압력이 감소하므로 사이다 속에 이산화 탄소가 많이 녹지 못해 기포의 크기가 커지고 기포 수도 많아진다.

해설 기체의 용해도는 압력이 높아지면 커지고 압력이 낮아지면 작아진다. 사이다 속에서 발생하는 기포는 녹지 못한 이산화 탄소이다. 따라서 사이다에 기포가 많이 생긴다는 것은 사이다 속에 이산화 탄소가 적게 녹아 있다는 뜻이다.

04 **모범답안** 뚜껑을 꼭 닫고 냉장고에 넣어둔다. 거꾸로 세워둔다. 병을 눌러 공기를 뺀 후 뚜껑을 닫는다.

해설 온도를 낮게 하고 압력을 높게 한다. 병을 눌러 공기를 뺀 후 뚜껑을 닫으면 병 안의 압력이 낮아져 외부의 공기가 병 안으로 들어오려 하기 때문에 이산화 탄소가 밖으로 빠져나가는 것을 막을 수 있다.

V 화학 반응의 규칙성과 에너지 변화

14 물리 변화와 화학 변화

개념 기르기 124-125쪽

01 ①	02 ②	03 ④	04 ④	05 ④
06 ①	07 ④	08 ⑤	09 ①	10 ④
11 ②				

01 물질이 처음의 성질과 전혀 다른 새로운 성질을 가진 물질로 변하는 현상을 화학 변화, 물질의 모양, 크기, 상태만 변할 뿐 고유한 성질은 변하지 않는 현상을 물리 변화라고 한다.
① 열에 의한 단백질의 변성－화학 변화
② 압력이 낮아져 기체의 용해도가 감소하기 때문에 나타나는 현상－물리 변화
③ 증발－물리 변화
④ 승화－물리 변화
⑤ 용해－물리 변화

02 (가) 과정은 양초가 연소하는 과정으로 화학 변화이고, (나)는 융해, (다)는 응고하는 상태 변화가 일어나는 물리 변화이다.

03 물리 변화가 일어나면 ㉠, ㉡, ㉢, ㉣, ㉤은 모두 변하지 않고 입자의 배열만 변한다. 화학 변화가 일어나면 원자 자체와 개수는 변하지 않으나 새로운 물질이 생성되므로 원자의 배열, 물질의 종류, 물질의 성질이 달라진다.

04 모형은 화합을 나타낸다. ①과 ⑤는 분해이고, ②와 ③은 복분해이다.
① $2HgO \rightarrow 2Hg+O_2$
② $Ca(OH)_2+CO_2 \rightarrow CaCO_3+H_2O$
③ $2HCl+CaCO_3 \rightarrow CaCl_2+H_2O+CO_2$
④ $Fe+S \rightarrow FeS$
⑤ $2H_2O_2 \rightarrow 2H_2O+O_2$ (이산화 망가니즈는 촉매)

05 석회수에 의해 뿌옇게 흐려지는 것은 이산화 탄소이다.
$2NaHCO_3 \rightarrow Na_2CO_3+H_2O+CO_2$

06 ②~⑤는 분해 반응, ①은 화합 반응이다.
① $2Mg+O_2 \rightarrow 2MgO$
② $2HgO \rightarrow 2Hg+O_2$
③ $2H_2O \rightarrow 2H_2+O_2$ (질산 칼륨은 물에 전기가 흐르도록 한다.)
④ $2NaHCO_3 \rightarrow Na_2CO_3+H_2O+CO_2$
⑤ $2H_2O_2 \rightarrow 2H_2O+O_2$ (이산화 망가니즈는 촉매)

07 반응물과 생성물의 총 원자수가 같도록 계수를 맞춘다.

08 산소 : O_2, 마그네슘 : Mg, 반응물과 생성물의 총 원자수가 같도록 계수를 맞춘다.

09 $2H_2 + O_2 \rightarrow 2H_2O$, 반응물과 생성물의 총 원자 수가 같도록 계수를 맞춘다.

10 물질을 이루는 입자의 크기는 화학 반응식으로 알 수 없다.

11 반응 전의 총 입자 수는 3개, 반응 후의 총 입자 수는 2개이다.

서술형으로 다지기 126쪽

01 모범답안 (다), (다)는 기체 반응에서만 성립하기 때문이다.
해설 화학 반응식의 계수비는 입자수의 비를 나타낸다. 기체일 경우는 부피비를 나타낸다.

02 모범답안 탄산수소 나트륨이 열에 의해 분해되어 이산화 탄소 기체가 발생했기 때문이다.
해설 탄산수소 나트륨 → 탄산 나트륨＋물＋이산화 탄소,
$2NaHCO_3 \rightarrow Na_2CO_3+H_2O+CO_2$

03 모범답안
- 물질의 성질이 변하지 않는 물리 변화 : (가), (다), (바)
- 물질의 성질이 변하는 화학 변화 : (나), (라), (마)

해설 물리 변화에서는 입자의 배열만 변하므로 물질의 성질이 변하지 않지만, 화학 변화에서는 원자의 배열이 변하여 새로운 물질이 만들어지므로 물질의 성질이 변한다.

04 모범답안 생성된 이산화 탄소와 물은 반응 물질인 메테인과 산소와 전혀 다른 새로운 성질을 가지기 때문에 화학 변화이다.
해설 원자의 배열이 바뀌어 새로운 물질이 되는 변화는 화학 변화이다.

융합사고력 키우기 127쪽

01 모범답안 $2H_2O_2 \rightarrow 2H_2O+O_2$

해설 반응물과 생성물의 총 원자수가 같도록 계수를 맞춘다.

02 모범답안 과산화 수소는 상처 부위의 세포를 파괴하기 때문에 상처가 크거나 깊을 때 과산화 수소를 사용하면 상처 치유를 지연시킬 수 있고, 상처가 없는(피가 나지 않는) 피부에는 효소가 없으므로 소독 효과가 나타나지 않는다.

해설 과산화 수소는 혈액과 세포 내용물에 있는 카탈레이스라는 효소가 촉매로 작용해야 분해 반응이 빨리 일어난다. 촉매가 없을 때는 과산화 수소의 분해 속도가 매우 느리기 때문에 아무런 변화도 일어나지 않는다. 상처 부위를 과산화 수소로 소독할 때 피부가 활성 산소에 의해 큰 피해를 입지 않는 것은 우리 몸에 '슈퍼 옥사이드 디스뮤테이스'라는 강력한 방어 효소가 있기 때문이다. 그렇지만 이 효소가 100 % 방어할 수 있는 것은 아니므로 우리 몸의 세포도 일정 부분 피해를 입는다. 과산화 수소는 처음 상처가 생겼을 때만 사용해야 하며, 상처에 지속적으로 바르면 상처가 아물지 않고 치료 과정이 더딜 수 있으므로 주의해야 한다. 일반적으로 과산화 수소는 살균보다는 세척용으로, 포비돈 아이오딘 용액은 살균, 소독에 적합하다.

15 화학 반응의 규칙성(1)

개념 기르기 132–133쪽

01 ③	02 ①	03 ⑤	04 ①	05 ③
06 ③	07 ②	08 ①	09 ④	10 ④

01 모든 화학 변화에서 질량 보존 법칙은 성립한다.

02 밀폐된 용기 내에서는 화학 반응이 일어나도 질량은 변하지 않는다.

03 원자는 없어지거나 새로 생겨나지 않으므로 질량은 물리 변화와 화학 변화에서 모두 보존된다.

04 생성된 산화 철의 질량은 135 g−45 g=90 g이므로 철 70 g과 산소 20 g이 반응했다.

05 화학 변화가 일어나도 물질을 이루는 원자 자체는 변하지 않으므로 질량이 보존된다.

06 화학 반응 시 화합물을 구성하는 성분 물질의 질량 사이에는 일정한 질량비가 성립한다. 이를 일정 성분비 법칙이라고 한다.

07 그래프에서 마그네슘 1.2 g과 산소 0.8 g이 반응하므로 마그네슘과 산소는 3 : 2의 질량비로 반응한다. 따라서 24 g의 마그네슘과 결합하는 산소의 질량은 16 g이다.

08 X 원자 한 개의 질량은 2 g이다. X원자 15개와 Y원자 30개로 XY_2화합물을 최대 15개 만들 수 있으므로 만들어진 화합물에서 X의 총 질량은 30 g, Y의 총 질량은 30 g이다. 따라서 Y 원자 한 개의 질량은 1 g이다. X 원자 1개와 Y 원자 2개가 결합하여 XY_2화합물을 만들 때 X원자와 Y원자의 질량비는 2 g : (1 g×2) = 1 : 1이다.

09 마그네슘 원자 1개와 산소 원자 1개가 반응하여 산화 마그네슘이 되므로 마그네슘과 산소의 질량비는 24 : 16=3 : 2이다. 따라서 마그네슘 6 g과 반응하는 산소의 질량은 4 g이므로 10 g의 산화 마그네슘이 생성된다.

10 ㉠ 구리 1.2 g이 반응하여 산화 구리(Ⅱ) 1.5 g이 생성되었으므로 구리 : 산소의 반응 질량비는 4 : 1이다.
㉡ 구리 : 산소의 반응비는 언제나 4 : 1이므로 일정 성분비 법칙이 성립함을 알 수 있다.
㉢ 구리와 산소가 반응하여 산화 구리(Ⅱ)가 될 때 구리와 산소는 4 : 1로 반응하므로 2.0 g의 구리는 0.5 g의 산소와 반응하여 2.5 g의 산화 구리(Ⅱ)가 된다.
㉣ 그래프에서 구리의 질량이 커질수록 산화 구리(Ⅱ)의 질량이 비례하여 증가함을 알 수 있다.

서술형으로 다지기 134쪽

01 모범답안 나무를 연소시키면 연소 생성물인 이산화 탄소와 수증기가 공기 중으로 날아가 버리기 때문에 질량이 감소하고, 강철솜은 산소와 결합하므로 질량이 증가한다.

해설 화학 반응이 일어날 때 질량이 증가하거나 감소하는 것처럼 보이는 것은 반응이 일어날 때 출입하는 물질 때문이다.

02 모범답안 구리와 결합하는 산소의 양이 일정하므로 40분 이후로는 산소와 반응할 구리가 없기 때문이다.

해설 구리를 가열하면 산소와 결합하여 산화 구리(Ⅱ)가 된다. 12 g의 구리가 15 g의 산화 구리(Ⅱ)가 되었으므로 12 g의 구리가 3 g의 산소와 반응하면 반응이 더 이상 진행되지 않는다. 즉 구리와 산소의 반응비는 4 : 1로 일정하다.

03 모범답안 기체 A와 B는 항상 1 : 8의 질량비로 반응한다.

04 모범답안 시험관 5에는 반응하지 않은 질산 납 수용액 2 mL가 남아 있고, 아이오딘화 칼륨 수용액과 질산 납 수용액은 1 : 1의 부피비로 반응하므로 아이오딘화 칼륨 수용액 2 mL가 더 필요하다.

해설 아이오딘화 칼륨 수용액 6 mL와 모두 반응하는 질산 납 수용액의 부피가 6 mL이므로 아이오딘화 칼륨 수용액은 질산 납 수용액과 1 : 1의 부피비로 반응한다는 것을 알 수 있다. 일정한 부피 속에 들어 있는 아이오딘화 칼륨과 질산 납의 질량은 일정할 것이므로, 아이오딘화 납의 성분 물질인 아이오딘과 납 사이에는 일정한 질량비가 성립한다.

융합사고력 키우기 135쪽

01 모범답안 사람은 지구의 자원을 섭취하고 그것들을 소화시켜 체내에서 다른 형태로 재합성시키는 다양한 화학 반응으로 살아간다. 따라서 인구가 늘어나면 질량이 늘어난만큼 지구 자원의 질량이 줄어들므로 세계 인구가 늘어나도 지구 전체의 질량은 변화없다.

해설 생명이 탄생해서 자라고 죽기까지의 과정은 화학 작용의 일부이다. 화학 반응 전후의 반응에 참여한 물질의 질량은 보존되므로, 어떤 원소가 음식물 형태로 사람의 몸 밖에 존재하든지 체내의 화학 반응을 거쳐 사람 신체의 일부로 존재하든지 질량은 일정하다.

02 모범답안
- 늘어나는 경우 : 우주에서 운석이나 어떤 물질이 지구로 유입되면 그 질량만큼 지구 질량이 증가한다.
- 감소하는 경우 : 지구에 살고 있는 사람이 우주선을 타고 우주 여행을 가거나 다른 행성으로 이주하면 그 질량만큼 지구 질량이 감소한다.

16 화학 반응의 규칙성(2), 에너지 출입

개념 기르기 140-141쪽

01 ③	02 ④	03 ④	04 ③	05 ②
06 ④	07 ③	08 ②	09 ⑤	10 ②
11 ①	12 ⑤			

01 기체 반응의 법칙은 반응 물질과 생성 물질이 모두 기체인 반응에서만 성립한다.

02 기체 반응의 법칙은 반응 물질과 생성 물질이 모두 기체인 반응에서만 성립한다. 철, 황, 탄소는 고체이다.

03 수소 : 산소 : 수증기=2 : 1 : 2의 부피비로 반응한다. 수소 100 mL와 산소 50 mL를 반응시키면, 수증기 100 mL가 생성되고 남은 기체는 없다.

04 같은 온도와 압력에서 같은 부피 속에는 기체의 종류에 관계없이 같은 수의 분자가 들어 있다. 수소(H_2)와 질소(N_2)는 분자 1개를 구성하는 원자 수가 2개로 같으므로, (가)와 (나)는 분자 수와 총 원자 수가 같다.

05 기체 A : 기체 B : 기체 C=2 : 1 : 2의 부피비로 반응하므로, 기체 A 60 mL는 기체 B 30 mL와 반응하여 기체 C 60 mL가 생성된다.

06 같은 부피 속에 같은 수의 분자를 포함한다.

07 돌턴의 원자설에 어긋나지 않고, 기체 반응을 나타낼 수 있어야 한다.

08 아보가드로 법칙에 의하면 온도와 압력이 같을 때 모든 기체는 같은 부피 속에 같은 수의 분자를 포함한다. 산소 기체 10 mL 속에 산소 분자가 100개 들어 있으므로 질소 기체 10 mL 속에도 질소 분자가 100개 들어 있다. 따라서 질소 기체 60 mL 속에는 질소 분자가 600개 들어 있다.

09 기체는 온도와 압력에 따라 부피가 변하므로 반응하는 기체의 부피비를 따지려면 온도와 압력을 일정하게 하고 실험해야 한다. A_2 기체 2부피와 B_2 기체 1부피가 반응하면 C 기체 2부피가 생성되므로 실험 3에서는 A_2 기체 30 mL와 B_2 기체 15 mL가 반응하여 C 기체 30 mL가 생성된다.

10 그래프의 화학 반응은 열을 방출하는 발열 반응이다.

11 질산 암모늄을 물에 용해시키는 반응을 냉각 팩에 이용하는 것은 흡열 반응이다.

12 반응물보다 생성물의 에너지 총합이 더 큰 반응은 흡열 반응이다. 추운 겨울에 이글루에 물을 뿌리면 물이 얼면서 열을 방출하므로 실내가 따뜻해진다. 이는 발열 반응을 이용한 경

우이다.

서술형으로 다지기 142쪽

01 모범답안 A : B=1 : 3으로 반응한다. 기체 A 20 mL를 모두 반응시키기 위해서는 기체 B 60 mL가 필요하므로, 기체 B 30 mL를 추가해야 한다.

해설 온도와 압력이 같을 때, 반응 기체와 생성 기체의 부피 사이에는 간단한 정수비가 성립한다.

02 모범답안 산소 분자 1개를 x라고 하면 반응한 산소의 양은 $3x$이고 생성된 오존의 양은 $2x$이다. 방전 후 혼합 기체의 부피는 $1-3x+2x=0.9$, $x=0.1$이다. 1 L의 산소 중 $3x$만 반응했으므로 남은 산소의 양은 $1-3x=1-(3\times0.1)=0.7$(L)이다.

해설 산소가 방전되어 오존이 형성되는 화학 반응식은 $3O_2 \rightarrow 2O_3$이다.

03 모범답안 기체가 원자로 존재하면 원자가 쪼개지므로 돌턴의 원자설에 어긋나지만, 분자로 존재하면 돌턴의 원자설에 어긋나지 않으면서 기체 반응 법칙의 설명이 가능하다.

해설 아보가드로의 법칙은 기체의 종류가 다르더라도, 온도와 압력이 같다면 일정 부피 안에 들어있는 기체의 입자 수는 같다는 것이다. 이 법칙은 돌턴의 원자론에 입각하여 1808년에 발견된 게이뤼삭의 기체 반응 법칙을 기초로 하여 만들어진 것이다.

04 모범답안 끈을 당기면 나트륨 가루와 물이 만나 반응하여 열이 발생하고, 이 열로 음식을 데운다.

해설 발열팩은 물을 끓이고 밥을 데울 수 있는 많을 열을 발생시킨다. 발열팩의 끈을 당기면 나트륨 가루와 물이 만나 수산화 나트륨과 수소 기체가 생기며 많은 열이 발생한다. 인화성이 있는 수소 기체가 발생하므로 화기 주변에서는 사용하지 않고 통풍 및 환기가 잘 되는 곳에서 사용한다. 나트륨 가루와 물의 반응 대신 산화 칼슘과 물의 반응을 이용하기도 한다. 산화 칼슘과 물이 반응하면 수산화 칼슘이 만들어지면서 많은 열이 발생한다.

융합사고력 키우기 143쪽

01 모범답안 섬유가 몸에서 나오는 수증기를 흡수하여 수증기의 운동 에너지를 열에너지로 전환하고, 수증기가 섬유에 흡착되어 물로 바뀔 때 발생하는 액화열을 이용한다.

해설 히트텍은 레이온-아크릴-폴리에스테르로 이루어져 있다. 레이온은 수분을 잘 흡수하는 섬유이다. 사람은 피부로 하루에 1 L 정도 수분을 방출하는데, 레이온이 피부로 방출되는 수증기를 흡수한다. 에너지가 높은 기체 상태의 수증기가 레이온 섬유에 흡착되면 운동 에너지가 열에너지로 전환되면서 열을 발생시킨다(흡착열). 수증기가 섬유에서 물로 변하면 액화열이 발생하므로 발열이 더 커진다(액화열). 히트텍을 입은 직후는 수분 방출량이 적어 따뜻함을 잘 느끼지 못하지만 움직이거나 땀을 흘리면 수분 방출량이 많아지고 발열량도 커져 따뜻해진다. 히트텍의 섬유가 수분을 잘 흡수할수록 발열량이 커진다. 레이온의 바깥쪽에는 보온성이 높은 아크릴을 더한다. 극세 가공된 아크릴 섬유는 체온과 발생한 열에 의해 공기를 보존하고, 흡습성이 높아서 몸을 식히는 땀을 잘 흡수한다. 가장 바깥쪽의 폴리에스테르 섬유는 수분을 튕겨내는 속건성이 뛰어나기 때문에, 땀을 곧바로 바깥으로 증발시킨다. 이로 인해 히트텍은 가벼우면서도 보온과 발열 효과를 가진다.

02 모범답안 원단에 열전도율이 낮은 물질을 배열해 피부와 맞닿을 때마다 온도를 낮추고 시원하게 한다.

해설 냉감 원단은 땀 흡수가 빠르고 금방 마르며 바람이 잘 통한다. 대표적인 냉감 원단으로 쿨맥스가 있으며 섬유 단면을 원형이 아닌 직사각형으로 만든 아스킨은 피부와 접촉면을 넓게 하여 열을 빠르게 방출하고 빨리 마르게 한다. 원단에 열전도율이 낮은 티타늄 도트를 배열(아이더-아이스티 메탈)해 온도를 낮추거나, 피부의 수분을 흡수한 후 빠르게 증발시키는 흡한 속건 소재(머렐-엠셀렉트 윅, 르카프-에어로 드라이)를 이용해 온도를 낮춘다. 온도가 올라가면 PCM 성분(상변환 물질)이 고체에서 액체로 변하면서 열을 흡수하고 온도가 내려가면 액체에서 고체로 변하면서 열을 발산하는 특성을 가진 물질을 원단에 이용해(네파-아이스 콜드 티셔츠) 쾌적한 온도로 유지한다. 원단에 땀을 흘리면 부풀어 오르며 수증기 형태의 땀과 화학 반응을 일으켜 온도를 낮추는 기능성 폴리머(고분자)를 코팅(밀레-콜드 엣지 티셔츠)해 온도를 낮춘다. 땀과 만나 팽창된 폴리머는 땀을 외부로 빠르게 발산하고 건조시키므로 옷이 몸에 달라붙지 않아 쾌적하다. 냉감 원단으로 만든 옷은 피부에 직접 닿도록 입어야 효과가 크다.

탐구력 키우기 144쪽

01 모범답안

- [실험 1] : 투명한 노란색이고 딱딱하다. 부피가 작고 단맛이 강하다. 등

• [실험 2] : 불투명한 황토색이고 부피가 크다. 잘라보면 구멍이 있다. 바삭하다. 단맛이 덜하다. 등

해설 먼저 색, 부푼 정도, 반으로 나눴을 때 안쪽의 기포 등을 골고루 관찰한 후 맛을 본다. 두 과자의 차이가 생긴 이유는 소다(탄산수소 나트륨) 때문이다.

02

모범답안 [실험 1]에서 만든 설탕 과자는 설탕이 녹았다가 다시 굳어서 만들어진 것으로, 상태만 변한 물리 변화에 의해 만들어지고, [실험 2]에서 만든 설탕 과자는 소다(탄산수소 나트륨)의 화학 변화에 의해 만들어진 것이다. 소다(탄산수소 나트륨)가 열분해되어 생성된 이산화 탄소 때문에 [실험 1] 설탕 과자보다 부풀어 부피가 커지고 구멍이 생기며 바삭바삭해진다.

03

모범답안

• 화학 반응식 : $2H_2O \rightarrow 2H_2 + O_2$

• 생성물 확인 방법 : (+)극에서 발생한 기체에 꺼져가는 불씨를 넣어서 다시 타오르면 산소이고, (−)극에서 발생한 기체에 성냥불을 가까이할 때 '퍽' 소리를 내며 타면 수소이다.

안쌤 영재교육연구소 교재구성

과학 개념 + 융합사고력	과학대회	교육청 · 대학부설 영재교육원

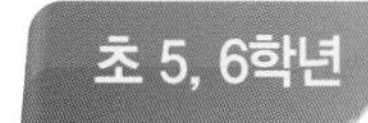

초 5, 6학년

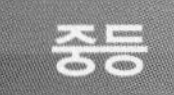

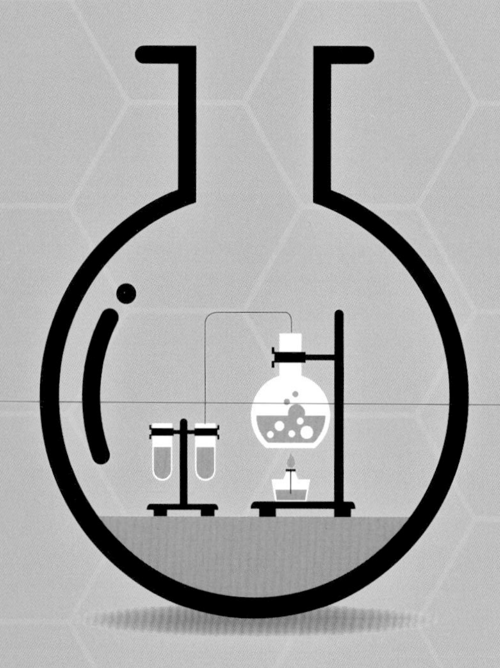

안쌤의

최상위 줄기과학

최상위권 브랜드

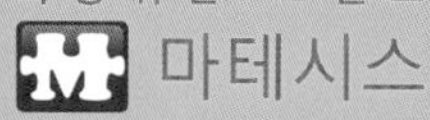

펴낸곳 타임교육C&P **펴낸이** 이길호 **지은이** 안쌤 영재교육연구소

주소 서울특별시 강남구 봉은사로 442 **연락처** 1588－6066

팩토카페 http://cafe.naver.com/factos

안쌤카페 http://cafe.naver.com/xmrahrrhrhghkr(안쌤 영재교육연구소)

자율안전확인신고필증번호: B361H200-4001

1.주소: 06153 서울특별시 강남구 봉은사로 442
2.문의전화: 1588－6066
3.제조년월: 2023년 3월
4.제조국: 대한민국
5.사용연령: 8세 이상

※ KC마크는 이 제품이 공통안전기준에 적합하였음을 의미합니다.

⚠ 주의

종이, 모서리에 다칠 수 있으니 주의하세요!